中国の特色ある社会主義の歩み

韓 慶祥
黄 相懐 ［ほか］著

魏 鈾原
金 璽罡 訳
余 弦

宮山昌治 監訳

JN078208

グローバル科学文化出版

目次

後書き

序文

中国の特色ある社会主義の歩みは世界に貢献する貴重な贈り物

韓　慶祥

中国の特色ある社会主義の歩みの世界的貢献に関する包括的かつ詳細な研究を行うことは、本研究チームの長年の共通の望みである。近年、研究チームのメンバーは、中国の特色ある社会主義の歩みの世界的な重要性に関する多くの重要な研究成果を発表してきた。著者は２０１４年に発表した「中国の特色ある社会主義の歩みの世界的意義とマルクス主義哲学のイノベーション」という論文において、「中国の特色ある社会主義の歩みを語るには、社会の歴史的変化における力の移転と構造的変化を把握するためにも、世界史的変化を背景に置かなければならない」と指摘した。同様に２０１４年、本書の共著者である黄相懐は、「中国の特色ある社会主義の歩みが発展途上国の近代化にまつわる一連の難問を解決した」という論文の中で、「中国のように多くの困難や障害を克服し、13億人余のやや立ち遅れた経済と文化を有する大国を、急速な近代化の軌道に乗せることができた国はいまだかつてなかった。中国の特色ある社会主義の歩みは、発展途上国の近代化問題の解決に成功した実践例である」と指摘したが、これら初期の理論的成果は、本書の強固な基盤となった。

言うまでもなく、本書誕生にまつわる直接の契機は、私が2016年に『北京日報』で発表した「中国の特色ある社会主義の歩みの世界への四つの主要な貢献（梁漱溟の質問に対する回答）」という一文にある。「中国共産党は中国国民を率い、中国の特色ある社会主義の歩みを導き出したが、これこそは中国が世界に貢献した貴重な贈り物である」と述べ、また、中国の特色ある社会主義の歩みは、世界への少なくとも四つの主要な貢献——すなわち、生存への貢献、開発への貢献、文化への貢献、および平和への貢献など——をもたらしたと指摘した。この論文の発表後、社会的関心を広く聚め、また中国人民大学出版社の注目も聚めたため、この本の企画と出版に至ったわけである。

本書は「中国の特色ある社会主義の歩みの世界的貢献」研究チームの共同研究の成果である。中国の特色ある社会主義の歩みの理論的解釈、特に哲学的理解に注目するだけでなく、中国の特色ある社会主義の歩みの世界への貢献や世界的意義にも注目し、分析研究を行ったものである。本書の最大の特徴は、政治的言説、学問的言説、世界的言説の統一を主張し、歴史、理論、現実の統一を守り、「アカデミックに政治を語る」ことにある。

前書きの「中国の特色ある社会主義の歩みが世界に貢献できるもの」は、韓慶祥、黄相懐の研究成果を総括すると共に、他のメンバーの成果をも部分的に吸収し、黄相懐が修正し完成させたものである。第一章「中国の特色ある社会主義の歩みの歴史的背景」は斉恵が担当した。第二章「中国の特色ある社会主義の歩みの理論的解釈」は韓慶祥、黄相懐と劉晨光の研究成果の総括であり、劉晨光が修正を担当した。第三章「中国の特色ある社会主義の歩みの生存的貢献」は張永が担当した。第四章「中国の特色ある社会主義の歩みの発展的貢献」は張開、王声嘯が担当した。第五章「中国の特色ある社会主義の歩みの制度的貢献」は王若磊が担当した。第六章「中国の特色ある社会主義の歩みの文化的貢献」は張城、劉晨光と王培洲の研究成果の総括であり、張城が修正を担当した。第七章「中国の特色ある社会主義の歩みの平和的貢献」は韓愛勇が担当した。後書きの「人類のより良き社会制度への模索に対して中国のプランを提示する」は韓慶祥、黄相懐の研究成果を基に黄相懐が修正し完成させたものである。

中国の特色ある社会主義の歩みの世界的貢献について世界に伝えることとは、厳粛な政治的任務であり、中国の特色ある社会主義の歩みを包括的かつ正確に世界に伝えるには、極めて高い学問水準が必要となる。したがって、中共中央党校に属する哲学・社会科学の従事者として、「アカデミックに政治を語る」という理念を保ち、政治的要件と学問的基準に基づいて中国の特色ある社会主義の歩みの世界的貢献の研究に努めてきた。言うまでもなく、我々が行っている研究作業はまだ初歩的なものであり、より多くの研究者の参入が必要であり、中国の大地で中国人自身の学問を問い、「アカデミックな中国」「理論的な中国」「思想的な中国」を世界に提示しなければならない。

習近平総書記は次のように指摘した。中国の特色ある社会主義の歩みは、改革開放から三十年以上にわたって偉大な実践により切り拓かれてきたものであり、また中華人民共和国成立から六十年以上にわたって絶え間ない探索により切り拓かれてきたものでもあり、近代の百七十年以上にわたる中華民族の発展史の真摯な総括により切り拓かれてきたものでもあり、中華民族五千年以上の長い歴史を有する中国文明の継承により切り拓かれてきたものでもある、と。この四つの「道を切り拓く」という言葉は、中国の特色ある社会主義の歩みの歴史的起源をイメージによってしっかりと捉えると同時に、中国の特色ある社会主義の歩みの内なる特性を明らかにした。この特性とは、中国の特色ある社会主義の歩みが世界に大きく貢献するための本質的な基盤であり、歩みの自信の確固たる根拠である。これは、中国の特色ある社会主義の歩みが世界的貢献に繋がるものであることを示すものだと言える。中国の極めて大きな規模と多くの人口が、世界への生存的貢献を必然たるものにした。貧困で、かつ立ち遅れた状態から発展した状態に至るまでの経過が、世界の発展への貢献を必然たるものにした。資源エネルギーを動かし、比較的穏やかで秩序ある国家と社会統治が世界への制度的貢献を必然たるものにした。長く深奥な文明の伝承と文化革新が、世界への文化発展的貢献を必然たるものにした。包括的かつ非対抗的な方法で世界の発展に関与したことが、世界への平和的貢献を必然たるものにした。つまり一言で言えば、世界への貢献は中国の特色ある社会主義の歩みがもたらす「波及効果」でもあり、中国の特色ある社会主義の歩み自身の特性に深く根差したものであるのだ。

中国共産党第十九回全国大会の報告書は次のように述べた。中国の特色ある社会主義の歩み、理論、制度、文化の絶え間ない発展は、開発途上国の近代化への道を開拓し、急速な発展と自らの独立性を維持したい世界の国々や民族に、新たな選択肢を提供すると同時に、我々人類の問題の解決に中国の知恵とプランを提示した。これはまさに中国の特色ある社会主義の歩みの世界的貢献である。これらの貢献は、本書で述べる五つの貢献の中で具体的に書かれる。

本書は、中国国家新聞出版ラジオテレビ総局の「第十三次五カ年計画」の国家重点出版物の企画である「中国を認識し、中国を理解する」というシリーズの一部である。また本書は多言語に翻訳され、全世界で出版、発行されている。世界各国の読者に本書から中国の特色ある社会主義の歩みへの理解不足を補い、より深く理解してもらうことを期待している。さらに中国の特色ある社会主義の歩みへの読者のより高い関心を引き出せれば、それに勝ることはない。

新中国が成立した際、全体の発展状況から言えば、中国は世界の足を引っ張る国であった。目下、中国は世界の発展へ大きな貢献をしている。それはいかに大きな変化であることか。改革開放当初、アカデミックな立場から言うと、中国の国家イメージは主に西側の、マスメディア並びにアカデミックの成果によって形作られたのである。現在、中国の国家イメージは中国人自身によって能動的に描かれ、また世界の注目を集めているのである。それはまたいかに大きな変化であろうか。中国の特色ある社会主義の歩みは、中国が世界に貢献した貴重な贈り物であるが、そのように、私たちは本書を中国の知識人が世界へ貢献する贈り物にしたいのである。世界各国の国民がこの二つの贈り物から全中国国民の共通の願い——中国はますますよくなる、世界もまた、ますますよくなるに違いない、という願いを受け止めることを期待する。

２０１７年10月25日

前書き

中国の特色ある社会主義の歩みが世界に貢献できるもの

六十年以上も前から、先達たちは中国が世界に貢献することを望んでいた。かつて梁漱溟は「中国は何をもって世界に貢献できるのか?」と問うた。そして六十年後、中国共産党は中国国民を率いて中国の道を切り拓いたが、これは中国が世界に貢献した貴重な贈り物である。習近平総書記は中国が歩む道の独自の利点を非常に重視し、中国の特色ある社会主義の歩みの継続的発展を強調している。そして中国は人類の問題を解決するために中国の知恵とプランで貢献すべきであり、この歩みに強い自信を持たなければならない。

中国共産党の文献は政治的観点から中国の特色ある社会主義の歩みを全面的に定義している。この基礎の上で、学術的にその哲学の精髄、本質の意義を深めることができるが、それは「一主二合三基」とまとめることができる。「一主」とは、中国共産党の指導を堅持することだ。「二合」とは、中国の特色ある社会主義の歩みが一連の基本的矛盾の調和と協調を体現していることだ。例えば、科学的社会主義の一般原則と中国の具体的実情との調和、改革開放と四項の基礎原則との調和、市場経済と社会主義制度との調和、効率と公平との調和などである。「三基」とは、中国が近代化の過程の中で重点を置くべき三つの基本的目標、三つの基本的力、三つの基本的メカニズムのことである。三つの基本的目標とは、社会的生産力の解放と発展、全国民の共同富裕の実現、人類の全面的発展の促進である。三つの基本的力とは、中国共産党と政府の主導力、市場配分力、国民を主体とする力である。そして、三つの基本的メカニズムとは、経済社会発展の動力メカニズム、均衡メカニズム、統治メカニズムである。このように「一主二合三基」は、生存、発展問題の解決に焦点を当てながら、文化問題の解決にも焦点を当て、更には世界平和問題の解決にも焦点を当てている、当然ながら制度の利点をも体現していることになる。全体から言えば、このような中国の特色ある社会主義の歩みは世界に対し、「生存的貢献」「発展的貢献」「制度的貢献」「文化的貢献」と「平和的貢献」を果たしているのである。まさにこれらの貢献があるからこそ、中国の特色ある社会主義の歩みは非常に重要な世界的意義を有するのである。

一、中国の特色ある社会主義の歩みの生存的貢献

中国の特色ある社会主義の歩みは、中国に自らの力によって自らの生存問題を解決させ、世界総人口の四分の一を占める中国人の食の問題を解決した。これが生存的貢献である。

改革開放当初、世界総人口の四分の一をも占める中国人の食糧問題は最も重要な問題であった。中国人の食糧問題を解決しない限り、中国だけでなく、全世界も安定にたどりつけないのである。中国人の食糧問題を解決しない限り、すなわちそれは貧困の普遍化を意味し、極端な貧困の状況下では、新たに必需品の争奪が始まり、古い歴史が繰り返されることになるだろう。ゆえにマルクス、エンゲ

ルスは次のように指摘した。物質生活材料の生産がすべての歴史における第一前提である。人々が歴史を創造するためには生活が成り立たねばならず、生活にはまず、衣、食、住やその他のものが必要である。衣、食、住は人間の第一の需要であり、これら一連の需要を満たす物質生活材料の生産が人類最初の歴史的活動であると。これにより、エンゲルスは次のように指摘した。ダーウィンが有機世界の発展の法則を発見したように、マルクスは人類の歴史の発展の規律を発見した。多くのイデオロギーによって常に隠されてきた単純な事実、それは、人は必ず先に衣、食、住を満たした後に政治、科学、芸術、宗教等に従事できるということだ。よって、直接な物質的生活材料の生産は、一つの民族或いは一つの時代の一定の発展段階において、基礎を構成するものとなり、人々の国家施設、法的観点、芸術、及び宗教観念も、これに基づいて発展してきたのである。

中国の特色ある社会主義の歩みの最も本質的特徴は、中国共産党の指導の堅持であり、追求している根元的目標の一つは、全国民の共同富裕を段階的に実現することである。中国共産党の政治的本質は、国のために中国共産党があり、国民のために政治をすることであるが、中国共産党の根元的目標は心を込めて国民に奉仕することである。この本質と趣旨の具体的体現は、まず初めに中国人の食糧問題（飢餓問題）を解決することである。このため、中国共産党は１９８０年代の第十三回全国大会において、「三段階」戦略を提唱した。第一段階は、ＧＤＰを１９８０年の2倍にすること、そして国民の衣食問題を解決することである。これは既にほぼ実現したと言える。第二段階は二十世紀末までにＧＤＰをさらに倍増させ、人々の生活が快適レベルに達することである。第三段階は、二十一世紀中盤には先進国のＧＤＰと同レベルに達し、国民の生活が比較的裕福になり、近代化を実現することである。そして、これを基本としてさらに前進することだ。１９９０年代の中国共産党第十五回全国大会にて、中国共産党は変化する実際状況に合わせ、二十一世紀における中国社会の発展「三段階」計画を設定した。最初の十年間で、ＧＤＰを２０００年の2倍にし、人々の快適な生活をより豊かにし、比較的完全な社会主義市場経済システムを形成するという計画だ。さらに十年の努力を経て、中国共産党成立百年の時には、国民経済の更なる発展、各制度の更なる改善を図る。そして二十一世紀中盤の建国百年の時には、近代化を実現し、繁栄した民主的かつ文明的な社会主義国家を建立する。それが、中国共産党の第十九回全国大会では、２０２０年から２０３５年までに、豊かな社会を全面的に構築するという基礎の上で、更に十五年間の奮闘を経て、社会主義の近代化がほぼ実現されると発表された。これは元の構想よりも十五年も早めた計画である。これがいかに素晴らしいことであるか。歴史と実践が証明するように、中国の特色ある社会主義の歩みは中国人自身で中国人の食の問題を真に解決しただけではない。中国は世界の7％を占める農作地を以って世界人口の19％を養っている。これは世界全体にとってはとてつもなく大きな生存的貢献である。

二、中国の特色ある社会主義の歩みの発展的貢献

中国の特色ある社会主義の歩みは中国人の生活レベルを全体的に小康状態（ややゆとりのある社会）に向上させた。このことは中国における世界の市場を開拓し、世界発展のためにチャンスを作ること

に役立つのみならず、世界が中国の発展成果を共に享受するのにも役立つ。これこそ発展的貢献である。

こうした発展的貢献は中国の特色ある社会主義の歩みと直接関連性がある。

中国の特色ある社会主義の歩みが示すのは、中国の特色ある社会主義が中国を発展させることができるということだ。中国共産党は独特な優位性を有している。一つ目は、政策決定が正しい場合、国家のあらゆる資源と力を効果的に動員し、大事を成し遂げることができることだ。二つ目は、中国の基本的な国情に基づき、中国の具体的な実情から中国の問題を解決し、各種の複雑で矛盾した関係を処理するのを重視していることだ。三つ目は、学習を重視し、経験と教訓をまとめること、自ら間違いを直すこと、自ら刷新すること、開拓と革新が得意であることだ。中国共産党は積極的に世界各国の「市場経済」「国家ガバナンス」「社会組織」などといった文明に役立つあらゆる成果を学ぶ。これは経済発展の活力を奮い立たせ、社会の調和を促進し、また中国共産党に絶えず自身の限界を克服させ、強大な生命力を開示させることができることだ。四つ目は、一貫してマルクス主義、社会主義の政治的立場を堅持しつつ、時の流れとともに新しい時代、新しい環境に適応し、開拓と革新を実施することだ。五つ目は、中国共産党は社会の歴史発展の法則と傾向を反映することに取り組み、絶えず動員と結束の役割を有する戦略目標を立てるという戦略的決断力を備えていることだ。明らかに、これらの独特な優位性は中国人の食糧問題を解決することができるだけでなく、中国の発展を大いに推進できる。中国共産党政権のいわゆる「弊害」を多く指摘しながら、中国共産党政権の独特な優位性を無視する者がいることは、はっきりさせておかなければならない。

　中国の特色ある社会主義の歩みが示すのは、中国の特色ある社会主義が中国を発展させることができるということだ。中国の特色ある社会主義は、中国共産党と国民が長期的な実践の中で形成し、発展させてきたもので、独特な優位性を有している。中国の特色ある社会主義は、客観的な実情から出発することを重視し、中国の基本的な国情に立脚し、実践の基礎を備え、上滑りのものではない。中国の特色ある社会主義は、「一元主導」を重視し、社会主義の根本的政治原則を堅持し、正しい方向性を有しており、旗幟鮮明である。中国の特色ある社会主義は、「二基結合」を重視し、改革発展の歴史の歩みにおける基本的な矛盾の双方の結合と協調を強調し、持続的可能性があり、揺れ動くことがない。中国の特色ある社会主義は、「自主革新（自主イノベーション）」を重視し、革新（イノベーション）による駆動を実施し、原動力の役割があり、怠りがない。中国の特色ある社会主義は、原則性と機動性の統一を重視し、改革発展の進展中の問題を効果的に解決することができ、国家の管理治世の政治的な知恵を含んでおり、硬直化しない。中国の特色ある社会主義は、経済建設を中心とし、社会生産力の解放と発展を重視し、発展を疑う余地のない道理と見なし、社会主義近代化の実現を中国の発展を推し進める根本的なルートとし、社会の主要矛盾を集中的に解決し、中国国民に精神を集中させて建設に取り組ませ、一心に発展を図らせ、中国の発展に巨大な成果を挙げさせることにおいて、ゆるぎがない。中国の特色ある社会主義は、社会主義近代化と中華民族の偉大な復興という、中国の夢の実現を戦略目標とし、「四つの全面化（小康社会の全面的完成、改革の全面的深化、全面的な法に基づく国家統治、全面的な厳しい党内統治）」という戦略布陣の調和的な推進を、この戦略目標を実現させるための総体的方策と見なし、迷わない。これらの優位性が中国の発展を大いに推進しうることは明らかである。

中国の特色ある社会主義の歩みが示すのは、改革開放が、発展途上国が近代化に向かい、そして西側の発展水準に追いつく根本的な原動力であり、重要な方法であるということだ。発展途上国が実現しようとする近代化の目標は壮大で遠大である。しかしながら、この目標を実現しようとすると、さまざまな体制機構の弊害と古い時代遅れの思想観念による妨害に遭う。これらの体制機構を絶えず改革し、これらの思想観念を絶えず打破してこそ、国家は順調に近代化発展への道を歩むことができる。したがって、１９７８年以来、中国共産党は積極的に改革を推進し、中国の発展を推し進め、ついに２０１０年に中国を世界第二の経済体に発展させた。

発展問題を解決するには、近代化発展のプロセスにおける改革、発展、安定の関係、そして政府、市場、社会の関係を正確に把握することが極めて重要であるということを、中国の特色ある社会主義の歩みは示している。生産力が相対的に遅れている時、発展こそが疑いようのない道理である。市場経済と市場メカニズムの力を利用する必要があり、その中で動力メカニズムが特に重要である。発展するには、改革を行わなければならない。すなわち発展における体制機構の障害を取り除き、よい統治メカニズムを確立するのである。この時、政府の機能を転換し、よりよく政府の力を発揮させるのが非常に重要である。改革発展のプロセスにおいて、特に相対的に発展段階になると、社会は矛盾多発期に入り、安定問題がますます顕在化してくる。その時、均衡メカニズムを作り、その役割を発揮させ、同時に積極的に社会力を引き出す重要さが相対的に際立つ。したがって、近代化を実現する中で、改革、発展、安定の関係、そして政府、市場、社会の関係を正確に把握し、動力メカニズム、均衡メカニズム、統治メカニズムの役割を十分に発揮させ、三つのメカニズムを協調、最適化させることが必要だ。それによって、迅速な発展を遂げる。実際に、中国が打ち出した計画と市場との結合、市場経済と社会主義との結合、「見える手」と「見えざる手」との結合という理論、及びその後の実践は、経済発展への道を探求している、多くの発展途上国を含む現在の世界にとって重要な貢献である。

中国の特色ある社会主義の歩みは、中国の特色ある社会主義の道が絶えず発展し、発展途上国の近代化への道を広げ、発展を加速させると同時に、自身の独立性を保ちたい国家と民族に新たな選択肢を与えたことを示している。

中国の発展自体は世界への一種の発展的貢献である。中国の発展は世界に多くの低コストの日常生活用具とハイテクの中国製の商品を提供した。例えば、世界の多くの国では、中国で生産された日常生活用の商品が見られる。中国の高速鉄道の海外進出も世界への貢献である。さらに世界の中国における市場の発展空間を広げた。先進国の資本が利潤を得るチャンスも提供した。そして中国の発展の成果を一部の国と共に享受することもできる。中国が実施している「一帯一路（the Belt and Road）」建設は沿線国に利益をもたらした。中国はすでに世界最大の貿易国になっており、この勢いが続けば、中国は世界に巨大な市場を提供することになる。従って、中国の発展をうまく進めることは、世界の発展に対する最大の貢献となる。

三、中国の特色ある社会主義の歩みの制度的貢献

わずか数十年の間に、中国の発展は立派な成果を挙げた。こうした成果は国内外での数多くの困難と挑戦を乗り越えて挙げたものであり、それほど容易なものではないからこそ、制度の品質と力がより一層浮き彫りになった。中国の領土は広いが、各地の発展水準に差異があり、発展もきわめて不均衡である。人口が多く、資源も不足している。悠久の文化を有し、歴史の負荷も重い。多様な民族を有し、民族文化の差異が比較的大きい。そのため、他の国に比べて、中国の国家統治はさらに複雑に入り組んでいる。国際情勢について言えば、国際競争は日増しに激しくなり、ウィンウィンの空間は絶えず圧縮されている。これにより、中国自身の発展の軌跡とロジックは、何度も妨害、挑戦と脅威

に曝されてきたが、グローバル化時代における中国は国際社会と協力しなければならず、その中に溶け込み、狭い空間の中で奮闘し、発展を求めてきた。世界の大勢について言えば、伝統的な農業社会に比べて、現代社会はより複雑で、変遷もより激しくて速い。避けられず、逆転もできない観念の多元化と技術発展の日進月歩の挑戦に直面し、中国は「時空圧縮」の条件下にあることと観念多元化に引き裂かれる中で、工業化、情報化の歩調についていかなければならなかった。その困難は想像に難くない。こうした複雑な状況において、中国の国家統治が挙げた成果はじつに容易なものではなく、そしてその長期的、安定的で、めざましい発展は必然的にその背後にある制度の力から離れられない。制度は国情に合わせなければならないが、どの国も自国の実情に合う制度を探さなければならない。そうしなければ、その制度の効き目がない。しかし、生命力を有し、良性作用を発揮する、いかなる制度にも、必ず普遍的な意義と価値がある。中国の制度も例外ではない。すべての具体的な制度の細部に普遍的な意義があるとは言えなくても、中国の成果が示した制度の把握力と品質は、観念のレベルで、少なくとも多くの発展途上国、あるいは発展の窮境を脱しようとし、安定と成長を求める国に対して一定の参考となる価値がある。マクロ的に言えば、中国の特色ある社会主義の歩みの制度的貢献は、以下のいくつかの方面に現れている。

㈠　世界発展のモデルと政治制度の多様性を豊かにした

中国の国家制度の第一の価値は、事実に基づき、地元の実状に合わせ、他国の制度をそのままコピーせず、自らの現実に基づいて制度と政策を立て、そして西洋の自由民主モデルを使わなくても統治に成功することが可能だと証明したことにある。第二次世界大戦や冷戦の後、長い間、西洋を摸倣するのが「唯一の正しい道」と見なされてきた。西洋も自らの制度を売り込むことに力を入れ、すでに「歴史の終わり」に進んでいったのだと思い込んでいた。しかしながら、その制度をそのままコピーして移植した国の多くは安定富強に向かわず、逆に社会分裂の激動、経済の停滞と貧富の格差を拡大させ、中東、アフリカ、南米大陸などでは成功例がほとんどない。一方、西洋の大国自身も成長が鈍化し、社会の分化とポピュリズムが流行し、衰退の兆しが次第に見えてきた。この発展の軌跡は諸国に警鐘を鳴らした。西洋の制度は普遍性を持たず、必ずしも優れた管理をもたらすとは限らない。制度の選択は国の実情に適したものでなければならない。国は、人口規模、資源の多寡、発展の段階、歴史的伝統、文化習俗、根本制度、民族と宗教の状況、周りの国際環境などを含む自らの状況に基づいて、また今直面している問題と挑戦、発展の段階、及び発展の段階的な目標に基づいて制度と政策を立てねばならない。

実際のところ、制度とその効果は往々にしてその制度が「はめ込まれた」社会背景とつながっている。制度が根付いて発効するには、必ず「先にあった」文化習俗、歴史的伝統と制度の背景などに適応させ、合わせなければならない。後者は知らず知らずのうちに根強い影響を及ぼし、巨大な文化と制度の慣性を生み出し、かえってその中にある制度を新しく構築する。先ず、「生産側」にあるとき、制度の設計と構築に影響を与え、新たな制度はそれによって形成され、そしてそれに合わせなければならない。そして、「産出側」にあるとき、制度の定着と効果の発揮を制約する。[1] この時、中国は西洋とはまったく異なる、自主的に自身の状況に適する制度を設けたが、良い効果をもたらした。これによって、西洋のモデルを模倣してこそ成功できるという観念を打ち破り、制度が国の実際と現地の状況に合うものであってこそ、効果が得られるということを証明し、さらに世界のガバナンスモデルの多様性を豊かにし、他の国の自主的な発展への道を歩もうとする自信を強め、また自らの発展への道と制度を構築しようとする他の国の参考となった。

㈡　後発国の追いかけ式の統治制度と発展モデルを構築した

中国の制度の本質的な特徴は、権威のある国政運営の制度体系を打ち立てたことにある。この制度体系は政治的参加と政治的安定の間の動態バランスを保ち、政治の開放性と参加性を保つと同時に、政策の決定と実施の権威を保証でき、力を集中させて大事を成すことができ、社会を動かして政治目標に向かって発展させていくものである。すべての発展途上国にとって、その直面している第一の問題は発展と追いかけである。如何なる制度の構築もその目標と重心に基づいて、そしてそれをめぐるものとならなければならず、本末を転倒してはならず、閉鎖して硬直化してはならず、そして制度が過度に先行して自らの発展段階を超えることがあってはならない。利益多元という条件の下での政治参加は、道義的目標であるが、過度に急進して、追いつきと発展に必要な、安定した秩序環境と団結

1　王若磊「規則に基づく政党管理と法に基づく国家統治との関係」『法学研究』２０１６年（６）。

という共同認識の状態を破壊してはならない。ブラジルは典型的な例である。[1] 発展途上国が直面している問題は、権威のある制度によって解決されなければならない。これらの国々は、権威のある者が他人を説得することが必要で、意見の相違の下で最大公約数を見つけ、そしてそれに基づいて重大な政策を制定し、断固としてその政策の実行を推進する必要がある。いかなる賢明、冷静、慎重な人にもこのような歴史的感覚と現実感があるべきである。安定した政治的権威、完備した精密な行政体系、強力な実行手段、時勢を考慮したマクロ調整能力を備え、各方面を統合し、意見の相違を超え、重荷を担って前に進み、力を集中させて大事を成すことができ、多くの選択肢と互いに関わっている目標の中で最も重要で、最も切実な目標を選んで実現させることは、発展途上国の制度の構築にあたって最も考えるべき重要な問題である。

㈢　変化と挑戦にタイムリーに対応できる制度の弾力性と適応性を維持した

中国の制度の鍵となる経験によって、制度の適応性と柔軟性を保ち、戦略目標と核心的矛盾の変化に応じて、自発的に適応し、自己調整し、硬直化と閉鎖を防止し、変化と不変、動と不動の間でバランスを保つことができる。いかなる制度もあまりにも硬直しすぎると、現実の要求と重心の移動に適応せず、すでに変化してしまった現実から離れてゆき、そうなると必然的に発展を束縛し、発展のペースを緩めることになる。中国の発展の経験の一つが示すものは、中国の制度が現状に甘んじるのでは

1　フランシス・フクヤマ『政治的秩序と政治的衰退』、桂林、広西師範大学出版社、２０１５年。

なく、絶えず自己革新し、自己調整し、発展する現実に絶えず適応し、そして活力を大いにかき立てるものであったということだ。逆に、多くの国の制度は硬直化して、現実の変化に対応できず、制度が現実から離れ、政治の衰退に至るという窮地に陥った。さきの自己適応は制度の応答性にも現れ、絶えず民衆の要求と際立った問題に応えることを通じて、自己適応と改善をしていく。現代社会においては、新しい問題、新しい注目の話題、新しい論争が次々と現れ、制度は全知全能ではないので、絶えず自己改善し、自己適応していかなければならない。ある学者は次のように指摘している。代表的な政府は、民衆によってコントロールされることができるだけでなく、公衆に利益をもたらすだけでなく、民衆に対しても対応できるようでなければならない。代表的な政府には、代表される者が意志を伝える仕組みが存在しなければならず、同時に、ふさわしい理由がない限り、政府は彼らの意志に応えなければならない。そこでは、継続的に答えつづける行為は必要ないが、応えを続ける条件を存在させ、そして常に応答を準備しなければならない。代表的な政府とは、民衆がある意思を有する時、それに応えることができる政府である。[1] 制度は常に純粋な理性によって構成される言葉の中の「城邦」ではなく、特に日進月歩の複雑な現代社会において、自然に理性的に試行錯誤を行い、絶えず是正し、緩やかに構成し、次第に改善する過程であることが比較的合理的である。当然のことと思われている制度革命と「ショック療法」は、コストが高くつくばかりか代償も大きい。そして、文化や制

1　ハンナ・ピトキン『代表の概念』、長春、吉林出版集団有限責任会社、２０１４年。

度における慣性は新たな再生をもたらすものではなく、かえって後退をもたらす可能性がある。それは人類の経験によって繰り返し証明されている。

四、中国の特色ある社会主義の歩みの文化的貢献

中国の特色ある社会主義の歩みが世界に示している、「貴和尚中」（和を大事にして中庸を求め）、「和而不同」（和して同せず）、「天人合一」（人と宇宙・自然とは一つの統一体であるという考え）という「仁義」「和合」文化にはさらに世界的な道義性があり、さらに世界的な魅力を有しており、これは文化的貢献となるものだ。こうした文化的貢献は中国の特色ある社会主義の歩みにつながっている。中国の特色ある社会主義の歩みは、マルクス主義の基本原理と中国の具体的な実情を結合しているうちに切り開かれたもので、マルクス主義の基本原理を体現するのみならず、中華の伝統的で優秀な文化の遺伝子も有している。

中国の特色ある社会主義の歩みは、発展しているマルクス主義が強い生命力を有しており、指導的意義があることを示している。旧ソ連の崩壊後、一部の人はマルクス主義がすでに時代遅れになったと考え、マルクス主義への確信を失った。実際には、生命力を失ったマルクス主義は、硬直して教条化されたマルクス主義であり、時代とともに進んでいるマルクス主義ではない。中国共産党員はマルクス主義の基本原理を堅持することを前提にして、マルクス主義の基本原理を中国の具体的実情と結びつけ、マルクス主義の中国化、時代化、大衆化を絶えず推し進める。このようなマルクス主義は時

代遅れになっていないばかりでなく、生き生きとした気力があふれている。それは世界マルクス主義研究における中国マルクス主義の影響力と発言権を強め、理論的に中国のイデオロギーの世界的影響力と魅力を高めた。これは中国の特色ある社会主義の歩みの「イデオロギー」に対する一種の文化的貢献である。

中国の特色ある社会主義の歩みは、世界の人類文明が多様性を有しており、中国の特色ある社会主義の歩みが孕んでいる「仁義」「和合」を本質本位とする文明は、西洋文明とは異なる新たな文明類型の一つであることを示している。西洋の多くの学者は西洋文明の世界における唯我独尊の地位を極力守り、西洋が推し進めている普遍的な価値が普遍性のある文明規範になると信じ込んでいるから、西洋が主導している世界秩序の合理性に理論的基礎を与え、西洋文明以外の文明を蔑視している。彼らは往々にして西洋の言説システムで中国を解読し、中国の特色ある社会主義の歩みとその成功を認めたくない。彼らは精一杯、中国が危機に陥る根源を探し、中国の政治体制が自己革新、自己調整のメカニズムと能力を備えていないと考えている。中国の特色ある社会主義の歩みの成功は、世界文明が多様性を有していることを確証し、中国の「仁義」と「和合」の文化、及び文明がさらに道義性を有していることを確証した。中国の特色ある社会主義の歩みが含む世界観と価値観は、個人の平等な発展を尊重し、社会の調和も重視し、国家主権も強調し、世界の調和も重視し、「万邦協和」「世界大同」「苦楽を共にする」ことを強調し、「自らの身だけを正しく修める」が望ましくはなく、「天下を救済する」ことこそ合理的な自然秩序だと考える。明らかに、中国の特色ある社会主義の歩みは「平和的発展」「協力・ウィンウィン」の基準で各種の政体の現れを評価しており、さらに正当性、道義性、合理性を有する。これは西洋文明と異なる新たな文明類型であり、この新たな文明は多彩で、平等で、包容力がある。これは中国の特色ある社会主義の歩みの「世界文明」に対する一種の文化的貢献である。

中国の特色ある社会主義の歩みは、世界中の発展への道には多様性があり、各国の発展への道には自らの特殊性があるから、世界発展への単一の道という迷信を打ち破り、他の発展途上国に一種の啓発を与えた。つまり、自国の国情に基づいて自らの発展への道を模索すべきであることを示している。歴史の発展の法則を尊重することと国民の主体的地位との統一を堅持する哲学的方法によって、自国の国情に適する発展への道を選ぶことが最も根本的である。中国の特色ある社会主義の歩みは中国の客観的な実情から中国の国情を解読して切り開いた発展への道であり、歴史の発展の法則と実践の発展のロジックに符合している。中国で社会主義を採用するには、従える既成の公式もないし、そのまま適用できるモデルもないから、自らの道を歩まなければならなかった。したがって、「中国共産党の指導の下で」「中国の国情に立脚して」、実践の探求を行わなければならない。中国の国情を把握するには、客観的な実情から出発しなければならない。客観的な実情から中国の国情を認識し、中国共産党は中国の特色ある社会主義の歩みに対して「総根拠」のような意味を有する重大な論断を導き出した。すなわち、中国の社会主義は依然として初級段階にある。この段階では、その根本任務は「社会生産力の解放と発展」である。社会生産力を解放して発展させるには、「市場経済」を利用するだけでなく、経済、政治、文化、社会、生態の全面的な協調と総合統括を達成するように努力しなければならず、また「改革開放」を行わなければならない。中国の特色ある社会主義の歩みには歴史的な必然性がある。この発展への道は中国国民の主体的な需要と価値追求を体現し、民生、民富（国民が豊かになること）、民和、民主を重視する民本精神を体現し、人類の全面的な発展の促進を重視し、その価値と合理性を有する。実践により、発展と調和との統一を重視する中国の特色ある社会主義の歩みが鮮明な優位性を有し、中国の発展を促進した根本的な原因であることは証明された。この中国の特色ある社会主義の歩みは哲学の基礎を有し、また「和而不同」（和して同せず）という文化的遺伝子を孕んでいるため、「道の多様化」の確証に対する一種の文化的貢献を果たしている。

五、中国の特色ある社会主義の歩みの平和的貢献

中国の特色ある社会主義の歩みは世界の力の構造を変化させ、力の移転を促進し、さらに世界の新しい構造を再構築し、世界の多極のバランスを促進し、世界の平和を守ることに役に立っている。これは「強くなれば必ず覇権を唱える」というロジックを脱構築する一種の平和的貢献である。

西洋の先進国が提唱する発展への道は三つの理論的支柱がある。一つ目は個人の権利と自由を強調する自由主義で、最良の制度は個人の自由を尊重する制度であるというものだ。二つ目は西洋文明を中心とする西洋中心論であり、つまり西洋文明が真の文明であり、西洋標準が世界標準であり、西洋以外の世界は西洋標準を見習うべきであるというものだ。三つ目は両極対立の世界観であり、国が自己利益の最大化を求めることが自然秩序と一致しているというものだ。明らかに、このような道には

「二極対立」の世界観が含まれており、「対立」「衝突」、さらには「戦争」を引き起こす遺伝子が含まれているため、世界平和に利することがない。これはまさに今の世界が不安定で、あまり平和ではない深層の原因の一つである。中国の特色ある社会主義の歩みは個人の権利、自由、平等と全面的な発展を尊重し、また社会の調和を重視し、国家の富強も強調し、国家、社会と公民個人との関係、及び政府、市場と社会との関係を正確に処理することを重視する。中国の特色ある社会主義の歩みの世界の表現は、平和的発展への道を堅持し、世界多極による一極制約、世界大同、万邦協和、平和的発展、協力・ウィンウィンを強調するのであり、一国単独覇権に反対し、また今日の世界の平和的発展への新たな秩序を構築することを重視するのである。つまり、中国の特色ある社会主義の歩みは世界が単極ではなく多極であることを強調し、一国単独覇権ではなく、協力・ウィンウィンであり、「強くなれば必ず覇権を唱える」というロジックを拒否し、そして他国を制圧することに反対している。明らかに、中国の特色ある社会主義の歩みは世界の協力・ウィンウィン、平和的発展に有利である。このような中国の特色ある社会主義の歩みは世界全体に対して一種の平和的貢献となっている。

中国の平和的発展は世界の各地域に影響を及ぼし、一部の世界的な大国のみならず、アジア、アフリカ、南米などの多くの発展途上国にも及んで、世界の金融、貿易と安全だけでなく、国連、世界貿易機関、G20、BRICSなどを含む国際機関と組織にも関わっている。中国の平和的発展はすでに国際関係の議事日程の重要な構成部分になっている。中国の平和的貢献で主なものは以下のとおりである。中国の平和的発展の影響で、1990年代の東西対立の崩壊を背景に、アメリカが企図した単極世界の構築が妨げられ、中国の要素はますます有効に米国の覇権主義的行為を抑えるようになった。中国の平和的発展の重要な努力の一つとしては国際金融システムの改革を推進することであり、これは世界と地域の安全を強固にし、さらに多くの国家を国際政治プロセスの参加者にするために積極的な役割を果たしている。人文分野においては、中国は「ソフトパワー」の建設を大いに強化し、全世界で積極的な中国のイメージを作るよう努力している。

六、中国の特色ある社会主義の世界的意義

㈠　中国の特色ある社会主義の歩みは西洋の道への依存を打ち破った。

どのような発展への道をとれば、中国の発展を加速させ、同時に自国の独立性を保つことができるか、これは中国を含むすべての発展途上国が直面する一つの難題である。第二次世界大戦以降、ソ連をはじめとする社会主義国のほか、多くの途上国の近代化は西洋モデルに倣って行われた。

西洋が発展途上国のために提示した近代化の道は、１９２０～１９３０年代に形成された新自由主義を理論の基礎とする。この理論の基本的な主張は「市場化」「自由化」「私有化」である。１９８９年、アメリカ政府と西洋の金融界の働きかけで、南米経済改革を指導する10の政策と主張が形成され、後に「ワシントン共通認識」と呼ばれるようになった。その内容の核心は新自由主義の流れを受け継いだ。しかし、この「共通認識」が１９９０年代に南米で推し進められて以来、南米諸国で経済と金融危機が相次いで発生し、深刻な経済の衰退、両極分化と激しい社会の矛盾に直面するようになった。

ソ連崩壊後と東欧の激変（東欧革命）後、新自由主義の「ショック治療法」は東欧を深刻な景気後退に陥れた。世界中に氾濫した新自由主義は、多くの発展途上国に苦杯を嘗めさせたと言える。

中国の特色ある社会主義の歩みは、資本主義体系の外で成長し、根本的に西洋の道への依存から脱却した近代化の道である。中国が西洋の設定と全く異なる発展への道と輝かしい成果を示した時、世界は東洋に目を向け始めた。

中国の特色ある社会主義の歩みは、新自由主義や「ワシントン共通認識」とは根本的に違っている。制度の前提から見ると、中国の特色ある社会主義制度は、人民代表大会制度を根本的な政治制度とし、中国共産党指導下の多党協力、及び政治協商制度などの基本的な政治制度を実行し、公有制を主体とし、さまざまな所有形態の経済を併存させ共同発展する。指導思想から見ると、中国の社会主義市場経済制度はマクロ調整を非常に重視し、計画と市場という二つの手段の優位性の発揮を強調している。経済活動における政府の役割から見ると、多くの西洋の研究者を含む研究者たちの研究により、中国の特色ある社会主義の歩みを成功させたのは「大政府」であるからだけではなく、「良い政府」を有しているからである。このすべては、資本主義政治制度と私有制の推進を基本的な政治経済の前提として、政府が経済に干渉しない「小政府」を主張する新自由主義と大きなギャップがある。また、中国の特色ある社会主義の歩みは、輸出志向型経済、高い貯蓄率と投資率、教育と人力資源の開発を重視するなどといった、いくつかの鮮明な特徴を有している。このような特徴は中国の特色ある社会主義の歩みの主要な内実を構成している。

林毅夫の考えによると、近代化プロセスにおいて直面する挑戦とチャンスに関して、発展途上国でモデル転換中の国である中国は、他の発展途上国とモデル転換中の国と本質的に近い。理論の適用性は条件の類似性によって決められる。中国の近代化プロセスにおいて直面した困難を解決でき、発展のチャンスを摑め、中国の近代化をより早く実現することができる理論は、同じ発展段階にある発展途上国、モデル転換中の国にとって、先進国が創り出した理論より必然的にさらに参考価値と参考意義がある。[1] 事実で証明されたように、西洋が最も薦める発展モデルとは異なる中国の特色ある社会主義の歩みは、最も有力に自国の発展を推進し、中華民族は昂然たる姿で世界の民族の中で強く自立し、必ず中華民族の偉大な復興である中国の夢を現実に変える。中国の特色ある社会主義の歩みは、各国が自国の具体的な国情に基づいて、自らの発展への道を選択すべきであることを世界に示している。中国の特色ある社会主義の歩みは、社会主義制度、強力な政府、混合型経済、マクロ調整が同じく近代化を成功させる要素となりうることを世界に示している。今後、中国モデルはさらに新自由主義と「ワシントン共同認識」への迷信を打ち破るであろう。

㈡　中国の特色ある社会主義の歩みは効果的に「後発劣勢」を克服することができる

発展途上国は近代化への道において、先進国がすでに研究開発した先進的な科学技術を利用することができ、近代化の成熟した知識と経験を参考にすることができ、開放的な国際市場があり、豊富な

1　馮雅『歩みへの自信：なぜ中国はできるか』北京、中信出版社、2014年、36頁。

人口と資源のボーナスがあると、広く信じられている。一部の国はこれらの「後発優位性」に基づいて、「追いかけ・追い越し戦略」を立てて、一定の範囲内で成功した。しかしながら、全体的に見れば、「後発優位性」は近代化の初期段階に多く現れ、経済社会がある程度発展すると、「優位性」は弱くなり、逆に「後発劣勢」はますます明らかになり、近代化の進展を強く阻害する。

第一に、発展途上国が世界の政治経済秩序を構築するのは不利である。古い国際政治経済秩序は、アメリカをはじめとする西洋諸国が主導して確立したもので、明らかな植民地主義と覇権主義の残滓がある。近代化の道において、西洋諸国は決して簡単に後進に権力の平等と公平な競争の機会を与えない。政治分野においては、西洋の大国が強権政治を推し進め、他国の内政に干渉し、地域の衝突に介入する。経済分野においては、西洋の先進国は国際生産システムにおける不合理な国際分業、国際貿易システムにおける不等価交換と国際金融システムにおける不平等の地位を維持しようとする。これは世界の南北格差問題の根源であり、発展途上国の近代化を制約する重大な要素でもある。

第二に、資源、環境、科学技術、人材などの発展要素による制約が大きくなる。先進国の近代化の歴史の中で、それらの発展要素のために発展途上国からエネルギーと原材料を略奪し、環境保護の義務を考慮したこともなかった。同時に、その科学技術、人材の力は世界で絶対的な優位に立ち、その近代化プロセスに対する有力な推進力にもなっている。発展途上国が近代化を始める時、西洋の国家と比べて、これらの発展要素はほとんど絶対的な劣勢に立つ。中東や南米の一部の国は比較的豊富な石油を有しているが、その資源の構成は比較的単一であり、かつての「日が沈まない帝国」(植民地を多く有しているイギリスのこと）のように天下の資源を集めて自らのために使うことはできない。中国を含む多くの発展途上国は、エネルギーが日増しに不足している状況と、環境保護と持続可能な発展のジレンマに直面せざるを得ない。科学技術分野において、西洋諸国は先進かつ鍵となる技術を発展途上国に移転することを厳格に制限し、不合理な商業慣例条項を設け、高額の技術移転費用を請求する。発展途上国の科学教育の面での普遍的な後れは、本国の多くの先端的な人材が、より良い科学研究環境を求めて先進国に一方向に流れるという問題を引き起こし、そのことは人材不足をさらに深刻化させた。

第三に、資金不足による発展の動力の不足である。世界的に見ると、多くの発展途上国は発展に必要な資金が不足している。一方、国際金融危機以前には、世界の資本は主に先進国に流入していた。２００８年、全世界の外国直接投資（ＦＤＩ）の1.77兆ドルの中で、1.1兆ドルは先進国への投資である。国際金融危機後、このような状況は変わったが、２０１１年には先進経済体への投資が依然として発展途上国への投資を上回った。発展途上国に流入した投資の分布はきわめて不均衡である。他方、一部の発展途上国が独立すると、国家の財力は長期的に不足する。資金不足の制限を受けて、発展途上国のインフラと公共施設の建設が長期的に遅れ、これは逆に投資の環境を悪化させ、国際資本の流入に影響を与えた。

中国の特色ある社会主義の歩みはこの三大「後発劣勢」を最も有効に打破する現実的な選択である。まず、中国の特色ある社会主義の歩みは平和的発展への道であり、世界の新しい秩序の構築を力強く推し進めることができる。平和共存五原則に基づいて、国際政治経済新秩序を構築し、覇権主義に反対することは、中国外交政策の重要な構成部分である。中国は国際ルールを合理的に運用する一方で、それらの不合理な国際ルールを変えなければならない。2015年、中国はEUとの太陽光製品に関する一連の交渉において、不合理な国際貿易システムを変える願望と実力が中国にあることを十分に表明した。中国が発展すればするほど、発展途上国は古い国際政治経済秩序を打破する機会が大きくなり、実力も強くなるといえる。

次に、中国の特色ある社会主義の歩みは社会全体の力を有効に集め、発展のボトルネックをより力強く打破することができる。中国では、資源の節約、環境保護と持続可能な発展が最初から国家戦略レベルでの認識であり、実践中の「国家行動」であって、発展要素の制約を打破する有効レベルが他の発展途上国よりはるかに高い。持続可能な発展の面で、中国は発展途上国の先駆者である。科学技術と人材の面では、中国の体制は力を集中して、いくつかの重点と先端科学技術の難関を突破することができ、より良く国家が必要な応用型人材を育成することができる。宇宙船「神舟」の打ち上げ、改革開放以来の教育事業の力強い発展はまさにこのような優位性の直接的な現れである。

最後に、貯蓄を重視する中国の民族的伝統と強大な国家財力は、発展途上国の資金不足の難題を有効に解決することができる。中国人は倹約や節約を尊び、貯蓄を重視する伝統があり、国民貯蓄率は1970年代から今までずっと世界の上位にあり、これは発展資金の不足を緩和し、経済の発展を促進するのに大きな役割を果たしている。また、中国経済の急速な発展、税収の急増、土地などの最も重要な資源に対する中国政府の掌握は、中国に豊かな国家財力を保持させる。これは中国に大規模なインフラ建設を行う能力を持たせ、他の国にとって困難な国家の安泰と民生に関する大事を成し遂げさせた。

㈢　中国の特色ある社会主義の歩みは発展のジレンマをある程度解決した

第一に、「発展」と「安定」のジレンマである。安定は発展の前提である。しかし、多くの発展途上国にとって、経済の発展は往々にして政治的変動を伴い、政治的変動はかえって経済成長を抑制する。このような「発展」と「安定」の両立が困難な状況は、近代化による政治、経済、文化分野の系統的な変化が伝統社会の構造と観念に与えた、強い衝撃に起因している。アラブ諸国は近代化のプロセスにおいて、頻繁に宗教衝突と社会不安に遭遇し、その近代化の過程がひどく妨げられたり、打ち切られたりした。これは以上のような状況を反映している。

第二に、「対外開放」と「独立自主」のジレンマである。発展途上国の実践から見れば、対外開放は両刃の剣であり、開放の代償は、往々にして独立自主の発展の権利を失うことになる。西洋諸国は巨額の投資、経済援助を餌にして、多くの発展途上国に対して西洋資本に門戸を開放させ、西側のゲーム規則に従って行動させ、資本主義チェーンの受動的な一環に組み込む。南米諸国の経済は長期的に外資に依存しているが、こうして外資が撤退すると、自国の経済は崩壊に直面する。

中国共産党指導下の中国だけが、経済の急速な発展と国内の政治の安定を同時に保つことができる独立自主の発展への道を見つけた。

中国の特色ある社会主義の歩みは中国共産党の指導を堅持し、統一した主導的な地位を占めるマルクス主義のイデオロギーを有している。これは中国が急速に発展すると同時に、政治の安定を維持できる根本的な原因である。多くの発展途上国では党派が林立して互いに攻撃しあい、イデオロギーの分野が混乱している。それに比べて、中国は一貫して中国共産党の指導を堅持し、イデオロギー分野ではマルクス主義の指導的地位を堅持し、経済社会の安定的な発展のために「如意棒」を提供した。中国共産党が指導する多党協力と政治協商制度は、中国共産党に各党派、各グループの知恵を広く共有させ、また政策の安定性と連続性を維持することを可能にさせる。中国の特色ある社会主義の歩みを進むのは、全党全民族の思想認識が高度に統一された状況下での決定であり、改革開放の問題において最も広い国民的共同認識が達成された。中国の強大な国有経済とマクロ調整能力は、先進国による発展途上国経済の命脈のコントロールを有効に防止でき、政治経済の発展の独立性と自主性を保つことができる。発展途上国の経済のリスク対応力が低いのは、自国の民族経済が弱く、特に国家が直接に掌握する重要な経済部門が相対的に弱いことに直接つながっている。中国の国有経済はエネルギー、交通、金融などの重要な工業とサービス業をしっかりと摑んでいる。そして、国民経済発展の最も重要な資源である土地資源がずっと全国民に所有されることを堅持している。これはマクロ調整に有利であると同時に、先進国が資本の優位性を利用して発展途上国経済の急所となる部門のコントロールを行うのを有効に防止できる。したがって、中国の独立自主、自力更生は実質的な制度による支えがある。

第一章

中国の特色ある社会主義の歩みの歴史的背景

習近平総書記はかつて次のように指摘した。

「今日の世界は、昨日の世界から移り変わってきたものである。今日の世界で起こった多くのことは、歴史にその姿を求めることができるし、歴史にあった多くのことは、今日の鑑となる。歴史を重視すること、歴史を研究すること、また、そこから学ぶことは、過去の理解、現在の把握、また未来を切り開くための数多くの知恵を人類に与えることになる。だから、歴史は、人類の最高の教師である」[1]

世界四大文明の中で、唯一歴史が絶えることもなく今も伝えられているのが中国である。歴史は中国の政治の発展にとって、格別に重要であり、中国の政治というものの生命力の源でもある。政治史

1　第二十二回国際歴史科学大会宛ての習近平の祝賀状（2015-08-23）. http://news.xinhuanet.com/politics/2015-08/23/c_1116344061.htm.

の視点から見れば、数千年にも及ぶ「平天下」という中国の伝統は、秩序の構築、国政の運営、民生の発展と向上、文化教育などの領域に深く、広く、また強く関わってきて、人類の歴史において空前の形で、また世界文明に独創的な貢献をしてきたのである。私たちは、とかく西洋の概念モデルで中国の政治発展を解体することにならぬように、自分の視座を、西洋を超越するところに据えなければならない。

「平天下」という政治的伝統を継承する歴史的使命は、中国共産党が背負うに至っている。また、路線、理論、制度、文化なども、中国共産党がその「平天下」という政治的伝統の単なる継承にとどまらず、時代の発展とともにそこに新しくより豊かな意味合いを注ぎ込んできたことを常に証明している。それが政権獲得と長期政権樹立に成功した中国共産党の根元的な証左である。それに基づいて、中国の政治には、「特色」と「自我」をさらに発展させることが求められている。そうしてこそ、中国の台頭と復興は、中国国民の福祉のためだけでなく、世界平和にも繋がってゆくのである。

中国の「平天下」という政治の伝統は、政治的価値、政治制度、政治運営、政治文化、政治教育、政治認知、政治生活などありとあらゆる面において、豊かな意義を持ち、多種多様な要素によって巨大で複雑な共同体を作り上げている。端的に言えば、「平天下」という政治の伝統は、先秦時代の儒家の学説を主旨とし、道家、法家などの補完で、民本という政治理念を政治の実践に移すことによって、大統一の郡県制を基礎とした政治構造と、賢人の選任による官僚統治と官僚管理を枢軸にした政治運営と、さらに文化教育においては、核心を成す価値観の樹立を凝集力としたものを形成してきた。これら三者は、相互作用と相互依存によって、「大同世界」を究極の政治目標として目指している。

第一節　政治構造――大統一の政治体制

中国の政治と西洋の政治との最大の違いは、中国が紀元前3世紀にすでに大統一の中央集権政体を創立したことにある。それ以降、延々と何千年も続いている発展の過程において、分裂と統一を繰り返す中で、大統一の政治の伝統は終始絶えることなく続いている。今日に至っても、中国は依然として統一した多民族国家である。それは、歴史の継承のみならず、繁栄と衰退の法則に翻弄された中国の政治的発展によって形成されたもので、ほかでもなく中国共産党の最大の政治業績である。安易に西洋の政体の類型学の基準に当て嵌められない大統一の政治体制は、文化的伝統であると同時に、制度のパターンの一つで、国家の生存と発展の状態の一つとして、中国の政治発展の系統を物語るものである。現代アメリカの著名な政治哲学者パスキーノ（Pasquino）は次のように指摘している。より複雑な政体類型学を用いて、現在の中国の政治制度を分析し、研究すべきである――そうするなら、惰性に陥った西洋の学界でセンセーションを巻き起こすだろう、と。

一、大統一の政治体制の成り立ち

「大統一」という言葉が初めて姿を現したのは『公羊伝』である。孔子が著した『春秋』は、「元年春、王正月」という簡にして要を尽くす書き出しであったが、これに対して『公羊伝』は、「何言乎王正月？大一統也」（何ぞ王正月と言はんや。大統一なり。なぜ「王の正月」と言うのだろうか。（それは）大統一のためである）という注釈を加えた。ここでの「大」とは「尊ぶ」の意であり、「統」とは「始まり」と解釈され、「大統一」とは「最初の始まりを尊ぶ」というのが最初の意味であった。先秦の諸子百家のほとんどは、人類社会の大統一は天道に合致するという大統一の思想を有していた。秦から二千年余りの政治実践を経て、大統一は、王道一統、統治一統、政令一統、文化一統、民族一統などを包摂してきた。今日の言葉で簡単に纏めれば、国家と民族の統一であり、国家構造の上で一元化を果たしてきた。国家と民族の統一は、中華民族の優れた伝統で、中国の悠久の歴史と文化を継承する弛まない努力と刷新を根元的に保証するものである。

「天下」を対象にするところから中国の政治の発祥があった。「天下」というのは、人類全体のこと

1　中国語原文には「大一統」という用語が使われているが、和訳には敢えて「大統一」を使用した。「大一統」は中華文明の中核的要素であり、この思想は早くも春秋戦国時代（紀元前770～前221年）に形成されていた。当時の儒家や道家、墨家、法家など各派の思想の奥底には全て「天下はいずれ統一される」と考える傾向があった。「大一統」は数千年間にわたり、中国の歴代王朝が政治的矛盾を解決し、政治的課題に対応し、領土を確固たるものにし、統治制度を整える執政方法と価値理念であり続けた。それは為政者の建国の目標や国家統治の理論だっただけでなく、中国人の心中に根深い思想観念を形成した。（訳者）

である。「平天下」の目標は、「大統一」を旨とすることである。先秦の時代では、百家争鳴があったが、「道は異なっても、目指すところは同じ」であって、世の乱れを治める道は「大統一」のほかにはないと思われていた。儒家は「天無二日、土無二王（天に二日無く、土に二王無し）」（『礼記・坊記』）に基づき、四海を一つにすべきだと主張し、法家も「道無双、故曰一（道は双ぶ無し、故に一と曰ふ）」（『韓非子・揚権篇』）とし、李斯になるとさらに明確に、「滅諸侯、成帝業、為天下一統（諸侯を滅ぼし、帝業を成し、天下の統一を為す）」（『史記・李斯列伝』）と述べた。道家は自然を尊び、「抱一為天下式（一を抱きて、天下の式と為る）」（『道徳経』第二十二章）と主張した。墨家は、兼愛、尚同を提唱し、「天子唯能壱同天下之義（天子は唯だ壱同天下の義を能くす）」（『墨子・尚同』）と主張していた。『呂氏春秋・謹聴』には、「乱莫大於無天子（乱は天子なきより大なるは莫し）」とある。このように枚挙にいとまがないほど、統一を求める熱望が随所に表れている。そして、中国の山川、湖沢、地勢上の差異と連絡、各地の物産の相異と多寡、さらに、地域の自然災害の影響と対応などのすべては、強力な中央政府による統一的な管理と調整を必要とし、また、強力な中央政府の存在は、大統一の政体を前提と基礎にしなければならない。反面となる教訓からみれば、中央が衰えた場合、地方は諸侯の割拠に入り、統一性を欠いた政治を行うと、必然的に戦乱状態が続いた不安定な社会になる。まさに孟子が描いた戦国時代の政治状況のように、「争土以戦、殺人盈野、争城以戦、殺人盈城（土を争ひ以て戦ふ。人を殺して野を盈たし、城を争ひ以て戦ひ、人を殺して城を盈たす）」（『孟子・離婁上』）ことになる。紀元前２９３年、秦の武将白起は、伊闕で韓魏の連軍を破り、斬首は24万に上った。また、紀元前279年、秦は楚を攻め込み、「水潰城東北角、百姓随水流、死於城東者数十万、城東皆臭、因名其陂曰臭池（水、城の東北角を潰して百姓水に随ひて流れ、城東に死する者数十万、城東皆臭し、因りて其陂〈坂〉を臭池と曰ふ）」（『水経注・沔水』）という記述もある。紀元前260年の秦と趙の間で起こった長平の戦いで、敗者となった趙軍の捕虜40万人は秦軍に生き埋めにされた。動員可能な人的、物的、財的な資源がすべて戦争に投じられたため、民は生計を立てられず、餓死者が野に満ちていた。

「礼崩楽壊（社会秩序や道徳が乱れた状態）」の戦乱が度重なる春秋戦国時代を経た後、周王朝の共同の主である天子と地方諸侯による封建制が滅ぼされたが、再び中国を統一したのは、秦王の嬴政であった。のちに秦の始皇帝となった嬴政は、歴史の流れに順応し、天下統一の偉業を見事に成し遂げ、中国史上初の統一した多民族の中央集権国家を樹立した。周王朝の封建的な大統一に対して、秦の始皇帝の大統一の政体は、「郡県制の大統一」だと言える。その具体的な政策は、皇帝制度の創設、三公九卿の設立、地方の封建制に代わる郡県制の施行、「書同文、車同軌（書は文を同じくす、車は軌を同じくす）」や度量衡の統一などを行った。その中で、文字の統一はもっとも深遠なる意味を有している。今に至るも孔子の時代の文字がそのまま読め、書籍にしても、言説にしても、変わらず古典から養分を吸収できる私たちは、今なお秦王朝の大統一という政治遺産の恩恵を蒙っているのである。この点は西洋の学者もよく見抜いており、「秦の改革がなければ、数種類の地域ごとに異なる文字が長く受け継がれることになっただろう。もしそうなっていたら、中国の政治の統一状態が長期にわたって維持されることはなかっただろう。政治の統一と文化の統一を作り上げるすべての力の中で、文字の単一性（方言の多様性と好対照をなす）は疑いもなく最大の要因であるに違いない」[1]と述べた。秦王朝は真新しい大統一の時代を切り開き、その後の二千年余りの中国社会の政治制度の基礎構造を築き上げたと言える。つまり、「封建制の大統一」を「郡県制の大統一」に変身させることによって、中国、乃至世界の歴史にも深遠な影響を与えたのである。銭穆は、それを「優れた政治制度を作り、大統一を完遂し、さらにその大統一の状態を何千年にもわたって破壊されずに、今日に至るまで維持し、広大な国土と億万の民を有するという天下無双の大国が確立したことは、中国史の結晶であり、また、中国史上の唯一無二の成果でもある」[2]と褒めたたえた。

漢民族を主体とした政権にしろ、中原を制覇した少数民族にしろ、「六合同風、九州共貫（六合の風が同じ、九州が皆連なるという八紘一宇）」（『漢書・王吉伝』）や「天下為一家（天下は一つの家とすると

1　崔瑞徳、魯惟一『ケンブリッジ中国秦漢史』、北京、中国社会科学出版社、1992年、54頁。
2　銭穆『中国歴史研究法』、北京、三聯書店、2013年、20頁。

秦の始皇帝は大統一の政体を打ち立てた

いう天下統一）」（『礼記・礼運』）を、乱を治める基礎と目標にしてきた。二千数年の歴史の発展の中で、中国の政治は、統一もあれば、分裂もあったが、総じていえば、統一が常態であり、分裂は変態であるという中国社会は、平和統一であれば、前進し、紛争分裂であれば、後退するということを繰り返してきた。歴代の仁人と志士は、国家の統一、民族の結束、国民の安定を守るために、尽忠報国という志を終始一貫遂げてきた。それをもって、中華民族は、多大な苦難に当たっても、変りもなく長く続き、世界の民族の中でも卓越した存在となったのである。

二、中国政治における大統一の政治体制の意義

大統一の政体の中核となるのが中央集権である。しかし、中央集権というのは、中央にすべての権力を集中させ、地方に独立性を持たせないということではなく、また、君主が中央権力をすべて握ることによって、個人による独裁政治を行うものでもない。制度設計の視点からみれば、中央集権は巨大な制度システムであり、特に中央部を政権の唯一の源とし、一連の体制内外の分権によるパワーバランスの上で最終的な権力統制を行い、政治の一元的な共同認識を形成し、最高の政治権威を確立することが主な特徴である。[1]

第一に、中央部の意思決定層における権力の分立と均衡であるが、中央部の意思決定は、内容によっ

1　斉恵「中国政治の特質：中央集権に関する解釈」『理論視野』２０１２年（８）。

て幾つかの層に分けられる階層的な意思決定を行っていた。意思決定の機関と形態から見れば、御前会議をはじめ、宰相会議、閣僚会議、内侍参加会議などがあった。決定事項によって、参加者の範囲、官位などが異なってくる。中国は、秦漢王朝以来、中央の最高首脳は皇帝であり、国家の主権と象徴として崇められている。皇帝は「攬権不必親細務（国政をつかさどるが、自ら細かい政務に携わる必要はない）」であり、それに対して、宰相が政府の首脳として実際の政務を司ることになっている。その制度設計は、以下のように理智に富んでいる。皇帝は世襲のもので、政治責任を問われて容易に更迭されることはないが、宰相は任期制で、実際の行政責任を負うことによって、去就を決めるものである。皇帝と宰相の間の権限設定は曖昧なもので、よく重複したり対立したりしたが、しかし、その相互牽制による均衡こそ、独自決定という独裁政治に箍を嵌めるのである。

第二に、複線的な情報収集手段であるが、適切な意思決定は、タイムリーで正確でかつ包括的な情報に大きく依存している。政治統制の分化と複雑化によって、官僚政治の情報量の需要も多様化し、二重構造で複線の情報収集ルートを形作るようになった。二重構造の一つは、皇帝—宰相—官僚による公式の権力構造と政務上の情報ルートである。もう一つは、皇帝を囲む侍従、宮内官、刺史や、東廠・西廠や錦衣衛のような諜報機関などの裏の情報ルートである。両者は相互補完と相互監視の関係にあり、中枢の意思決定システムを共にサポートしていた。とにかく、意思決定の目標によって、統治者は積極的に「資源の動員と政策の徹底的な実施のための各機関の創設と育成」をしている。[1]

1　アイゼンスタッド『帝国の政治体系』、貴陽、貴州人民出版社、1992年、31頁。

第三に、体制内の是正制度が挙げられる。意志決定には、ミス、乃至間違いは付き物であるが、伝統的な政治体制では、その点を見逃さず十分な認識を有し、体制内で是正措置を講じていた。皇帝本人の過失に対して、「拾遺、補闕、記注、経筵」などの官職を設ける措置が取られていた。それらの官員は、皇帝の側近として諫言や忠告を行ったり、意見を発表したりすることで、皇帝の過失を予防、是正するという職責を果たすのである。朝廷にも同様の重要な官職を設置し、詔勅・上奏の審議、監察、弾劾などの権限を持たせ、宰相や百官の過失の糾弾に専従させていた。中国の古代政治には、西洋のような野党の活動がなかったが、是正制度の確立によって、体制内にも異なった意見、特に反対の声が聞けるように工夫され、失策の予防と減少に大きな役割を果たしてきた。

さらに、中央集権は、社会管理における分権によって実現されるものである。中国の伝統社会では、常に高水準の中央集権が維持されていた政治体制に対して、社会管理は、極度の分散の様子を呈し、主に地方のエリート層によって支えられていた。

第一に、地方のエリートは、社会管理に自律的に取り組む存在である。地方のエリートとは、非公式の権力によって、地方の諸活動を調整する有力者の集団のことである。地方では、災害救援、水害対策、道路建設、福利厚生、教育振興など、政府にはできない、あるいは職責を担うには不便なことがたくさんあるので、地方のエリート層（士紳階層）がそれを担うことになった。政府の重要な職務である訴訟まで、士紳の介入で政府から民間に移送されることもあった。地方のエリート層が社会管理の活動において自主性を有するのは、一つは、士紳と彼らの地元の絆は恒久的であるため、同地域の社会福祉を保護し増進させる義務があるからである。その責任感と帰属感は、出身地を回避して地方に任官させられた官吏にはないものである。もう一つは、士紳は決して孤立した勢力でないからである。地方の長官は士紳の恨みを買うのを恐れないかもしれないが、しかし、その士紳の背後にいる上層部の官僚たちの逆鱗に触れるのを恐れないわけにはいかない。[1] 士紳には、地方官の施政活動を左右する力があるが、中央部の権威は、その両者の競合と共存のための究極の基盤である。

第二に、地方エリートは、社会管理において政治面の統合能力を有している。中国の伝統的な統治構造は、政権が士紳を統合し、さらに士紳が民衆を統合するという階層を成している。伝統的な農村社会では、士紳の多くは、人望を集める地方の有力者で、地域政治、経済、文化の担い手となって、よそから来た長官より地元の住民に親しまれている人たちである。瞿同祖は、中国の士紳層の重要な特徴について、「彼らは、地元のコミュニティを代表して、官吏と地方の事務を話し合い、政治に参加する唯一の合法的な集団である。その特権は、他のコミュニティや組織に譲られることは決してなかった」[2]と述べていた。

第三に、社会管理における地方のエリートと地方官の対立と協力である。伝統社会では、地方のエリート層と官僚システムは、社会管理の両腕のように不可欠なものであるが、両者には対立もあれば、協力もあった。対立は次のような面に見られる。官吏は政権の安全に悪影響を及ぼさないように、士

1　呉晗、費孝通ほか『皇権と紳権』、上海、上海観察社、1947年、126頁。
2　瞿同祖『清代地方政府』、北京、法律出版社、2002年、283頁。

紳を抑制する必要があるが、士紳は民衆の力を借りて、その代表者と自ら名乗って、政府を牽制した。一方、協力は次のような面に見られる。官吏は、士紳を頼りに社会を管理し、政権の安全のために、彼らの力を使っていたが、士紳は、自分の地位を固め、法に定められた特権を享受するために、政府の力を借りて民衆を威嚇する力を強めた。ある意味では、士紳と地方の官吏は同じ集団に属していると言えよう。その権力が正式なものか非正式なものかに関わらず、彼らの権力と影響力はいずれも伝統的な政治秩序から生まれるもので、大統一の中央集権体制と相互補完するものであった。

中国政治の特質を具現した大統一は、観念的にも制度的にも、西欧とは大きく異なっている。中国の東周時代と同時期の古代のギリシアであるが、都市国家がたくさんあっても、結局統一された中央政権をもつ国にはならなかった。その後、大統一の政権を樹立したローマ帝国は、中国の漢王朝とほぼ同時代であったが、紀元３９５年に分裂してから、再び統一国家にはならなかった。ローマ帝国の崩壊後、欧州は中世の「封建社会」に入ったが、その後、イギリス、フランス、ドイツ、イタリアなどの民族国家が出現し、二度とローマ帝国のように統一された国を作ることはなかった。それに対して、中国は漢王朝の後に分裂した時期があったが、唐、宋、元、明、清のように、主な王朝は統一したものであった。今日に至っても、中国は、依然として統一した多民族国家である。

銭穆は透徹したまなざしで、「中国の政治は、一統の政治であり、西洋の政治は、多統の政治である。的確に言えば、中国史についていえば、政治の一統は常態であり、多統は変態であるが、西洋史なら、多統が常態であり、一統が変態である。さらに言えば、中国史では、多統の時代であっても、一統の精神が保持されてきたが、西洋史では、一統の時代にあっても、多統の底流があった」と指摘したことがある。[1]ヨーロッパ諸国を遍歴した後、東西政治の比較研究をした梁啓超は、両者の違いを次のように指摘している。「欧州の土地は私たちの半分に及ばないが、大小の国々は数十もある。二千年の間に、統一の運動は時にはあったが、実るものはなかった。ドイツとフランはライン川を挟んでいるが、宿敵であるため、民を塵芥のように扱い、総動員して戦わせてきた。バルカン半島は、中国の一郡の大きさにも当たらないが、四、五か国もあり、戦争のない時はない。秦漢以降、統一を常道として、分裂を邪道としている中国は、戦乱などの塗炭の苦しみは免れないまでも、向こうとは本質的な差があるのだ」[2]。

統一という骨組み構造は、現在まで継承されている。その強靭さには、一部の西洋人には理解できないものがある。白魯恂（Lucian Pye）は、山東省に生まれ、中国研究に生涯をささげたが、西洋の文献でよく引用される彼の有名な言葉に、「中国は民族国家の仮面を被った文明である」（China is a civilization pretending to be a nation-state）というものがある。白魯恂と一部の西洋の研究者は、中国で統一が維持されてきたのを奇妙なことと考え、分裂ほど理に適うものはないという見解を示した。その根拠はどこにあるのかというと、白魯恂は、二つの理由を提示している。一つは、近代国家の基

1　銭穆『中国歴史精神』、北京、九州出版社、２０１１年、23頁。
2　梁啓超『先秦政治思想史』、天津、天津古籍出版社、２００４年、１８７頁。

礎はナショナリズムであり、中国の統一を成す基礎は文化のみである。中国人は、民族国家ではなく、共通の文化こそが自らのアイデンティティだと認識しているのである。もう一つは、近代国家には、高度な組織化と制度化などの特徴が確認できるが、中国は一つの文明として、制度上の内的結束力を欠いている。[1] 確かに、彼は問題の一つの側面をとらえているが、しかし、中国の古代制度についての認識が甘いと言わざるを得ない。制度上の内的結束力の欠如という観点には、議論の余地がある。実際、広大な国土と巨大な人口、地域ごとの格差、民族風習の多様性など、中国の大統一の政体は尋常ならざる膨大で複雑なものである。その内部には、無数の相互依存と相互制約のバランスを取るための制度が必要である。このような世界の唯一無二の大国を治め、長期的な安定を維持するには、上下層の権力をめぐる取り決めにしても、並立している国家機関の相互関係の構築にしても、規範的で合理的なシステムが不可欠である。

国家の統一、社会の安定、経済発展、外国の侵略への対抗、水利施設の整備、分裂割拠の防止、民族交流の強化などにおいて、様々なリソースを最大限統合できる大統一の中国は、華麗な人類文明を創造した。中国の大統一の独自性に内在する優位性を否定してはいけない。過去二千年間のうち、中国は千八百年の間、世界の国内総生産（ＧＤＰ）のシェアをどのヨーロッパ諸国よりも上回ってきた。１８２０年までの中国のＧＤＰは世界の30％以上を占め、西ヨーロッパ、東欧、米国のＧＤＰを合わ

1　PYE L. China : erratic state, frustrated society. Foreign affairs. 1990. 69（4）: 56-74.

せた総額を超えたのである。[1]

三、中国共産党による大統一政治体制の継承と発展

近代以降、内外の複雑な理由から、中国は再び国を分裂させて戦争状態に陥っていたが、それを再び真に統一させたのは他ではなく中国共産党である。中国の統一と発展には、すべての当事者を調和させ、最大多数の国民の基本的利益を代表する政治的核心を担うものが必要である。特に、中国が改革と発展の重要な時期に入り、新旧の矛盾が絡み合っているなかで、社会が苦境に滑り込むのを避けるには、全国の各民族と各階層から普遍的な支持と共同認識を得られる、政治的な指導力の核心となる中国共産党による組織と指導が、何よりも必要である。それがなければ、穏やかな政治の発展は望めないばかりか、海外からの各敵対勢力の干渉で、大統一が崩れ、民族は受難に遭うであろう。中国共産党の指導力を高め、中央の権威を維持することは、「大統一」の政治伝統が今日まで発展するための時代のテーマとなってきた。

中国共産党による指導と中央の権威の維持は、それに対応する制度体系の確立に依存するものである。中国の政治発展の道のりにおいて、自国の国情に照らした一つの基本原則と四つの制度がすでに形成されている。それは、党による指導の貫徹、国民による統治、法による支配などが有機的に統合

1　アンガス・マディソン『世界経済ミレニアム統計、付録Bパリ経済協力開発機構』、北京、北京大学出版社、２００９年。

されるという一つの基本原則と、人民代表大会制度、中国共産党が主導する多党協力協商制度、民族地域の自治制度と基層民衆の自治制度を主要制度として保障する現代の政治制度からなっている。中国は、中国共産党による指導、国民による統治、法による支配の有機的な統一を掲げ、中国共産党の指導を民主的法制度の構築に取り入れ、社会主義政治の発展の方向を明確にした。

第一に、人民代表大会の制度は、中国の根本の政治制度であり、国家の建設に国民を主宰者として動員し、組織し、国家の統一と民族の結束を維持するものである。中国の人民代表大会制度は、西側の議会制度とは大きく異なる。権力の面では、人民代表大会は国家の権力機関であり、すべての国家権力が国民に属することを示しているが、西側の議会は主に立法府である。また、代表者のほうを見ると、中国の人民代表は国民の中の優秀者であり、西側の国会議員は政治屋である。そのほか、中国の人民代表大会制度は、民主的集権制度を、基本的な組織原則、活動方式として堅持している。

第二に、中国共産党が主導する多党協力と政治協議体制は、大統一の政治における指導者の一元化に必然である要件を満たし、政党政治の発展の潮流にも順応している。中国共産党が主導する多党協力と政治協議体制は、社会主義の基本的な政治制度の一つであり、中国の特色ある社会主義政党制度でもある。中国共産党が主導する多党協力と政治協議体制は、ソ連や東欧の一党独裁体制とは異なっており、西洋の二党制・多党体制とも一線を画し、「共産党の指導力、多党協力、共産党の執政、多党政治参加」の基本的な特徴を有し、中国の大統一の政治という基本的な国家条件に適応し、指導の一本化と広範な民主を合わせ、効率的かつ活力のある有機的な結合を実現し、政治の実践における中国共産党の創造性をも表している。

第三に、民族地域の自治制度は、単独主体という国体のはっきりした具現として、国家の統一の維持のみならず、民族の自主と自治も明確にしている。基本的な政治制度としての民族地域の自治制度は、中国の歴史的発展、文化的特徴、民族関係、及び民族分布などの特定の状況に応じ、国家の統一を維持した上で、少数民族が集まる地域で自治を実践し、民族関係を効果的に処理し、中国の現実に合致する制度である。

第四に、基層民衆の自治制度は、民主の遍在性と真正性を表し、また、一大国のガバナンスの経験を反映している。基層民衆の自治制度とは、一般民衆が、法律に従って民主的権利を直接行使することによって、基層の公共事業と公益事業を管理する制度のことであり、都市部と農村部の基層民衆の直截な民主的権利が国によって保障されることを示すだけでなく、大統一の国の管理の知恵も伺える。欧米諸国は、コミュニティの民主など、基層部で民主主義を推し進めているが、それを制度化していない。

中国の政治制度と政党体制は、本質的に自己修正能力に欠けており、持続不可能であると、多くの西洋の政治学者は強く主張しているが、しかし、歴史的実践によって、その主張は自負がすぎた言い方だったということが証明された。現実には、中国の政治体制は時代とともに前進する素質を持ち、中国共産党が七十年近く政権を握り、これまでどの国よりも大幅な政策調整を行い、また大きな成果をやり遂げたということが証明されている。現行の政治体制が、大統一の政治構造と相性がいいということは、その要因の一つであろう。中国の特色ある社会主義政治の道のりは、中国の歴史に内在する継続性を有するがゆえに、その制度に付随する一連の制度の制定と運営において、適応力と修正力という力が働き、国家の統一、政治的安定、及び社会の発展が守られてきたのである。

第二節　政治運営――賢人の登用による統治と監察

中国の伝統的な政治においては、有能な賢人を官員に選び、彼らを監察するのが、政治の最優先事項であった。それは、主に倫理と法制度の構築を組み合わせて行われている。即ち、官員が道徳、能力、勤勉、廉潔の四つのモラルを具えることを確保するために、古代中国の賢人に当たる官員の選出と監察は、儒教の倫理を構成する民本、忠君、克己などの観念を中心価値に据えることによって、試験、選出、評価、監察、賞罰などの一連の官員管理制度を整えてきたのである。その制度は、伝統の政治において、君主の権力の乱用の抑制や、官僚制の弊害の克服や、国家と国民との矛盾の緩和などに役立った。賢人から選出された官員とその監察は、各王朝によって異なる様相を呈したが、その理念と制度をうまく徹底した王朝であれば、社会の秩序、経済の繁栄、政権の安泰を確保できたが、官僚制度に歪みや不徳がある王朝なら、必然的に社会の動乱と政権の崩壊を招くのだった。

一、官僚統治への依拠は、中国の伝統政治が有効に運営される基礎である

統一の中央集権的な政治体制が機能するための前提条件と基盤は、国家行政を大小の官員に委託することにある。秦漢という統一国家の確立に伴い、上代の夏・殷・周三王朝の封建制と宗法制に統治の構造変化が起こり、三公九卿の官僚制が始まった。「官僚による統治」は、中国の伝統政治から発祥した独自なものである。その独自性の一つ目は、「皇室」と「政府」が分立することである。世襲性は、政治支配の安定性を確保するためのものであるが、政府の最高責任者である宰相とその百官集団は世襲ではなく、賢人から選出し、任期付きの形を取った。二つ目は、皇帝の世襲において、必ずしも賢主が出てくるとは限らないから、賢人から選出した宰相とその百官集団によってその欠点を補うことである。王権の万世一系と江山永固を維持するには、宰相が率いる大小の官員集団の「忠誠」と「才能」による強力な支持が必要がある。三つ目は、「親類縁者」ではなく、賢人を官員に委任するという基準により、民衆が政府に徐々に近づくようになることである。実践から見ると、国家領土の拡大と社会文化の普及に伴い、民衆に参政の道が開放されつづけ、仕官という制度も次第に公開的で客観的な制度となり、特に隋唐の科挙制度の成立で、その制度の法律化に成功した。肯定的な意味では、社会の各階層から選出された賢人が多ければ多いほど、皇権の支配基盤が広がり、政治的権威が高まるようになる。否定的な意味では、皇権を脅かす最大の勢力が民衆ではなく、権貴階層であるため、民間から選抜された官員こそ、政権が最も頼れる力となる。したがって、政権にとって、長期的な安定を達成するための最も基本的な措置は、功労者や貴族という「権」「貴」の小さな集団から

ではなく、全国的に「賢者」と「有能者」を選出することである。「官員による統治に依拠する」という理念を重視した中国の伝統政治においては、「賢人選出」の価値志向とそれに相応する官制と法令が、より完全な形をしているため、皇権政治において皇帝の我意を通すことによる国家のガバナンスの破壊を大きく抑制し、長期的には社会経済と政治の安定的な発展を維持した。

その起源をたどると、「官」の最初の寓意は、「公」に通じ、大きく言えば、四つの意味を含む。一つ目は、公共の問題を管理すること。「官は、管なり」。二つ目は、公務を行う場である。「官舎を官と曰ふ」(『字滙』)、「官と謂ふは、朝廷が事を治むる処なり」(『礼儀正義・玉藻』)。即ち、官庁、官公庁のことである。三つ目は、天下の公を旨とし、有用な賢人を任命することである。「天下の官となる、賢に譲る是なり。天下を家とする、即ち世継ぎ是なり。故に五帝は天下を以て官と為し、三王は、天下を以て家と為す」(『説苑・至公』)、「五帝は天下を官とし、三王は天下を家とし、家は以て子に伝へ、官は以て賢に伝ふ」

古代賢人出仕

（『漢書・蓋寛饒伝』）。四つ目は、君主の政治に設けられている官員である。「官、吏の君に事ふるなり」（『説文解字』）、「官、文武を分かつは、ただ王の二術なり」（『尉繚子・原官』）。呂思勉の考証によると、古代では「之に官すれば任すに事を以てし、これ士と為す、之に爵し之に禄し則ち命じて大夫と為すなり」と、「官」は、古代では、公共事務を担当する「士」を意味するが、地位が低い。爵位と俸禄を得れば、大夫となり、尊い地位が得られるのである。[1]

上記の史料の分析からわかるように、価値の面では、「官」は褒め言葉で、「天下の公」は彼らが追及する最高の理想である。

中国の政治史の発展において、官本位とは、「天下の公」という理念を政治実践に組み込むために、政治体系において、「官」を「本」という根幹に置くことである。官本位は、「官員の統治に頼る」と「官員をよく監察する」の二つの意味を内包する。それは中国政治の特質である。紀元前221年、秦の始皇帝は、統一国家を樹立し、世襲の公卿俸禄制度から官僚制への移行が始まると、所謂「治を為す道は、人を用ふるに在り。人を用ふる道は、官を任ずるに在り」[2]という官本位の問題が浮彫になった。官員の統治に任せるのは、客観的な現実の要請に限らず、古代の聖賢の思想と諫臣文化が大多数の人の心に浸透した結果でもある。孔子は、異なる場面で、的を絞って、為政者の「徳行」と「政治」

1　呂思勉『中国制度史』、上海、上海教育出版社、1985年、652頁。
2　丘濬『大学衍義補・巻五・正百官・総論任官之道』、北京、京華出版社、1999年、40頁。

の関係を明確にした。「政とは正なり。子帥ゐるに正を以てせば、孰か敢へて正しからざらん」(『論語・顔淵』)、「其の身正しければ、令せずして行はる。其の身正しからざれば、令すと雖も従はれず」(『論語・子路』)、「政を為すに徳を以てす。譬へば北辰の其の所に居て、衆星の之に共ふがごとし」(『論語・為政』)。孟子は、「賢者位に在り、能者職に在り(賢者がしかるべき位にあり、能力あるものがしかるべき職に就く)」(『孟子・公孫丑上』)、「賢を尊び能を使ひ、俊傑位に在り(賢明な者を尊び有能の者を用い、秀でた者がしかるべき位にある)」(『孟子・公孫丑上』)と指摘していた。荀子は、「公は明を生じ、偏は闇を生ず」(『荀子・不苟』)と述べていた。正直者、有能な賢者、公正な判断力などが、「官員になる」基準である。そして、それらの基準が目指す最高の価値は、民本である。『尚書・大禹謨』では「徳は惟れ政を善くし、政は民を養ふに在り」という。民を害するのではなく、保護するための善良な統治を行うべく、各級の官吏に身をおさめ、善行に努めるよう要求してきた。政治学の観点から見ると、いかなる形態の強制や操作よりも、認められた服従の義務に基づいた権威こそ、中国の伝統政治における合理的な根拠であり、権威というものは「遵守されたもの」より「遵守されるべきもの」のほうが、より重要であるということを意味する。したがって、伝統的政治の考えでは、「官」は管理者であるだけでなく、率先垂範の模範であり、その責任と使命は、公共サービスの提供、社会の管理だけでなく、すべての国民を指導し、教育するために健全な人格を形成し、健全な社会を建設することにもある。「睡虎地秦墓の竹簡・吏と為る道」は、現存するもっとも完全な官に対する箴諫竹簡であるが、官たるものは、誠実、無私、慎重、驕らず、焦らず、信賞必罰、恭倹礼譲などの人格と能力を備えなければならないと明確に示していた。漢唐以後の官の箴諫文化は、継承されながら成熟したが、その核心は、官としての正しい道を教育、箴諫、警告することによって、初志を全うさせることができ､官たる者の教養が国家の政治と国民の幸福と密接な関係にあると指摘したことにある。儒家は強く確信している。道徳と政治は不可分の関係にあり、政治という実践に学んだ教訓から生まれた聖賢思想と官の箴諫文化は、内面の精神と化し、外面の行動となり、行政活動の規範となる指導原則となり、さらに制度化されつづけている、と。

しかし、現実の政治は往々にして複雑であり、官本位には、思想と制度の構築という積極的な部分があるが、消極的な観念と行動の部分もある。中国の古籍には、「国家の敗は官の邪に由る」（『左伝・恒公二年』）という記載があり、「官員による統治」で、本来は問題解決のためにある「官」が、時には最大のトラブルメーカーに化す。古代の士と官の関係について、王亜南氏は、次のように評価している。

「儒教の倫理政治学説から我々は修（身）斉（家）治（国）平（天下）の道理を学んだと言える根拠があり、また、科挙制の実施によって我々は、「学をもって俸禄を求める」ように励まされ、出世に熱中するようになったと言える根拠もあるが、しかし、もっと根本的な理由は、長期の官僚政治が、官たる人、官になる人、官を退いた人に、種々の社会的経済的な実利を、あるいは、明文の規定はないが、とても重みのある現実的な特権を与えたことにある。それらの実利なり特権なりは、消極的な意味からいえば、財産保護であるが、積極的な意味からいえば、財産の増殖とでもいうべきものである」[1]

一旦、「公共の利益のための」権力が「私的」な道具に変わると、汚職腐敗、官僚主義、ネポティズムなどの弊害が露呈し、「官」の本来の意味は疎外され、歪められたものとなった。換言すれば、政治の実践において、「奉公」と「営私」は、「官本位」の表と裏である。政治思想における「奉公」の教育と提唱を強化し、政治行動の観点から制度や法律で「公私混同」を規制することは、政治の最重要課題である。

二、官員の規制は、中国の伝統政治の興廃の要である

客観的な存在である「官員による統治」と、政治運営に密接に関わる官員の行為を見据えて、歴代の為政者は、官員の育成とモラル教育を重視しながらも、種々の制度や法令などの外部規範を緩めず、さらに、官員をしっかり管理するために、当時の状況に応じて、「厳罰主義の管理」を採用した王朝もあった。そのため、官員になるのは決してたやすいことではなかった。一般論で言えば、中国の伝統的な官員の規制は、儒教倫理説に則り、民本、忠君、克己などの主要価値によって導かれ、官員の

1　王亜南『中国官僚政治研究』、長沙、湖南人民出版社、1981年、112頁。

選考、評価、賞罰、監督、退職など一連の制度を整備し、官員が道徳、能力、勤勉、誠実さの四つの主要な美徳を有するように確保することで、全体的で、協調してバランスがとれた各種制度や法令で、官員の管理を実施する。これが「官本位」の主要な内容である。

㈠　選任制度。中国の歴代の政治は、官位爵位など公式の称号を慎重に扱ってきた。権力の形と質に関する重大な問題であるだけに、軽々しく授けることはできなかったのである。官僚政治は、先秦の郷里推薦制から、漢の時代の察挙制、魏と晋の南北朝時代の九品中正制、隋唐の科挙制へと、徐々に成熟してきた。科挙制は、弊害を伴うが、その肯定的な効果は無視することはできない。相対的に公開性があり、公正な競争性のある試験によって、政府と民間の間に、政権の上層部に進む道が敷かれた。そして、一般の民衆、特に社会の底辺に生きる貧書生が、学習と試験の道を通って、政治参加することによって、社会の各階層の流動性が促進され、特権に対する憎悪が軽減され、政権の恒久的な安定が維持できた。何炳棣による統計では、１３７７年～１９０４年の間で、進士に受かった人の42％は、下層社会の出身だったという[1]。科挙制度は、能力者を選出するだけでなく、社会の統合と主潮となるイデオロギーの普及にも、その効果を表している。「儒生の一人一人が、生員から挙人、それから進士へと成長していく過程には、実際には村―県―府―州都―京師への情報の流れが凝縮している[2]。中国の官制と大統一の中央集権的な政治体制が表裏一体であることは、おそらく秦漢以降の中

1　郭剣鳴『晩清紳士と公共危機管理――知識権力化管理を道とする』、北京、光明日報出版社、２００８年、１８８頁。
2　同前、19頁。

国の伝統政治が、二千年以上も続き、今もなお健在である要因であろう。それだけでなく、何千年もの歳月をかけて、発展し、そして成熟してきた中国の官制は、世界でも類を見ないものであり、西洋、および世界にも積極的な影響を与え、十九世紀に西洋が文官の公開試験制度を中国から学んだという明確な証拠もある。[1] 科挙を主とした官員選出方法に加えて、階層の差をなくし、人材を漏らさず見つけ、利用するには、推挙制、軍功制、庶民の資格で官の政治に協力する胥吏制、捐納制などの制度も時勢に応じて補強策として採用されていた。官員の資格を取得した後、官位が授けられ、各職務の任命が行われるが、任命の種類は、補欠、試用、拝官、兼領、参知などがあり、職務別と階級別に相応の待遇が与えられる。任命の方法からみれば、階級と職務が異なれば、任命の方式も違ってくるが、通常は、上に行けば行くほど、集団協議を通じて選出する必要があり、特別視されている監察官、教職官、地方長官という大官となる

1　鄧思玉「中国の西洋試験制度への影響」『ハーバード学報・アジア研究』、1943年（7）、267頁。

古代科挙制度

と、さらに厳格な任命方式が求められるのである。任命の規制から見れば、出自と家柄、経歴、民族などが、考慮すべき要因となっていた。また、官吏の間で互いに徒党を組み、私心と親情によって結びついたネットワークの構築を防止するために、後漢時代にできた親族回避を狙う「三互の法」ができて以来、本籍地、親族、師弟、同郷などの回避制度が歴代を通じて絶えず改善されてきた。

㈡　賞罰と評価制度。後漢の班固は、「材を論じ士を選ぶには、必ず職において試みる、度量を明らかにし以て能を程る、功実を考へ以て徳を定む（才のある士の選出に当たっては、必ずその職務に適したものを試さなければならない。その度量をもって能力を測り、その実績をもって功徳を判定する）」（『漢書・谷永杜鄴伝』）と述べたが、任命した官員の業績を評価し、その業績をもって、昇進と罷免を決める必要がある。評価期間を見れば、各王朝によって、規定が違うが、通常は任期と一致することが多く、明と清の時代は、「三年に一回、九年で満期評価」の京察、大計の制度が実施されたが、期限が定められ、厳しい手続きと罰則が設けられたので、官員団体を震え上がらせる威勢のある周期性の難関試験システムができた。

評価で落とされた官員の復職が難しいため、士大夫たちは、「監察にかかったことを終生の恥」としていた。評価の内容と基準を見れば、各級政務官の評価と実務官の評価に区分され、職務別に基準が作られたが、一つだけ共通項があった。それは、徳行に対する評価であるが、例えば、明と清の時代は、「廉潔、勤勉、自粛」を官員の基本の職業的品行としている。評価結果の実効性から言えば、評価は、賞罰制度に深くかかわり、功があるものに賞を、罪があるものに罰を必ず下すものだった。

歴代の法典は、違法の官員に対して、非常に厳しい処罰を科していた。例えば、汚職、違法行為がひどいものは、極刑とともに、自宅と家財の没収、横領金の没収、家族の流刑などの処置が行われ、軽い不正行為も、行政上の降格、罷免、永久追放や子孫までも官職に付けないなどの処罰があった。また、評価の公平性を確保するために、評価過程においては、監察官が関与し、評価後には、監察御史などの科道官が、「拾遺」を行った。即ち、評価過程において私情による不正行為を働いた監察官と評価対象の官員の弾劾をし、如何なる官員でも、監察によって摘発されたら、処分を受けざるを得なくなり、皇帝であっても干渉できないのであった。明王朝のイタリア人宣教師マテオ・リッチは、中国で伝道中に、明王朝の監察官が地方官を評価する情景を次のように記録した。

「私はこの目で見た。皇帝でも、この度の監察官による公開調査の結果の変更はあえてしなかった。処罰を受けた者は、決して少数ではないし、低級官員だけでもなかった。1607年に実施されたその評価（地方官に対して）の後、四千人の官員に対して、判決が出た。ここで見たというのは、そのリストが単行本となって全国で発行されたからだった」[1]

㈢　監察制度。先秦時代から、中国では、各等級の文武官員、および勲門貴族の違法行為を取り締

1　マテオ・リッチ、ニコラ・トリゴー編『中国覚え書』、北京、中華書局、1983年、60～61頁。

まる監察制度が確立され、歴代の絶えざる補完によってトップダウン式の縦横無隅の監察体系ができた。権力の行使にかかると、必ず、管理監督、公文書検査、巡視官の巡回派遣、秘密調査、上訴弾劾など多種多様の監督が付き、ある程度、規則正しい官僚政治が実現し、過ちを罰して、同じ問題を二度と繰り返さないように未然に防ぐという役割を果たしてきたのである。監察体制が効果的な役割を果たせたのは、利益上異なる官員に職務上の関連性を持たせるという利害関係の「牽制関係」に従っているからである。それは、主に以下の特徴を示した。第一に、監察権は相対的に独立し、最高権力者の君主にのみ責任を負い、その直轄を受けるものである。監察御史は十分に独立した監察権を有し、監視は行政の干渉や妨害を受けない。第二に、監察官は、地位が低いが、権限が大きく、権力者や貴族を恐れず権力行使が可能なのである。歴代の監察制度では、監察官の位置づけは巧妙なもので、高い政治的、法的地位を与え、百官を抑止する権威を有するが、階級からみれば官位が低いもので、唐王朝の監察御史は、正八品下で、宋と明の時代でも、七品にとどまったのである。清の学者、顧炎武は、この「権重位卑」の制度を大小の相互抑制、内外の相互維持の役割を果したと評価している。第三に、監察機構の体系化、組織化によって、監察活動が法に則り実行されることである。唐の監察メカニズムはより完全なもので、御史台には、台院、殿院、察院という三院が作られ、綿密な役割分担と明確な責任分担が実現された。歴代において、例えば、漢の「刺史六条問事」、宋の「監司互監法」、明の「憲綱条例」と清の「欽定台規」など、各種の監察法規が制定され、御史の職権、糾弾と弾劾などが法に依って保証され、監察活動の規範化が図られていた。そのような中国独自の監察糾弾制度は、外国人をも「御史は、効率に富んだ監察官で、その職責は潜在的な異議をすべて公開することにある」[1]と感嘆せしめていた。

三、賢者選任という政治的伝統の現代の中国共産党による継承と発展

多くの西洋人は、多党競争と普通選挙が政治的正当性の唯一の源泉であると考えている。実際には、中国のように、独自の文化的伝統、独自の歴史的運命、独自の基本的国情を有する世界的な大国を統治するには、有能な幹部を選出する人事制度、特に、権力の監察と規制に有効な仕組みが、政治の興亡のカギを握っている。

第一に、中国共産党の指導力と体制内における賢者選任は、政策全体の軽慮浅謀の回避に資するものである。13億人以上の人口と960万平方キロメートルの超大規模国家の中国は、自然風土の違い、国土開発の格差、文化の隔たりが巨大である上に、五十六の民族からなる多民族国家でもある。いかにして、超大規模で超複雑な構造を有する国家を一つに統合し、良好な秩序を確立するかは、政治の最重要課題である。政治の発展には安定が不可欠なものであり、安定なしには、発展は語れない。また、中国にとって、政治の安定の基本的保証は中国共産党の指導力に固執することにある。西側の自由主義の民主政治が派手に掲げる政党政治は、権力の交代時に権力を奪い合い、二党間、あるいは多

1　アンソニー・ギデンス『民族、国家と暴力』、北京、三聯書店、1998年、97頁。

党間の相互牽制、相互攻撃、相互中傷が目立つだけでなく、極端な手段さえ選ぶ。また、票を集めるために、軽々しい約束をして、有権者の短期的、または部分的な利益に受け身的に迎合するなど、結局、金銭政治に成り果て、富裕層のゲームに変わり、財閥の支持が当選の鍵を握るようになったのである。明らかに、それは、超大規模で超複雑な構造を有する中国の政治には適していない。大国の政治上の意思決定は、政治共同体の長期的な利益と全体的な利益に関わるので、全面的な均衡や深慮遠謀が求められ、そして口が巧みな政治家ではなく、経験豊富な指導者が求められるのである。梁漱溟は、中国政治の特殊性を見抜き、次のような深い言葉を残している。「スケールが大きいため、指導者は容易に得られない。局地で指導者が務まる者が、全局となれば、うまくいくとは限らない。例え、その資質素養がある人がいても、すべての条件を揃え、時間をかけて育成しなければ、容易にできないことである。さらに、人が多ければ問題も多く、スケールが大きければ問題も大きくなるように、どこか一か所で問題が出たら、全体に影響しかねない。中枢の軸がしっかりしないと、いたるところ進まないことになる」。中国の政治においては、古代から近代にいたるまで、「宰相は地方から現れ、将軍は兵卒から浮かぶ」という言葉があるように、指導者の養成を特別に重視し、そして、豊富な養成経験も蓄積してきた。この基礎の上で、政策全体の浅慮を防げる中国の選任制度は、政治の利点となっている。

第二に、中国の賢者選任は競争の激しさにかけては、類を見ないものである。中国共産党の最高指導機関たる中央政治局と中国共産党の最高権力機関である中央委員会のメンバーの大多数は、自らの努力と激しい競争を通り抜けて上り詰めたのである。中国共産党の平民出身の幹部は、他の先進国や発展途上国のエリートの出身者に比べて、昇進の道が広く開かれる。その反面、競争は激しい。「基層で優秀な業績を成し遂げた人材は、副局長や局長クラスに昇進することができる。このクラスの幹部は、何百万人もの都市を管轄するか、年間売り上げ数億ドルの企業を管理することになる。統計データからは、局長クラスの幹部の選抜の激しさが伺えるのである。２０１２年は、課長と副課長クラスの幹部は約九十万人、処長と副処長クラスの幹部は約六十万人いるのに対して、局長と副局長クラスの幹部は、わずか四万人しかいない」。[1] 中国共産党は、いかにして、賢者選任を確保するのか?そのカギの一つには、中央部の最上層の中央政治局、中央組織部、中央規律委員会など、強力な組織と機構があることが挙げられるが、西洋の学者はそれらの機構における賢者選任と幹部の管理の有効性についてあまり研究してこなかった。実際に、中国の官僚制度は千年もの歴史を持ち、現在では、中国共産党の一部の部門は、この独特の歴史遺産を活かし、継承した上に、現代の中国の政治的エリートを育成、登用、管理する現代的な制度に進化させている。中国の賢者選任の政治的伝統は、かつて西洋にも恩恵を与えた。文官の公開試験制度の発祥地は中国である。

第三に、全身全霊をささげて国民に奉仕することが中国共産党の本旨である。国民に奉仕することは、毛沢東思想の核心と魂であり、中国共産党の設立目的であり、国民のコンセンサスの合理的な基

1 李世默「中国の勃興と西方〝メタナラティヴ〟の終結」（2013-06-21）. http://news.xinhuanet.com/ cankao/2013-6/21/ c_132473480.htm.

礎となっている。中国の政治にとって、中国共産党が全身全霊をささげて国民に奉仕する本旨を貫徹することは、最重要の意義である。官僚政治を国民的にすることは、おそらく近代文明における最も重要な問題であり、そのための「仁愛」精神が必要である。「仁愛とは、自ら同情と思いやりの態度をもって国民に接し、すべての資材をその目的のために使い、また、いかなる浪費をもなくすことを確保することである。その仁愛精神こそ世界の平和の望みである」[1]。それは、中国の政治体制の有効な運営に深く関わるだけでなく、世界規模で、「善政」と言われるものの根本でもある。大統一の政治戦略に立脚し、体制内の自己浄化を目的に定め、為政者に対する民衆の信頼を増強する「善政」は、中国の歴代政治の価値の指針であり、その着眼点と焦点はいずれも、官員管理に照準を合わせている。現在、中共中央政治局が主導している「中国共産党を厳しく統制する」ことをはじめとする一連の実践活動と制度整備は、ある意味では、全身全霊をささげて、国民に奉仕するという目的が、新たな情勢において集団の実践活動として現れたもので、その重点は官員管理の刷新であるが、そのような政治戦略と政治活動の勇気は、日和見主義で政権を狙う西方の政党には、想像できないもので、また、なしえないものである。

西側を模倣し、多党競争の選挙をしては、中国の政治を横道に導くだけなので、大国を治め、中国の問題を解決する鍵は、それを絶対にしないことにあると言えよう。中国における政治の焦点は、政

1　ジョセフ・ニーダム『四海の内：東方と西方の対話』、北京、三聯書店、1987年、17頁。

治体制の歴史的基盤であり、政治の発展に最大の影響力を有する変数である、二千年以上の賢者選任の政治的伝統という歴史の継承と革新をしっかり果たすことである。現行の中国の政治制度を改善するための統治体制の鍵は、賢者選任の幹部制度体系の改革をより深めたうえで、よいメカニズムとよい選考者によって最高の人材の選出をして、党と国民に真に忠実であり、徳性と才能を兼備し、責任感と使命感がある幹部を党と国家の要職に選任する一方、権力の監督と制限を強化することによって、中華民族の偉大なる復興のための組織と人事の基盤を築くところにある。それは、中国の政治建設における要石である。

第三節　政治社会化——核心的価値観の形成

統一を確保し、政権を安定させ、社会の長期的な安定を確保するには、文化制度の凝集力が不可欠である。大統一の政治体制において、思想上の共通基盤があって初めて、最大限の一貫性と結束力が備わり、制度や法律を効果的に機能させることができるのである。

一、儒教思想を基調とする核心的価値観の確立

秦の始皇帝が大統一の政権を樹立した後、宰相の李斯は、「黒白を別にして、一尊を定む」（『史記・

秦始皇本紀』）と政治思想の一元化を提唱した。漢王朝の統一後、大統一の政治体制の絶え間ない改善に伴い、統一的な政治思想があるかどうかが、政権の永続性と密接に関連している。この点を洞察した大儒の董仲舒は、漢武帝の策問に政治思想の独尊と答え、大統一国家の長期安定の鍵だと主張した。それで、「罷黜百家、独尊儒術（百家を廃し、儒術を独尊する）」となり、儒家の思想が独尊の地位を得たのである。正統の思想となった儒家の思想は、教義の内容自体が大国支配の要件を満たすのに加えて、政治思想の一元化を実現することが政治の発展の趨勢に順応するとしていることで、歴代の統治者によって尊ばれ、守られてきた。漢王朝の儒家の独尊は、秦王朝の独任の法制とは異なる。董仲舒によって提唱された「罷黜百家」は、全面的な思想統制の実行で、他の諸子百家の思想言論をすべて断絶させるものではない。「皆その道を絶ち、幷び進ましむるなかれ」（それらの拡散のルートを断ち切り、儒家とともに前進させない）とすることによって、かくして「邪説が滅び、思想の一元化が実現し、規範も明確になったら、民は従うべきことがわかるようになるのだ」（『漢書・董仲舒伝』）。韋政通は、儒家の思想の制度化は董仲舒が漢武帝に儒家独尊を提案したことから始まったもので、「中国の歴史上（中略）董仲舒の力で、儒家の一部の思想は現実の制度に移り、歴史上の正統な地位を獲得できたのだ。当然、それは彼一人だけのお手柄ではなく、数多くの儒生の努力と闘争を経てのことだ」[1]

1　韋政通『中国思想史』上巻、上海、上海書店出版社、２００３年、３１１頁。

漢武帝の「罷黜百家、独尊儒術」の実施後、儒教の『易経』『書経』『詩経』『礼記』『春秋』の五経は欽定により法定の国家経典の教材となり、その正当性と権威性が疑われることがなくなり、儒学は私学から官学に変身した。国家のイデオロギーと官学の主体となった儒教思想は、前漢の元帝以降の皇帝から臣下までその教育をうけたため、漢王朝の政治思想はすっかり儒教化していた。王莽政権の時代では、儒教思想は、さらに広く深く普及した。

政治と文化のレベルでは、儒家思想は独尊のものとなったが、しかし、そのことは、儒家に合致しながらも、張力のように働くその他の民間思想と文化の多様性を損なうことはなかったという点に注意する必要がある。漢王朝の末期に仏教が伝来し、土着の道家文化と相まって、儒教、仏教、道教の三者共存の形で、共に中国の文化精神の根源を築いてきたのである。

二、儒教思想を基調とする核心価値観の教育

儒教教育の本質は、人間の道徳性を重視する教育で、その政治が教育を基本とし、また、教育を目的とすることにある。儒教は、良い政治は、必ず良い民衆の上に成り立つもので、教育なしには、政治は語れないと認識しているが、儒教の政治論の根底にある精神は、国民性の涵養にある。

伝統社会では、儒家の思想は、官学、私学、民間の書院などを設立することによって受け継がれ、発展し、また、政府や社会に影響を与える官員の主要な供給源である儒教思想の実践者も多数輩出した。特に、歴代で進化した官員選任制度が教育と政治の間に制度化された通路をつくりあげたことを

もっとも効果的に表しているのは、科挙制度である。儒教の王道政治の理想的な姿は、儒家による道統の確立、儒家の学統による儒生の育成、儒生の出仕による君主を補佐する政統の確立のように、道統、学統と政統が一体化されることによって、実質的な価値と形式的な価値が一致し、調和していることである。政治、社会、経済、教育など種々の制度の確立を通じて、儒教は徐々に庶民の生活の隅々にまで入り込んできた。朝廷の礼儀典章、国家組織と法律、社会の風習から、族法、家法、および個人の行動基準に至るまで、このトップダウンの形によってできたすべての制度規範には、儒教の原則が浸透している。こういった制度化が進んだことで、儒教は、中国文化の主流になったのである。[1]

人々の心に深く浸透する教育は、民間の意見も重視している。「中華帝国の全体性を維持する力とは？」「広大で不均衡の領地を一つに纏める絆は一体どこに？」、アメリカの歴史学者、メアリー・C・ライトは、清王朝の同治期の中興の歴史研究を経て、このように述べた。「礼の観念」は「すべての個人とすべての集団の権利と義務を規定する」。[2] 教育によって導かれ、実を結んだ権利と義務の規範は、社会のメンバーが受けた抑圧を自然に排出し、激化する前に社会矛盾をなくすが、これは最も消耗が少ない持続性のある統治の方式である。当然、この教化は一方的なものではなく、民間の意見が浮上するように通路を開放する必要がある。西周時代の卲穆公が「民の口を防ぐは川を防ぐより

1　余英時『現代儒学論』、上海、上海人民出版社、１９９８年、２３０頁。
2　芮瑪麗『同治中興　中国保守主義の最後の抵抗』、北京、中国社会科学出版社、２００２年、77頁。

も甚し」とかつて言ったように、民衆に意見を、また不満すらも表明できるルートを与えることによって、為政者は、そこから政策の実施効果と不足を知ることができ、タイムリーに政策を調整できるようになるのである。歴代では、民間情報を収集する官職を作り、民間の声を聴くための機構も設立してきた。例えば、西周の時代では、「行人」「小司寇」を、唐王朝では、「観風使」、「采風使」を設置するなど、民情と民意を集めたうえで、政策の策定と改正時の根拠としただけでなく、純朴で優良な気風と民俗を広めるにも利用された。「一つの観念を制度化するには、まず観念自体が、人々の心をつかみ、現実に配慮する力を備えることが必要で、権力の強制を経るだけでは無理である。儒教の制度化は、儒教の内在の超越力と、中国人の人間性の理解に基づいた秩序感との化合物である」[1]。儒教思想が制度化され、またその後に、伝統政治の安定と持続的な発展を確保するという積極的な役割を果たしたことには、観念自身の人心を摑む統制力と現実との密着性が深く関わっている。

三、現代の中国共産党による伝統的な政治文化の継承と発展

社会主義の核心的価値観は、現代の中国の精神の中心的表現であり、国民全体が目指すべき共通価値である。

第一に、社会主義の核心的価値観の涵養と実践は、大統一の政体に対する国民のコンセンサスに関

1　干春松『制度化儒家とその解体』、北京、中国人民大学出版社、2003年、6頁。

わっている。政治への信頼は、外から発生するものであり、政治領域の圏外に形成されるものである。大統一の政治体制において、経済発展を推進させる自然な優位性があり、効率、管轄権、および大規模な公共事業の遂行能力に関して、中国の政府機構に勝るものはないが、しかし、経済発展が必然的に国民の共感度を高め、そのコンセンサスが得られるのかという問いに対しては、歴史の経験と教訓からの答えは、必然ではないというものである。国民の共感とコンセンサスは、情緒的な訴え、心を魅了する力の浸透が必要で、感情、条理、法律を統合することで、共通の思想基盤を構築することが必要である。今日の言い方では、物質文明と精神文明の建設が充実したものでなければならないのである。幸いなことに、大統一の国家を統治してきた歴史の中から、感情に合った合理的で合法的な方法を多く学べるので、「中国の優れた伝統文化は中国の卓越した長所であり、最も豊富な文化のソフトパワーである」[1]。共通の思想基盤が確立することは、歴史的伝統の理解、現代中国の認識と外部世界の把握に有利であり、中国の大統一政治が長期的な安定を実現するための根本的な解決策であり、一番の鍵でもある。

第二に、主流の価値観と合致する社会のエリートを育てること。社会のエリートとは、個人の利益を超越し、道徳的自制力もあり、社会から孤立せず、社会とうまく渡り合い、社会奉仕の責任感があ

1　習近平による全国宣伝思想工作会議の演説:（2013-08-19）. http://www.xinhuanet.com/ politics/szxzt/qgxcsxgzhy/index.htm..

る人のことである。中国の伝統的な政治では、役人、知識人、教師は、エリートの代表格であり、学校教育や科挙試験を通じて、主流の価値観の共同認識と実践を行ってきた。現代中国では、党員、幹部、知識人等が重要な社会的責任と歴史的使命を担っている。中国共産党は、党学校、幹部学院、社会科学院、大学、理論学習グループなど、完備した教育システムを持ち、西側諸国の日和見主義で権力を握る政党制度では手が届かないエリートの教育に積極的な役割を果たしている。問題は、同質の社会エリートの共通の思想基盤が、必須となる人心の把握力と現実との密着力を有する観念自体を備えているかどうかである。この点に関しては、伝統的政治に統治の知恵を求めることができる。「儒教の制度化は、儒教に内在する超越力と、それが築いた、中国人の人間性の理解に基づいた秩序感との化合物である」[1]。中華民族は、長い歴史を有する中国文化を創出した。中華民族はまた中国文化の新たな栄光を必ず創り出すことができる。

第三に、人の心に響く教育と民間の意見開陳のルートとの相互作用である。大統一の確立と繁栄強化は、すべての善政は良民の上に構築され、良民はよい教育に依存しているので、教育こそが最大の政治だという理念に基づいている。教育の教化力とは、政治の風化、教育の感化、環境の影響など、有形・無形の手段を組み合わせることによって、人々に正面から道理をそそぎこみ、そして、日常活動と結び付けて、無意識のうちに物事をはっきり理解するようにさせ、それが定着するようにさせ、また人々

1　干春松『制度化儒家とその解体』、北京、中国人民大学出版社、2003年、6頁。

に一貫した価値観と信仰の体系を身につけさせ、よい道徳、風習と習慣行動を定着させることである。民衆に平和の精神を培わせることとは、大統一の政治が存続するための文化面の保証である。清朝末期の名士で、九カ国語に堪能で十三の博士号を取得した辜鴻銘は、中国には、かけがえのない、今なお計り知れない巨大な文明の富があると考えている。その富とは本格の中国人である。その理由は本格の中国人が有している良民の宗教である。「良民の宗教は、わたしたちを導き、愛の法則は、親を愛することで、（中略）正義の法則は、真実、信頼、忠誠であると教えている。こうした良民宗教の最高責任とは、忠誠の責任(duty of loyalty)である。忠誠は、行動に現れるだけでなく、心の中にも埋まっている」[1]。現代中国の政治発展においては、教育は常に戦略的な優先課題とされてきた。そして、民間の意見開陳のルートの開放は、大統一政治の調和と安定というテーマに内包されている。四大制度で確立され制度化したルート以外にも、情報化時代の到来とともに、インターネットなどの新しいメディアによる意見開陳が勢いを増してきた。近年、「二大大会」（全国人民代表大会と全国政治協商会議）の会期中、一部のテレビ局やインターネットメディアは、代表委員と直接対話ができる特設コラム・ページを開き、多くのネチズンが書き込みなどで「二大大会」へ提案を示すようになった。中国では、ネットメディアは、民間の願望や意見を伝える重要なルートとなっている。

「独自の文化的伝統、独自の歴史的運命、独自の基本的国情は、我々を、我々自身の特性に適した

1　辜鴻銘『中国人の精神』、海口、海南出版社、２００７年、31頁。

発展の道へと運命づけた」。[1] 数千年にわたって受け継がれてきた中国の政治伝統は、中国の政治発展の最も根源的な国情であり、その継承と発展は、与党である中国共産党にとって最も深い政権の正統性の拠り所である。中国が独自の文化伝統、独自の歴史的運命、独自の基本的国情を背負った発展の道を歩んできたことは、実践によって証明されている。中国が警戒しなければならないのは、経済成長の鈍化の圧力、社会発展の矛盾の表面化、全面的な厳しい党内統治による既得権益者との激突、一部の学者や政治的「エリート」が利益の分化と思想の多様化の隙を伺って、西側の多党制競争、三権分立などの導入を煽動することによって、矛盾の回避と責任逃れを図ることである。それらは、中国の政治社会の不安、さらには、対立と分裂を招きかねない。したがって、中国は、中国の特色ある社会主義の歩みの歴史的背景、歴史的連続性、および制度・文化に現れる継承と創造性を合理的に把握した上で、その基礎の上で、調整の能力やコンセンサスの達成度をさらに高めるべきである。また、改革者はきちんとした歴史認識を有し、掌中の制度の意義がどこにあるかを熟知しておかなければならない。もし誤って、変更できない最重要のキーパーツを替えるようなことがあったら、制度がうまく機能できなくなり、災いを招く可能性がある。

1 習近平による全国宣伝思想工作会議の演説.（2013-08-19）. http://www.xinhuanet.com/politics/szzt/qgxcsxgzhy/index.htm..

第二章

中国の特色ある社会主義の歩みの理論的解釈

中国の特色ある社会主義の歩みとはいったい何なのか?中国の特色ある社会主義の歩みとは、中国の特色ある社会主義を持続的に発展させることをテーマに、国家の管理の近代化をルートとし、中華民族の偉大なる復興と人類のより良き社会制度を構築する為に、中国のプランを提供することを目標、及び方針として形成し、深化させてきた道のりなのである。それでは、その歩みはどのように形成されてきたのか?主な内容はどのようなものであるのか?その歩みをどのようにすれば深く理解できるのか?これらの課題を理解した上で回答を出すことは、中国の特色ある社会主義の歩みを理解する為の初歩的なステージである。

第一節　中国の特色ある社会主義の歩みの歴史的形成

一、中国共産党はなぜ近代以降の中国を大きく変貌させることができたのか?

中国共産党成立95周年の記念大会の演説で、習近平総書記は次のように強調した。「中国で共産党が誕生できたのは天地開闢に等しい大事件である。この天地開闢の大事件は近代以後の中華民族の発展方向と過程を大きく変え、中国国民と中華民族の行方と運命を大きく変えたのである。そして世界の発展動向と枠組みも大きく変えたのである」。この指摘がいかに正確でかつ適切であることか。中国共産党は悠久な歴史を有する中華民族と発展が遅れた途上国をして、初めて自主的な姿での民族独立と国家富強を実現させた。そして、国全体を目下、近代化へ向けて邁進させているところである。これほどの壮挙は中国近代史上だけではなく、世界近代史上にもまれなことである。

歴史を遡り、二十世紀初頭の中国を見ても分かるように、当時は各種の学説、各種の党派、各種の勢力が国家を救い、民族を救う為にそれなりの独自の「処方箋」を打ち出したのである。その中でどの党派が勝ち抜けるのか？それはその党派の理論に科学性があるかどうか、進む方向は正確であるかどうか、組織は厳密であるかどうか、という三つの視点から考えなければならない。それによると、中国共産党は見事にその三つの特徴すべてを備えている。

まずは理論の科学性である。中国共産党はマルクス主義とレーニン主義を自らの理論の旗印として掲げている。そこには内在的にして深い必然性が存在すると思われる。マルクス主義は人類社会を資本主義から社会主義、共産主義に発展させるという普遍的原理を掲げ、「プロレタリアートは資本主義社会の墓掘り人である」という奥深い命題を提出した。それはプロレタリアートが資本主義社会に反旗を翻し、社会主義社会を建設する為の理論的な指導思想となった。故に、ある意味においてマルクス主義は「弱者の武器」であるといわれている。それは弱者が強者に立ち向かい、被統治者が統治者に反抗する為の強大な思想的武器にもなった。故に民族が救われる理由はそこにあるのである。同時に、それは弱国が強国に反抗し、被抑圧民族が強権国家に反抗する為の強大な思想的武器にもなった。故に国家が救われる理由もそこにあるのである。総じて言えば、マルクス主義は真理と道義の融合を具現できる科学的な理論なのである。

次は方向の正確性である。革命の時代において、中国共産党は模索を繰り返し、最終的に「農村部が都市部を包囲し、武装により政権を奪取する」という正しい道のりに辿り着いたのである。マルクス主義は本来都市部を中心とし、労働者運動を発展させる道を推し進めるものであった。中国共産党は当時の自国の事情を考慮した上で、中国の特色ある革命路線を選択した。国家建設の時代において、中国共産党は中国の特色ある「追い抜き追い越し戦略」を掲げ、計画経済が体制のメカニズムという強大なバックアップと発展の道しるべを提供した。改革開放の時代においては、中国共産党は時代と共に前進し、時代の特徴と実際のニーズに合わせ、程よいタイミングで中国の特色あ

る社会主義という道を切り開いた。従って、中国共産党は変化していく時代の情勢に合わせ、自国の進むべき方向、正しい道を絶え間なく調整しながら切り開いて行くのである。故に時代に置き去りにされることなく、中国共産党は時代と共に歩んで行くのである。

最後に組織の厳密性である。革命の初期には、中国共産党は党の支部を「連」という基礎機構として、或は末端組織として立ち上げたのである。その両者の共同運営を通し、中国共産党は軍隊への絶対的指導力と民衆への強大な組織力と動員力を獲得したのである。それをもって、中国共産党は口先や理論止まりの政党ではなく、強大な能動的な力を有する政党へと変わったのである。それは、中国共産党と他の政党を区別する大きな特徴といえよう。故に、組織の核心部では中国共産党自身の建設を強化し、政権機構部では中国共産党の指導力を強化し、中国共産党の周辺組織では関係団体の組織構造を強化し、組織の末端においては、農村部とコミュニティーの建設を強めた。そうした一連の行動により、中国共産党の強大かつ厳密な組織力と動員力を可能にし、中国国民を組織、動員することができたのである。

理論の科学性はマルクス主義を堅持、発展させることにある。方向の正確性は中国の特色ある革命、建設、改革開放の道を進めることにある。組織の厳密性は社会全体の幅広い動員を行い、それをカバーすることにある。これこそ中国共産党が中国国民を組織して引率し、中国の特色ある道に導いた三つの顕著な理由である。換言すれば、中国共産党が中国を大きく変貌させることができたのは、この三つの方面において見事かつ卓越な成果と貢献を成し遂げたからである。それと同時に、それは中国共産党の指導の下での今後の中国の発展にも寄与しうるものとなると思われる。いかなる理論にも盲従しないというのは、価値のある他の思想や理論を参考にはするが、決して鵜呑みにしないことだ。進路に盲従しないというのは、危険に溢れた道に転ばず、本来自らに適した道を堅持することである。中国は古い道を歩まず、新しい道を歩む。正道を歩み、邪道を歩まない。制度に盲従しないというのは、何かの力が中国に政治制度の新しい「飛来峰」を持ってくるといった、またそれが既存の体制や組織構造にいきなり取って代わることができるといった幻想があってはならないということだ。中国共産党は中国を大きく変貌させたとともに、指導権を自らの手で固く握りしめるという歴史的合理性を示したのである。

二、中国共産党が中国を変えたことにいかなる偉大な意味があるか

習近平総書記は中国共産党成立95周年の記念大会の演説で、中国共産党の指導の下で、中国国民が偉大なる勝利を勝ち取ったことの歴史的意味を重点において述べた。それでは、その歴史的意味とはどんなものか？

㈠　その偉大なる勝利により、五千年の中華民族と中華文明は近代化して生まれ変わったのである。

世界的にも、発展が遅れた途上国のほとんどは植民地、あるいは半植民地の状態から近代化へ向けて発展するのである。よって、発展途上国の近代化は極めて重大かつ深刻な死活問題である。先進国の近代化は植民地占領、領地拡大、他国からの略奪、先鋭的な技術と生産方式の開発を通して実現さ

れたのである。それと対照的に、発展途上国の得られる世界の空間と市場は限られ、加えて技術的にも遅れていたため、発展途上国の近代化はかなり難しい課題である。

近代化は広い意味で器物、制度、文化の三つの部分から成り立つ。中国の場合、近代化を求めながらも、西側の資本主義化は求めない。それは如何に大きな挑戦であることか。この点から見ると、中国共産党が中国国民を率いて勝ち取ったこの偉大なる勝利は、重要なメルクマール的な意味がある。それは、中国が最も悠久の歴史を有し、また規模も一番大きい文明国として、歴史上、初めて西欧と異なる道で初歩的な近代化を比較的成功裏に導いた国である。したがって、我々は自信と誇りを持つべきである。中華文明は宗教改革を経験した西欧文明以外に、最も近代性を潜ませた文明でありながらも、最もオープンな文明でもある。故に、我々はもっと大きな自信と力で以って更なる近代化へ邁進すべきである。

㈡　その偉大なる勝利によって五百年余りの歴史を有する社会主義の主張は高度な現実性と可能性を獲得した

以前、社会主義と言うと、科学的社会主義まで遡るのが常であった。その歴史は僅か二百年に満たない。しかし第十八回中国共産党全国大会以来、習近平総書記は世界における社会主義の歴史を系統的に解釈し、社会主義の歴史を更に空想的社会主義まで遡行させた。五百年余りの歴史を有するということは、社会主義と資本主義はほぼ同じ時期にスタートしたということを意味する。それでは、社会主義はどんな課題を解決するのか?実際は科学的社会主義であろうが空想的社会主義であろうが、社いずれも一つの問題から始めるのである。それは、何故社会の発展のスピードが速ければ速いほど、社会の中で苦しむ人、困難に陥る人、貧しい人、疲れ切った人が逆に増えてくるのだろうかという問題である。それは矛盾であり、パラドックスでもある。簡単に言えば、空想的社会主義の考えでは、それは人間性の問題であるから、人間を改造しなければならない。マルクスの考えでは、それは社会制度の問題であるから、社会制度を改造しなければならない。両者の根元的な相違はそこにあるが、理論の原点は同じであるといえよう。

中国の場合、社会主義の本質を堅持しなければならない。それは社会の発展が必ず大多数の人のためになるというものだ。社会主義の発展史から見れば、空想から科学へは一つの飛躍で、理論から実践へも一つの飛躍で、またスターリン体制から中国の特色ある社会主義へもまた一つの飛躍である。社会主義に対する種々の模索と歴史の積み重ねは、中国共産党の指導の下にある中国をして、社会主義の主張と本質を初めて中華の大地で初歩的な段階を具現させるに至ったのである。我々は理論的に社会主義の「伝統」を受け継ぎ、高揚させる責任と義務がある。それを現代中国の現実にしなければならない。

㈢　その偉大なる勝利によって建国六十年余りの中国は世界の注目を集めることに成功した

中国の偉大なる成功は、以下三つの視点から見ることができる。まず、発展途上国の視点からだ。中国は発展途上国として、その成績は間違いなく優れている。そのため、一部の発展途上国は中国を発展途上国と認めず、先進国として見なさねばならないとさえ思っている。しかし、中国はそれに賛同せず、今でもまだ発展途上国であると主張した。その次は社会主義国家としての視点からだ。第二次世界大戦後の冷戦期、世界は社会主義陣営、ワルシャワ条約機構グループと資本主義陣営、北大西洋条約機構グループに割れていた。しかし東欧革命、ソ連崩壊により、社会主義陣営が酷い挫折と失敗に遭遇した。まさにその時期に、中国は１９７０年代末から改革開放を実行し始めた。この決断により、中国の特色ある社会主義が生き延びただけではなく、勢いよく発展することができた。最後に、「ブリックス国家」としての視点からだ。中国はインド、ロシアなどのブリックス国家の中でも極めて優れた国である。例えば、中国の工業体制、人口資質、インフラストラクチャー、生産力、製造力などにおいて非常に優れている。それは自慢と誇りに値する成功である。

１９５６年、毛沢東は次のように話したことがある。「中国よ、そんなに多くの人口、広い土地、豊かな資源を有し、しかも優れた社会主義制度も実行し、結局五十年、六十年経ってもアメリカを追い抜けないのなら、ぶっ飛んだぼんくらだ。そんならささっと地球籍を捨てて消えやがれ」。２０１６年、習近平総書記は中国共産党成立95周年の記念大会の演説で、再び「地球籍を捨てる」というキーワードに触れた。習近平総書記は「どうやら中国は地球籍を捨てて消えるという危険から逃れた。逆に中国は人類社会発展の歴史的にも天地を轟かせる発展の奇跡を実現した。それは中華民族に新しい発展の輝きを呼び起こさせた」と指摘した。その断定は歴史に対する答えであり、現実に対する客観的な肯定でもある。それは中国が勝ち取った輝かしい成功に対する誇りの表れである。

第二節　中国の特色ある社会主義の歩みの政治的鍵

中国は特色ある発展の道を形成したが、その理由は中国共産党自身に求めなければならない——中国共産党は強大な指導力を保っていると同時に、柔軟な適応性を示している。経済社会の変化による衝撃と挑戦に直面し、中国共産党は強大な指導力を保ちながら、自らの方法で柔軟な適応性を示している。

２０１３年６月18日に開催された中国共産党の群衆路線教育実践活動会議において、習近平総書記は次のように指摘した。

「我々は何度も話した。党の先進性と党の指導的地位は、一度苦労しておけば、後は末永く楽ができて、一たび成れば変化しないといったものではない。過去の先進は、現在の先進に等しいものではなく、そして現在の先進は、永遠の先進に等しいものではない。過去に保有していたものは、現在保有しているものとは等しくない。現在保有しているものは、永遠に保有しているものと等しくはない。それは弁証法的唯物論と史的唯物論で問題を観察して導き出された結論だ」

巨大で激しい政治と社会の変遷を前にして、自らの先進性を保ちつつ、十分な柔軟性を示さなければばならず、そして党の若さと指導的地位をいつまでも保つためには、絶えず時代と共に進み、絶えず強力な指導力を保たなければならないことを、中国共産党は深く認識している。

一、中国共産党の力強い指導力

強大な指導力を有している中国共産党は、中国の特色ある社会主義事業の指導的核心であるだけでなく、国の統治システムと統治能力の近代化を推進する指導的核心でもある。元中国人民政治協商会議全国委員会副主席である陳錦華は、中国の制度が中国モデルの形成のなかで発揮した全体的な優位性、システム的機能、総合作用の一つの際立った現れこそ、中国共産党の指導的核心作用であると指摘した。「中国共産党の指導的核心作用は、特に党の中央指導部の崇高な理想、優れた知力と計略、国のため民のための済世の精神、国家機関の効果的な運用、民主的で集中化した指導体制と運営メカニズムによって、最も広範に種々の資源を動員、組織、協調させ、社会主義近代化国家の建設に全力を尽くすことができる」[1]。共産主義政党と共産主義国家が国政運営の面で、特に国政運営の能力と調整力の面で示した驚くべき力は、西洋諸国を驚かし、敬服させた。今日に至るまで、ハンティントンのこの判断は依然として正しい。日系アメリカ人学者のフランシス・フクヤマによると、経済発展は単に良い経済政策だけで推進されるものではない。法律と秩序、財産権、法治と政治的安定が保障で

1　陳錦華『中国モデルと中国の制度』、北京、人民出版社、2012年、3頁。

きる国が必要であり、このような国で暮らしてこそ、投資、開発、商業、国際貿易などの活動を展開したくなる。１９７０年代末、１９８０年代初めに、世界で改革開放と近代化建設を実行したのは中国だけではなく、他にも多くの国が改革開放と近代化建設の政策を実行した。しかし、ほとんどの国の近代化戦略、策略、政策は良好な効果を収めず、数少ない国だけが比較的良い効果を収めた。中国はこの数少ない国の一つであり、これは中国共産党の力強い指導力と切り離せない関係がある。

中国共産党の力強い指導力はどのように保証され、そして実現されているのか?横の角度から見ると、中国共産党は各方面を指導している。中国共産党は立法、司法、行政機関、全国政治協商会議、国民団体、「工青婦」（工会、青年団、婦連）を指導している。縦の角度から見ると、中央は地方を指導し、国有資産監督管理委員会を通じて各種の国有企業を指導し、広報部門とその他の部門を通じてメディアを指導する。内容から言えば、党の指導は紀律検査の面、組織の面、宣伝の面、ないしその他の各方面に現れている。まさにこのような縦横をカバーしている指導ネットワークと豊かな指導内容は、中国共産党の指導力の実現を保証している。

一方面においては、中国共産党の指導は大きな網のように、中国のさまざまな要素を一つの相互連動する網の中にしっかりと織りこみ、中国社会が激しい変遷を前にしても、魂を失ったり、形を崩したり、分散したりしないことを保証している。中国共産党の力強い指導の集合作用がなければ、中国の改革開放、中国の近代化建設、中国の社会の変化を成功させることはできず、中国の政治的発展も成功を収められない。これは疑う余地のない結論である。社会の変化が激しいほど、中国はいくつかの固定的な要素を計画する必要があり、それによって、その急激な変化が社会に根本的な衝撃を与えないようにする。そうしなければ、この社会はまったく耐えられないのである。

もう一つの方面では、中国共産党は様々な社会的要素と要因を単純に、直接に、そして乱暴に一つにまとめるのではなく、これらの要素や要因を集めて調整する過程において、非常に強くて柔軟な適応性を示してきた。中国共産党は市場化モデル転換の中で強大な柔軟性、適応性を示すことによって、中国を凝集し、また中国の変革に順応した。これが中国共産党の若さの源であり、中国の特色ある社会主義の歩みが今日に至った核心的原因でもある。「この三十年間、多くの観察者や評論家は、中国が最終的に西洋式の資本主義制度に移行することを望んでいた。この過程において、中国共産党は市場改革の過程で疎外されるかもしれないし、過激なイデオロギーに伴って歴史の舞台から降りたり、民主主義を擁して、韓国の道を歩んだりするかもしれない。しかし今日になっても、我々は中国共産党が指導モデルを変える何らの跡も見ることはなかった」[1]。

二、中国共産党の柔軟な適応性

中国共産党の柔軟な適応性はどのように実現されたのか。それは三つの核心的能力によって実現されているのである。

一つ目は、中国共産党の強い理論的創造能力だ。広報部門、党校部門、社会科学院部門といった機

1 ロナルド・コース、王寧『変革中国：市場経済の中国の道』、北京、中信出版社、2013年、231頁。

関は、単純に大衆の頭に思想を注ぎ込むだけではなく、非常に重要な思想創造機能を担っている。多くの思想、アイデア、良い考えがこれらの組織の中から生み出され、全国へ、そして世界中へと広がっていく。このような絶えず理論的に自己革新する能力は、中国共産党に頭脳の柔軟性と適応性を永遠に保たせた。例えば、中国の今日の政策、今日の言い方は、三十年前、二十年前、さらには十年前のとは非常に大きな違いがあるが、今日の人々は、このような違いに非常に強い違和感は感じていない。なぜか?それと、これらの思想理論の創造部門の強力な協力と努力とは切り離すことができない。

二つ目は、中国共産党が有している非常に強い自己革新能力だ。この自己革新能力とは主に組織面の新陳代謝のことである。組織面での自己の新陳代謝は、主に紀律検査、監察機関と組織機関の協力によって実現される。俗に言えば、紀律検査、監察機関は不適切な幹部と腐敗して堕落した者を組織集団から取り除くことを担当しており、つまり彼らは対立しあう中で味方の側に立つ役を演じている。そして組織機関はそれらの卓越した、優秀な人材を適切な位置に配する役目を担っている。このような引き上げ引き下げ、罷免登用が体現するのは、中国共産党の集合的な、自らの新陳代謝である。

三つ目は、中国共産党のエリートを吸収する力があることだ。中国共産党は特別に統戦部のような部門を設けて、社会のエリートたちを集め、エリートたちに影響を与え、団結させる。これらのエリートたちは中国共産党の外部におり、国家の発展、中国の政治の発展に非常に強い影響をもたらしている。そのため、中国共産党は統一戦線を構築して彼らを団結させ、中国の特色ある社会主義の同行者にした。

三、中国共産党の独特な文化と制度

指導力と適応性の間には時に張力と矛盾が存在することがある。中国共産党は強い指導力を保つことができると同時に、十分に柔軟な適応性を示すことができるが、それは中国共産党が有している三つの方面の特徴と密接につながっている。

第一に、中国共産党は独特の指導文化を有している。一つ目の指導文化は、実事求是（事実に基づき真実を求めること）だ。中国共産党は「実事求是」を信仰しており、いかなる理論も、実事求是の考察を経なければ、簡単にそれを実践に用いることはできない。たとえ我々が指導思想と見なしているマルクス主義であっても、実事求是という物差しで量られなければならない。もし適切でなければ、実事求是の原則に合わなければ、我々はそれを中国化する必要がある。二つ目の指導文化は、国民に奉仕することだ。中国共産党は大多数の思想と策略は道ではなく、方法だと思っている。真の、最高の道は国民に奉仕することである。国民に有利なことであれば何でもすることができる。国民に不利なことであれば、さっさとやめたほうがいい。したがって、中国共産党は特別に拘っている教条主義の文化はもたない。これは党が強力な指導力を保ちながら、高度な柔軟性を有することに非常に役立っている。「モデルの形成と制度の整備の過程に現れる様々な問題、特に体制の欠陥とメカニズムの弊害に対して、外来のプラスとマイナスの影響に対して、改革開放の力を用い、社会主義市場経済の配置作用を用い、絶えず調整を行うことで、モデルと制度が硬直化せず、停滞しないことを確保し、民衆の積極性、主動性、創造性の十分な発揮を確保することができる」[1]と陳錦華が指摘していた。

第二に、中国の国家制度の中には民主的制度の配置がある。例えば、中国の人民代表大会制度、中国共産党指導下の多党協力、および政治協商制度、司法制度がある。人民代表大会制度は、中国共産党の人民代表大会に対する指導（例えば、人民代表大会に党組を設置する）を堅持すると同時に、人民代表大会制度が国家の全体の政治社会に対する意思決定の作用を発揮することを重視する。両者は互いに組み合わされている。それは単純に中国共産党が一方的に人民代表大会の事業に対して指導するのではなく、かえって人民代表大会のほうに、中国共産党の指導に対するかなり強い補助作用があるということだ。こうして、中国共産党の強力な指導力が、自らの柔軟性を損なうことを避けたのだ。

第三に、中国共産党党内にも柔軟性に富んだ制度設計がある。例えば、党内での指導は常委制、党委制を実行するが、常委制と党委制は本質的に委員会制である。委員会制の設計は、党内に独裁的な人物が現れる可能性を小さくし、かえって中国共産党に一定の指導力を持たせることで、同時に指導者個人を過度に際立たせないようにし、その柔軟性を犠牲にすることを避けるものである。

張維為は次のように述べた。中国モデルの哲学観は主に理性を実践し、つまり「実事求是」思想の指導の下で、一切は実際から出発し、教科書主義を行なわず、絶えず自らと他人の経験と教訓を総括し、そこから汲み取り、大胆かつ慎重な体制改革と革新を推進するのである。『中国に注目する――

1　陳錦華『中国モデルと中国の制度』、北京、人民出版社、２０１２年、３頁。

41人の駐中国官僚が中国共産党を語る』という著作において、ある駐中国使節は、共産党の理性的かつ知的で、非常に安定的かつ順序だった漸進的な政策と措置がなければ、中国はまだやや遅れた段階にあり、少なくとも現在の発展した局面には追いついていなかっただろうと述べていた。黄相懐などは、中国共産党は理性的で実務的で、柔軟性に富み、適応性の高い政党だと思っている。「知っておかなければならないのは、中国共産党は戦争の中で生まれ、そして、戦争の最大の特徴は、最大の柔軟性と適応性を維持しなければ、生き残って勝利を収めることができないということだ。原則と最低ラインをしっかり守った上で、思想解放、頭の柔軟性、高い適応性を確保しなければならない。それはすでに中国共産党の『潜在意識』となったものだと言える」[1]と述べた。これらの見方はすべて非常に理にかなっている。

第三節　中国の特色ある社会主義の歩みの哲学的精髄

中国の特色ある社会主義と中国の特色ある社会主義の歩みの哲学的精髄は一体何であろうか？これは中国の特色ある社会主義が建設されて四十年来、ずっと問われていることである。中国の特色ある

1　黄相懐ほか『初心を忘れず　どうして中国共産党はいつまでも若さを保てるのか』、北京、中国人民大学出版社、2016年、7頁。

社会主義と中国の特色ある社会主義の歩みの哲学的精髄を明らかにすることに何の意味があるのであろうか。長期にわたる思考、分析と研究を経て、中国の特色ある社会主義と中国の特色ある社会主義の歩みの哲学的精髄とは、積極的に中国共産党と政府の主導力、市場配分力、国民を主体とする力を協調して、合同力を形成することであると考えている。その中で、中国共産党と政府の主導力は前提であり、市場配分力は手段であり、国民を主体とする力は目的である。この哲学的精髄は、中国の特色ある社会主義と中国の特色ある社会主義の歩みの本質的な内実と核心的な要諦を明らかにし、中国が奇跡を起こし、国際的な発言権を有するようになった根本的な要諦を明らかにし、現在の世界において、この哲学的精髄に基づいて、中国は一種の新たな言説システムと新型文明を構築していることを確証した。

一、現代中国の構造転換

近代化の本質と核心は「構造転換」である。現代中国が中国の特色ある社会主義の建設を通じて、社会主義の近代化とそのプロセスを実現させることの本質は、中国の構造転換の過程を実現させることにある。中国共産党の指導の下で推進した構造転換は、中国の特色ある社会主義を把握する「ロジック」の起点である。

１９７８年以前の一時期、中国の社会主義は市場経済を排斥し、権力が高度に集中した計画経済を実行していた。その時、中国はいくつかの成果を上げ、いくつかの面では大きな成果を上げさえしたが、全体の効率はあまり高くなく、国民の物質的生活レベルは根本的には改善されなかった。

１９７８年以降、中国は中国の特色ある社会主義を切り拓いた。それは構造転換から始まった。まずは市場経済の出現であり、１９９２年に、中国は社会主義市場経済の経済体制改革の方向を正式に確立した。市場経済の出現は、中国の伝統的な社会構造を次第に打破し、転換を開始させた。この転換は、まず市場配分力の増加に現れている。市場配分力の増加の最も直接的な影響は、国民の主体力の絶え間ない増強である。市場配分力の増加により、人々の主体、独立、自主、平等、民主、参与などの意識が絶えず高くなり、人々の様々な要求を覚醒させ、増強させる。現在、国民の民主、参与のレベルの増強は、まさに国民を主体とする力の増強の具体的な現れである。市場配分力や国民を主体とする力の絶え間ない増強は、内在的に政府の伝統的な機能の転換を要求し、管制型政府から中国共産党の指導下で依然として主導的な役割を果たしている公共サービス型政府に転換する。これにより、中国全体の社会構造が変わり、つまり中国共産党と政府の主導力、市場配分力、国民を主体とする力からなっている新たな社会構造が形成された。

この構造が、我々が理解し把握した中国の特色ある社会主義と中国の特色ある社会主義の歩みの哲学的精髄の基礎である。

二、中国の特色ある社会主義の哲学的精髄

中国の特色ある社会主義建設の実践はすでに四十年が経ち、人々も四十年間中国の特色ある社会主

義の研究を展開してきた。では、中国の特色ある社会主義の哲学的精髄とは何か。これは共産党と政府の主導力、市場配分力、国民を主体とする力を正しく発揮して調和的な合同力を形成することであると我々は考える。

中国の特色ある社会主義はまず社会主義であり、科学的社会主義の基本原則を失ってはならない。それを失えば、社会主義ではなくなる。科学的社会主義の基本原則とは、労働国民の立場を堅持し、民衆を社会歴史発展の主体とみなし、社会歴史発展の動力とみなし、社会歴史の発展を推進する力の源泉とみなすことである。その哲学的基礎は、唯物史観における民衆が歴史を創るという観点である。したがって、民衆の主体としての力は、中国の特色ある社会主義がまず堅持しなければならない基本原則である。これは中国の特色ある「社会主義」が社会主義の本質、あるいは根拠と称しているものである。それを離れると、社会主義でもなく、中国の特色ある社会主義とも言えない。中国の特色ある社会主義の「中国の特色」は、根本的な意味から言えば、経済では主に「市場経済」として現れる。科学的社会主義の基本原則の中でも、伝統的な社会主義のモデルの中でも、市場経済の居場所がないからである。中国の特殊な国情のため、中国が力を集中して社会生産力を解放し発展させるため、社会生産力を解放し発展させてこそ、真の社会主義を実現することができるので、そこで、我々は市場経済と市場メカニズムを利用した。このことが中国の社会主義に「中国の特色」を持たせた。したがって、市場配分力も「中国の特色」のある社会主義の哲学的精髄、あるいは本質的要義となるべきである。それだけでなく、根本的意味から言えば、中国の特色ある社会主義の「中国の特色」は、政治の面ににおいて主に「党政主導」（中国共産党と政府の主導）として現れている。中国共産党の指導を堅持し、政府の役割をよりよく発揮することは、中国の特色ある社会主義の本質的な特徴であり、根本的な要求である。１９７８年以来の中国の特色ある社会主義建設の実践の中で、正しい意思決定の前提の下で、中国共産党と政府はすべての資源と力を集中させて大事を成し遂げ、全力で社会生産力を解放し発展させた。歴史と実践は、これが中国の特色ある社会主義の「中国の特色」の最も鮮明な本質的特徴であることを表明した。

実際に、中国の特色ある社会主義の政治、経済と社会の分野における現れは、中国共産党の指導、市場経済、民衆の力を十分に発揮させること、に分けられる。言い換えると、共産党と政府の主導力、市場配分力、国民を主体とする力を重視することである。また、中国の特色ある社会主義は中国共産党と政府の主導力、市場配分力、国民を主体とする力を重視するだけではなく、この三つの力を協調させるうえに、合同力を形成することも重視する。三者が協調して合同力を形成してこそ、本当に中国の特色ある社会主義を実現することができ、中国の特色ある社会主義の相対的な優位性と影響力を示すことができる。

１９７８年以来、中国の特色ある社会主義の実践が挙げたいくつかの巨大な成果は、この三つの力の正確な発揮、および三つの力がある程度、協調して合同力を形成したことにつながっている。中国共産党と政府の主導力は、中国に資源と力を集中させ、国内外の影響力を有する多くの「大事」をなすことができる――すなわち社会生産力を大いに発展させたことだ。例えば、豊かな社会物質や資産を蓄積し、高速鉄道事業は国際的に強い影響力を有し、航空宇宙事業も急速に発展させ、そして中国は世界第二位の経済体となった。市場配分力は民営企業、私営企業、自営業者の積極性を引き出し、経済生産力を解放・発展させた。国民を主体とする力は中国の特色ある社会主義建設事業にも大きく貢献した。これは広大な基層の民衆による現代中国社会の発展への貢献（例えば安価な労働コストによる「ボーナス」と犠牲的精神）に現れるだけでなく、彼らが都市、農村、及び各分野の具体的な建設者であることにも現れている。彼らがいなければ、中国の特色ある社会主義事業の発展もなく、今の中国が成し遂げた巨大な成果もない。

そのため、中国共産党の第十八回全国代表大会以来、中国共産党中央部は政府と市場の関係、政府と社会の関係を正しく処理することを提案し、国民を中心とする発展思想を堅持し、国家ガバナンス体系とガバナンス能力の近代化を推進することを提案した。国家ガバナンスの近代化を推進することの実質は、第一に国家、市場、国民の関係を正しく処理することにあり、それによって中国の特色ある社会主義を一層成熟させ、一層定型化させることにある。

中国の特色ある社会主義建設の実践が挙げた巨大な成果は、中国共産党と政府の主導力、市場配分力、国民を主体とする力の正確な発揮、及び三つの力がある程度、協調して合同力を形成したことにつながっている。それに対し、中国の特色ある社会主義建設のプロセスにおいて発生し、また存在している多くの問題は、中国共産党と政府の主導力、市場配分力、国民を主体とする力が十分に正確に発揮されておらず、調和がとれず、合同力が十分に形成されていないことに関係している。これは主に三つの面に現れる。第一に、一部の党と政府の指導幹部が資本を有する人と手を組んで、党と政府の権力を侵食し、党と政府のイメージを低下させ、市場メカニズムを侵食して歪め、さらに一部の国民大衆の利益を損なったことである。第二に、資本が労働を占有する現象が、ある意味で存在していることにより、一部の民衆の積極性と主導性を傷つけたことである。第三に、一部の党と政府の指導幹部が民衆から離れて、消極的になり、腐敗して、一部の民衆の党と政府の指導幹部への不満を招き、党と政府の公的信用まで損なったことである。要するに、今の中国に存在している問題は、だいたいこの三つの力が調和がとれず、合同力が完全に形成されていないことから生じている。あるいは、多くの問題は、この三つの力が調和がとれず、合同力の完全な形成がなされていないことから生じる。

三、中国の特色ある社会主義の歩みの哲学的解釈

中国の特色ある社会主義の歩みの哲学的精髄とは何か。これはまた非常に検討に値する重大な問題である。我々も同様に、中国の特色ある社会主義の歩みの哲学的精髄は、結局、中国共産党と政府の主導力、市場配分力、国民を主体とする力の正確な発揮、及び三つの力が協調して合同力を形成することにあると考えている。

中国の特色ある社会主義の歩みは、中国共産党の指導、国情基礎、基本路線、根本任務、総体布陣、価値志向、奮闘目標という七つの基本要素を含んでいる。

第一に、「中国共産党の指導」を首位に置く。明らかに重視すべきは中国共産党と政府の主導力で

ある。中国の特色ある社会主義の歩みを堅持するには、導く者がいなければならない。これが中国共産党である。中国共産党の指導は中国の政治制度の根本的な優位性であり、中国共産党は中国の特色ある社会主義事業の強固な指導の核心であり、中華民族の偉大な復興を実現させる根本的な保証でもある。民衆の根本的な利益以外に、中国共産党には自らの特殊な利益がない。中国共産党は国民に奉仕するという根本的な趣旨を堅持し、公のための立党、民のための執政を堅持し、国民を中心に置くことを中国共産党のすべての執政活動を検証する最高基準とし、一貫して国民を最高の地位に置いている。これは明らかに国民を主体とする力を重視しているのである。

第二に、「国情基礎」とは「中国の基本的な国情に立脚する」ことだ。中国の特色ある社会主義の歩みは現代中国が歩いている道であり、他の国が歩いている道ではないため、中国の国情に適合させなければならない。中国の国情とは一体何か。要約すると、「二つの変化のないこと」と「一つの変化」である。「二つの変化のないこと」とは、一つ目は、依然として、また今後も長期にわたり社会主義初級段階にあるという中国の基本的国情に変わりはなく、二つ目は、世界最大の途上国であるという中国の国際的地位に変わりはないということである。一つ目の変化のないことは、中国の第一の根本的な任務が社会生産力の解放と発展であり、そのため、中国が市場経済と市場メカニズムを利用し、市場配分力を重視する必要があることを意味する。二つ目の変化のないことは、市場経済とその市場メカニズムを利用して社会生産力を解放し、発展させ、市場配分力を重視することを意味する。「一つの変化」とは中国社会の主要矛盾が、国民の日増しに高まる素晴らしい生活へのニーズと、不均衡で不十分な発展との間の矛盾へとすでに変わっていることである。これは、市場経済とその市場メカニズムを利用して、社会的生産力を解放し、発展させ、市場配分力を重視し、また、国民を中心にして、国民主体の力を重視すべきであることを意味する。明らかに、この「二つの変化のないこと」と「一つの変化」は市場配分力と国民を主体とする力を浮き彫りにするものである。

第三に、「基本路線」とは「経済建設を中心に、四項の基礎原則を堅持し、改革開放を堅持すること」だ。経済建設を中心にするには、社会生産力の解放と発展に力を入れなければならない。そのため、まず市場経済と市場メカニズムを利用し、市場配分力を重視する必要がある。改革開放を堅持するには、まず経済体制改革の牽引的役割を果たさなければならない。経済体制改革の方向とは、社会主義市場経済体制を確立することにある。これも市場配分力を重視することを意味している。四項の基本原則に中国共産党の指導を堅持するという原則があり、これは中国共産党と政府の主導力を重視することを要求している。したがって、「基本路線」は市場配分力と中国共産党と政府の主導力を浮き彫りにするものである。

第四に、「根本任務」とは「社会生産力を解放し、発展させる」ことだ。社会生産力を解放し、発展させるためには、資源配分における市場の決定的役割を十分に発揮させ、政府の役割をより良く発揮させる必要がある。これにより、市場配分力と共産党と政府の主導力が浮き彫りになる。

第五に、「総体布陣」とは「社会主義市場経済、社会主義民主政治、社会主義先進文化、社会主義調和社会、社会主義エコ文明を打ち立てる」という「五位一体」のことだ。社会主義市場経済を打ち立てるには、市場配分力を重視すべきである。社会主義民主政治を打ち立てるには、中国共産党の指導を堅持し、中国共産党と政府の主導力を重視しなければならない。そうしなければ、民主は偏った方向に向かいやすい。社会主義先進文化、社会主義調和社会、社会主義エコ文明を打ち立てるには、国民を主体とする力を重視し、つまり国民を頼りにし、国民のために、国民の主体的地位を堅持し、国民を中心とすることを堅持しなければならない。

第六に、「価値志向」とは「人類の全面的な発展を促進し、段階的に全国民の共同富裕を実現させる」ことだ。ここで直接語られているのは、国民を主体とする力を重視することである。

第七に、「奮闘目標」とは、富強・民主・文明・調和の美しい社会主義近代化強国を建設することだ。社会主義近代化の道は、主に目標、道、指導者という三つの核心的要素を含んでいる。その最終的目標は共同富裕を実現し、人類の全面的な発展を促進することであり、これは実質的に国民を主体とする力を重視するものである。この目標を実現するためには、中国共産党の指導を堅持し、中国共産党と政府の主導力を重視し、そして市場配分力を重視しなければならない。社会生産力の解放と発展のために、現段階では社会主義市場経済体制の道を採用する。なぜかというと、市場経済とその市場メカニズムは社会生産力の解放と発展に大いに役立ち、共同富裕の実現と人類の全面的な発展を促進するために厚い物質的基礎を築くからである。

上述の七つの基本的な要素は、中国の特色ある社会主義の歩みが豊富な内実と内容を有していることを示しているが、要するにその哲学思想の精髄とは、主に中国共産党と政府の主導力、市場配分力、国民を主体とする力の正確な発揮、及び三つの力が協調して合同力を形成することである。実際に、現在の中国共産党は市場配分力を利用して社会生産力の解放と発展に力を入れながら、国民の素晴らしい生活への憧れを奮闘目標としており、後者は前者の根本的目的である。ここで、中国共産党と政府の主導力、市場配分力、国民を主体とする力を有機的に統合した。それだけでなく、現代中国の改革発展安定問題を本当に解決するには、政治の面において、中国共産党と政府の主導力を重視し、中国共産党と政府が資源と力を集中して大事を成し遂げる優位性を発揮させ、また経済の面において、市場の役割を発揮させ、市場革新の活力を喚起し、社会の面において、広大な民衆を主体とする力を十分に発揮させ、大衆創業、万民革新を重視しなければならない。要するに、中国共産党と政府の主導力、市場配分力、国民を主体とする力を有機的に統合して、合同力を形成すべきだということだ。

四、中国の言説システムと新型文明の構築

梁漱溟は、世界には主に三つの文明があり、そして主に三つの矛盾関係をそれぞれ解決するものだと考えた。一つ目は西洋文明であり、主に人とモノの関係を解決するのである。二つ目は中華文明であり、主に人と人の関係を解決するのである。三つ目はインド文明であり、主に人と内面世界の関係を解決するのである。

このような文明類型に関する分析の枠組みは、我々にとって非常に示唆的である。しかし、現在、世界の力の構造、世界の構造、国際関係は大きく変化し、文明の類型も変化しているため、新たな分

析の枠組みを採用する必要がある。全体的に見れば、「中国共産党と政府の主導力、市場配分力、国民を主体とする力」という枠組みで分析できる。それに対して、アメリカは主に市場、あるいは資本力を主導とする資本文明であり、その経済、政治、文化、社会、イデオロギー、及び言説システムは、だいたいこの文明と関連しており、例えばアメリカが強調している新自由主義、実用主義、功利主義、物質主義、消費主義、及び金銭政治などがある。

現在のヨーロッパのいくつかの国家は主に社会の力を主導とするサークル文明、あるいはコミュニティ文明（communitarianism）であり、例えばそれらが強調するコミュニティ主義、公民社会などの言説システムはほとんどこれにつながっている。もちろん、アメリカの思想家の中には新自由主義の限界を見て、コミュニティ主義を主張する人もいる。例えば、アメリカの著名な政治哲学者でハーバード大学政治学教授、アメリカ芸術科学アカデミー会員であるマイケル・Ｊ・サンデル氏（Michael J. Sandel）はコミュニティ主義を主張している。

中国の改革開放以前の一時期に存在していたのは、主に中国共産党と政府の力を主導とする文明のタイプである。１９７８年に中国が改革開放と近代化建設を実施した後、中国の社会構造には大きな変化が生じた。中国共産党は依然として主導的な力であり、中国共産党が中国の特色ある社会主義事業の強固な指導の核心である。それと同時に、人とモノの関係を解決するために、社会生産力を大いに解放し、発展させ、社会の物質的財富を蓄積し、市場配分力が勃興した。改革開放以来、広大な民衆は社会の物質的財富の創造と蓄積に大きな貢献をしてきた。現在、実践の新たな特徴と要求に基づき、中国はさらに大衆創業、万民革新を強調し、共同富裕を実現し、人類の全面的な発展を促進し、国民主体の地位を堅持する。これにより、国民を主体とする力をより一層浮き彫りにした。この三つの力の段階的な協調と形成された合同力こそ、中国の四十年間の改革開放と近代化建設に大きな成果を挙げさせたものである。むろん、いくつかの面で存在している、この三つの力の競争と矛盾は、現在の中国社会に少なからぬ問題を生じさせた。これらの問題を根本的に解決するには、まずこの三つの力から始めなければならない。

中国の特色ある社会主義建設と社会主義近代化建設の重要な歴史的使命と根本任務とは、この三つの力のプラスエネルギーと活力をさらに奮い立たせ、そしてそれらを調和的に発展させ、合同力を形成することである。だからこそ、我々は、中国共産党の指導を堅持するのが、中国の特色ある社会主義と中国の特色ある社会主義の歩みの本質的な特徴と根本的な要求であること、国民の主体的地位を堅持し、国民を中心とするのを堅持することが、中国の特色ある社会主義と中国の特色ある社会主義の歩みの根本的な価値志向であること、政府と市場の関係、政府と社会の関係をうまく処理し、資源配置における市場の決定的な役割を十分に発揮し、政府の役割をよりよく発揮することが、中国の全面的に改革を深化させる核心であることを強調する。

中国共産党と政府の主導力、市場配分力、国民を主体とする力を協調し、合同力を形成することは、中国が強国となって、世界の民族という林の中に屹立する根本的な支柱となることであり、中国が国際競争に参加し、国際的な発言権を有する根本的な支柱となることであり、中国の言説システムを構築し、新型文明を形成する礎石と核心になることでもある。アメリカの資本文明とヨーロッパの公民社会文明より、このような言説システムと新型文明のほうが相対的に優れており、競争力もあり、魅力もある。それが中国が自信をみなぎらせている根本的な原因である。したがって、中国の実践、中国の経験、中国の特色ある社会主義の歩み、中国の理論をめぐって中国の物語をうまく語り、中国の言説システムを構築し、中国の声を上げるためには、中国共産党と政府の主導力、市場配分力、国民を主体とする力の協調、形成された合同力を経て展開しなければならない。この点については、我々の高い関心を引き起こすべきで、学理の面から全面的に深く系統的な分析研究を展開すべきである。

第四節　中国の特色ある社会主義の歩みの核心的意義

中国は四十年来、かなり速い経済成長のスピードをずっと維持して来た。「中国崩壊論」などのさまざまな論調の中国衰退論を打ち破り、従来型の社会主義モデルと異なる、西洋資本主義諸国と異なる独立自主発展の道を切り拓き、いわゆる「歴史の終わり論」と「ワシントンコンセンサス」を破産させた。「中国の特色ある社会主義の歩み」は建設と発展の道であり、社会主義国としての中国が、どのように自国の国情と現実から社会主義を建設し、発展させるかを模索する道である。

中国共産党第十八回全国大会の報告書は、「道は党の命脈にかかっており、国家の前途、民族の運命、国民の幸福にかかっている」と指摘していた。習近平総書記は、「道の問題は党の事業の栄枯盛衰にかかわる一番の問題であり、道は党の生命である」[1]と指摘した。

「道は運命を決める。正しい道を見つけるのがどれほど大変なことか。我々は揺るぎなく歩まなければならない」[2]。したがって、我々は学理の面から更に「中国の道」の核心的意義を把握しなければならない。我々から見れば、少なくとも「伝統と現代」「資本主義と社会主義」「中国と世界」という三つの面から、「中国の道」の核心的意義を把握することができる。

一、近代化の発展の道

人間社会と動物世界の根本的な違いは、人間が客観的な環境の需要に対して、受動的に適応するだけでなく、自らのためによりよい共同体生活を構築することに意識的に力を注げる点にある。哲学は「私たち」がどのように生きるべきかを絶えず問い続けるものであるが、政治哲学の基本的な問題は、「私」がどのように生きることにある。言うまでもなく、人類文明の発生と発展は、最も基本的な物質的生活に対する人の需要を起源とするところが大きいが、人間の主観意識的な能動性こそが、人間の人間としての卓越性を体現している。人類社会が存在して以来、人類の

1　習近平『習近平、国政運営を語る』北京、外文出版社、2014年、21頁。
2　同前、36頁。

よりよい発展の道に対する探求がずっと伴ってきたと言える。この「よい」は、物質的、物理的の意味上のものだけでなく、精神的、倫理的意味上のものでもある。より良い社会制度は、必ず人々の物質的、文化的需要を満足させることができ、社会全体と人類自身の調和的発展をより一層促進させる道となる。

中国にとって、中国の特色ある社会主義の歩みはまず伝統社会から近代社会への転換に取り組む自己再構築、自己更新の道である。「世界の潮流、浩浩蕩蕩たり、之に順へば則はち昌なり、之に逆らへば亡ぶ」（孫文の言葉）。アヘン戦争で新しい世界の大勢に巻き込まれて以来、中国は絶えず前に進むしかなかった。「周は旧邦と雖も、其命維新なり（周国は古い国だが、絶えず自己更新しなければならないという天命を背負った）」（『詩経・大雅・文王』）。完全な植民地にならないように、「地球から除籍」されないように、革新を行って自らを強くし、近代世界の民族の中で屹立するために、中国の仁人志士は代々志を受け継いで孜々として答えを求めつづけた。中国は最終的に君主制を覆し、伝統的な封建専制の社会制度とそのイデオロギーの基礎を「歴史のごみため」に掃き込み、政治と文化の改造を通じて社会全体の進歩をリードした。新中国は政権を人民民主の斬新な基礎の上に創立し、経済、政治、文化などの各方面から新社会を建設し、改革開放後の中国の道の更なる発展と、相対的な成熟のために政治的保証と制度の基礎を提供した。

新中国の創設者は最初から中国が近代化を実現しなければならないことを明確にし、「一万年を待つのは長すぎる。一刻を争うのみ」という緊迫した気持ちで近代化を追いかけ、中国が永遠に後れを取ることを恐れていた。「文化大革命」の後で、このような気持ちはさらに焦眉の急に迫った。1992年以来の中国、特に二十一世紀以後の中国は、市場化とグローバル化のペースが速くなったため、中国の近代化プロセスは日進月歩となり、中国社会の「近代性」の要素は絶えず増加しており、中国の道も中国の特色ある社会主義の形成と発展に従ってますます注目されるようになり、「中国の道」、「中国モデル」に関する討論と論争もますます多くなってきた。間違いなく、中国の道は一朝一夕に形成されたものではなく、紆余曲折する模索と広範にわたる実践を経て形成されたものであり、そして引き続き改良と発展が必要である。今世紀半ばには、中国は社会主義の近代化強国になり、そのとき中国の道は真に成熟し、定型となった。

二、社会主義の発展の道

中国の特色ある社会主義の歩みは数千年の長い歴史を有する文明古国に、伝統から近代への転換と新生を実現させた。まず、その歩みは近代化の道である。そして同時に、社会主義的近代化の道でもある。その点から言えば、近代化が目標であると言うならば、社会主義こそがその本質を規定する。ただ、社会主義の規定するところによって、中国の道が実現しようとしている近代化には質的な変化があり、その絶え間ない累積と発展が目指すのは、最終的により完備した、より素晴らしい社会主義社会を実現し、「自由人連合体」という理想社会に向かって絶えず進んでいくことである。

中国が社会主義の近代化の道を選んだのは、まず別の道が通じていなかったからである。伝統から近代への転換において、革命建国は第一の要諦である。晩清の封建制士大夫による危機を乗り切る改良路線でも、清末民初のブルジョア革命路線でも、困難を乗り越えられず、国運を救えず、民衆を動員することもできなかった。ロシアの十月革命の成功は別の可能性を提供した。つまり、「反帝反封建」という二重任務を実現するには、マルクス・レーニン主義の先進的理論で武装した労働者階級の先進政党の指導に頼って、新民主主義――社会主義の革命の道を歩むしかないということだ。

ある意味、社会主義の中国の道は、歴史の必然性に迫られて他に余地のない選択であったが、同時に歴史と現実に証明された唯一の正しい選択でもあった。革命建設期であれ、改革開放期であれ、社会主義こそ中国国民の最も根本的かつ長期的な利益に一番合致するものである。「工農千百万を喚起する」（毛沢東「漁家傲　反第一次大『囲剿』」）ため、社会主義が必要である。「敢へて日月をして新天に換へしむ」（天地を覆すような精神で新世界のために奮闘する）（毛沢東「七律　到韶山」）には、社会主義が必要である。また同じく、「一つの中心、二つの基本点」（一つの中心とは経済建設を中心とすることで、二つの基本点とは四項の基本原則と改革開放を指す。第十三回全国代表大会で提示された）には、社会主義が必要である。

さらに根本的な問題として、中国が他の別の主義による近代化の道ではなく、社会主義の道を選んだのは、社会主義自身がより良い社会制度への探求を意味しているからである。資本主義は近代化のプランの一つとして、かつて人類が封建社会に別れを告げ、近代社会に向かうプロセスにおいて重要な役割を果たしたが、資本主義は決して唯一の近代化プランではない。特に十九世紀以降、資本主義社会自体の問題がいっそう浮き彫りになった。科学的社会主義は西洋資本主義世界の内部で誕生したが、最初からその基本的な着眼点は、資本主義近代化の弊害に焦点を合わせ、古い世界を批判し破壊すると同時に、新しい世界を呼び入れ、建設し、資本主義に対する止揚と超越を実現することにあった。これは中国の道が孕んでいる正当性と道義性に最も基礎的な根拠を提供した。将来、資本主義社会を超えることができる社会制度に対して、マルクスは具体的な詳しい説明とプランを提供していないが、それはきっとより自由で、より平等で、更に人間自体の全面的な発展と社会全体の全面的な進歩に有利なもので、よりすばらしい社会制度である。それは人類の発展の方向であり、将来の進歩の指針である。

三、重要な歴史的意義を有する発展の道

国際社会主義の発展プロセスにおいて、社会主義事業は重大な失敗と重大な挫折を経験した。特にソ連と東欧の激変の後、「歴史の終わり論」が活発になり、まるで新自由主義が主導する資本主義自由民主制度が全人類の究極的な選択になったかのようであった。この情勢において、中国共産党は中国国民を指導し、閉鎖と硬直化という古い道を歩んではならず、旗幟を変える邪道も歩んではならず、社会主義制度の基本的な枠組みの中で独立自主的に国情の現実と時代の需要に合った発展の道を模索し、現代中国の様相を大規模に再構築し、中国を全面的に近代化の軌道に乗せた。現在のように中華民族の偉大なる復興を実現する瞬間に近づいたことはかつてない。中国共産党創立95周年を祝う大会での演説で、習近平総書記は「歴史は終わらない。終わることなどあり得ない。中国の特色ある社会主義が良いかどうかは、事実を見なければならず、中国国民の判断に照らさなければならない。色眼鏡をかけた人の主観的な判断に照らすべきではない」[1]と述べた。

２００８年の世界金融危機と経済危機が勃発し、資本主義制度の弊害は再び天下に明らかになり、「歴史の終わり論」の先駆者と追随者も今までの真理を握っているという自信がなくなり、すべての厳粛で真剣な探求者は、中国の道が挙げた巨大な成果、提供した有益な啓発を無視することができなくなった。厳然たる事実を前にして、これまで外国を盲目的に崇拝していた多くの中国人も自信を抱くようになった。むろん、世の中にはすべての国に普遍的に適用できる、百年経っても通用する、発展モデルはないと、我々はずっと考えている。どの国においても自国の現実から出発して、自国の歴史文化的伝統と経済社会の状況に合う発展の道を模索しなければならない。ただしその意味で、中国の道はかえって特殊性の制限を超え、更に広範かつ重要な世界史的意義を有している。

むろん、歴史の発展は完全に線形ではなく、より良い社会制度への道は曲折があって長いに決まっている。人類がこれまで挙げたすべての重大な発展と進歩は、一足飛びに完成したものではない。近代資本主義社会に進む前には、人類は数千年の奴隷社会と封建社会の時代を経験し、人と人の間は直接に奴隷にするか奴隷にされるか、依存するか依存されるかの関係であり、もとより自由と平等を語

1　習近平「中国共産党創立95周年を祝う大会での演説」『学習活頁文選』２０１６年（43）、13頁。

るには至らなかった。今までで資本主義社会の発展は数百年しかなく、科学的社会主義が誕生してからわずか百七十年しか経っていない。人類社会の前進のペースは速くなってきているが、史的唯物論の基本原理によれば、古い社会形態の存在が依存する様々な条件がなくなるまで、この古い社会は決して最終的に歴史の舞台から降りることはない。ただ、新しい社会形態、社会制度の成長に有利な条件も絶えず蓄積されており、社会主義国だけでなく、資本主義国にも存在している。かなり長い歴史期間において、資本主義と社会主義はだいたい互いに混ざりあっている状態で長期的に共存してきたが、一般的な傾向では、社会主義の要素がますます多く蓄積されてきて、最終的には量的変化から質的変化への突破を実現し、社会主義が必ず最終的に普遍的な勝利を獲得する。

どんな強国であろうと、世界構造の変化を主導することはできない。中国は今まで自らの意志を他人に押し付けようとせず、同時に中国も他人の意志を押し付けられることを望まなかった。中国共産党が中国国民を指導して行った革命、建設、改革は、一貫して高い主体性の保持を堅持しており、過去もそうであり、将来もそうである。中国の道が有している重要な歴史的意義における最も基本的な点は、単一線形の歴史発展モデルを打破し、各国が独立自主的に自国の発展の道を探索すべきだと断固として主張するところにある。同様に我々は、中国の特色ある社会主義の歩みの社会主義近代化が人類の未来、進歩の方向を代表するからと言って、盲目的に楽観視することは決してできない、としている。常にはっきりとした現実感を抱き、自らの目の前のことをしっかりやらなければならない。中国は人口と経済の面で巨大なボリュームを有しており、自らのことをしっかりとやって、中国の特色ある社会主義をうまく建設しさえすれば、世界全体の発展と進歩に大きく貢献することができる。当然、中国共産党も自ら行っている事業がより重要な世界的意義を有しており、中国の特色ある社会主義が将来、必ず正しく世界に進出するだろうと信じているが、だが我々は事実自体で説明し、示したいのである。中国共産党の第十八回全国大会以来、中国の特色ある社会主義は絶えず新たな発展を遂げ、より系統的な新時代の中国の特色ある社会主義思想を形成した。中国共産党の第十八期中央委員会第三回全体会議で「中国の特色ある社会主義制度を整備し、新たに発展させ、国の統治体系と統治能力の近代化を推進」[1]し、２０２０年までに、「各方面の制度を一層成熟させ、定型化させる」[2]と提言した。中国共産党の第十九回全国大会はさらに小康社会（ややゆとりのある社会）を全面的に達成した中国の中国のために、「二段階の歩み」戦略を制定し、２０３５年までに、社会主義近代化を基本的に実現し、今世紀中ごろまでに、中国を富強、民主、文明、調和の美しい社会主義近代化強国に築き上げる、とした。我々は、中国共産党が必ず中国国民を導き、中華の大地の上で、より完備した素晴らしい社会制度の建設を成功させ、中国国民の幸福、中国社会の進歩のための根本的かつ長期的な制度的保障を提供し、人類のより良い社会制度への模索の参考になる「中国プラン」を提供することができると信じる十分な理由がある。

1　『改革の全面的深化における若干の重大な問題に関する中共中央の決定』北京、人民出版社、２０１３年、３頁。
2　同前、７頁。

第三章

中国の特色ある社会主義の生存的貢献

中国は昔から人口大国であると同時に、一人当たりの資源保有量が相対的に少ない国でもある。このような大国をうまく治めることは容易なことではなく、国民の生存問題一つとっても、解決ははなはだ困難なことである。歴代の諸王朝において、国民の困窮から引き起こされた動乱は少なくなかった。したがって、歴代の統治者たちはこの問題を解決しようとしてきた。民衆の根元的な利益を代表する中国共産党も、同様にこのような圧力に直面している。

新中国が成立する直前の１９４９年7月、当時のアメリカ国務長官アチソンは、「国民の食糧問題は、中国のどの政権も必然的に直面することになる最初の問題であった。今までこの問題を解決した政権はない」と「予言」したことがあった。その言外の意味は、中国共産党が指導した新中国も中国国民の食糧問題を解決することはできない、ということである。１９９４年、アメリカワールドウォッチ研究所所長のレスター・ブラウンは「誰が中国を養うのか」という論議を呼ぶタイトルの論文で次のように指摘した。食物の安全は人類が直面する最も厳しい挑戦である。２０３０年までに中国の人口は16億に達し、食糧需要は急激に増加するが、中国の工業化が進み、耕地面積も減少し、水資源も不足し、生態環境が破壊されるに伴い、食糧の総生産量はどんどん低下し、食糧が自給できなくなる。供給不足が大きくなるに違いない。すべての食糧輸出国に頼るだけでは中国を養うことはできないので、中国の食糧問題は世界食糧危機につながる。水面に投じた一石が渦を広げるように、ブラウンの観点は熱烈な議論を引き起こした。今では、1949年から七十年近くが経ったし、1994年からも二十年が経ったが、中国では、アチソンやブラウンが言ったようなことは起こっていないばかりか、食料自給率は95％以上に達しており、民衆の食糧問題はほぼ解決されている。アチソンたちの予言は完全にはずれた。

食糧生産の面で国民の食糧問題を解決しただけでなく、中国は国民の衣食と生存を保障するあらゆる面において、大きな成果を収めた。国民の収入水準は絶えず増加しつつあり、基本的に衣食の問題を解決し、さらに高いレベルのやや裕福な生活に向かって邁進している。少数の貧困地域と貧しい人々に対し、中共中央は、すでに「十三五」（第十三次五カ年計画）期間中に、現在の基準の下で、貧困というラベルの除去を実現させなければならないと明言してい

た。中国の社会保障システムの建設は次第に完備し、医療、養老、失業救済など、各方面から国民の基本的な生存レベルを保障した。一部の特殊な弱者グループに対し、中国は、国家救済システムと社会支援システムを改善し、いかなるグループも生活に困らないようにし、その上で、大衆を率いてやや裕福な社会に向かって共に前進する。

第一節　中国の特色ある社会主義の歩みは中国人の食糧問題を解決した

新中国が成立して以来、特に改革開放以来、世界の注目を集めた偉大な成果をあげ、13億余りの人口の食糧問題解決に成功した中国の食糧生産は、全面的に小康社会を構築し、国家の近代化を保障するために巨大な貢献をした。１９４９年、中国の食糧生産量は、わずか１１３１・８５億キログラムだったが、１９７８年には３０４７・６５億キログラムに増加し、２０１５年には６２１４・３５億キログラムの史上最高値に達した。２０１６年には６１６２・４億キログラムであってやや減少した。[1]

食糧問題は国家発展の基礎と前提であり、世界の7％を占める耕地で世界の19％を占める人口の食糧問題を解決することは困難な任務である。成果を上げるのは容易いことではなく、経験はきわめ

1　伍振軍「新中国は生計の問題を解決した」『経済日報』、２０１５年10月9日。

て貴重である。その原因は、中国が中国の特色ある農業生産発展の道を歩み、国情と結び付け、各方面の有利な要素を総合的に運用して食糧生産の数量と品質を高めたことにある。

一、中共中央は食糧生産を高度に重視する

1950年代、毛沢東が次のように指摘した。「党全体は、必ず農業を重視しなければならない。農業は、国民経済と国民生活に極めて大きく関わっている。食糧を摑まなければ危険であるから注意しなければならない。食糧を摑まなければ、いつか天下は大いに乱れるにちがいない。……農業は5億の農村人口の食糧問題、肉や油の問題、及びその他の日用の非商品性農産物問題に関係している。……農業がうまくいき、農民が自給できるようになれば、5億人の生活ははじめて安定する」[1]。中国共産党の第十一期三中全会以来、中共中央は、農村経済と食糧生産の発展のために一連の重大な措置をとり、農村では家庭聯産承包責任制（家庭共同生産請負責任制）を全面的に実行し、農業生産力を大きく高めた。そのため、中国の農村経済は全面的に発展し、農業生産も連年豊作を収めた。

長い間にわたり、農村、農業、農民と食糧生産を重視してきたことを示すものとして、中共中央は連続して「一号公文書」の形式で「三農」問題に関する政策措置を公布しつづけた。1982年から1986年まで、中共中央は五年連続で農業、農村、農民をテーマとした一号公文書を発布し、農村改革と農業発展のための具体的な配備を行った。2004年から2017年にかけて、中共中央は、

1　毛沢東『毛沢東文集』第7巻、北京、人民出版社、1999年、199頁。

また十四年連続で「三農」をテーマとした一号公文書を発布し、「三農」問題が中国の社会主義近代化の実現期における「最優先事項」の地位にあることを強調した。一号公文書の内容は毎年調整されたが、変わらないのは、農業生産の支持・保護を強化し、農業生産を安定的に発展させ、食糧増産の新しい潜在力を発掘し、国家の食糧安全を維持することへの中共中央の重視である。

中国共産党の第十八回全国大会以来、習近平総書記を首班とする中共中央は、常に食糧安全を治国理政のかなめとして、新時期の国家食糧安全の新戦略を高見として提案した。たとえば、「飯碗論」「底線論」「紅線論」などがそれである。……一連の重要な意義を有する食糧安全理論の革新と実践的革新を推進した。2013年の中央農村工作会議には、中共中央政治局常任委員会のメンバー全員が出席したが、食料安全保障に関する重要な高水準の会議であった。新時期の食糧安全戦略について初めて系統的に述べた習近平総書記が、食糧安全の最重要性を強調して、「中国では13億人以上の人々が食糧を必要とし、それなしでは生き残れない。悠々たる万事の中でも、食事は重要なものである。……歴史をしっかりと頭に刻みこまねばならない。食糧の問題で健忘症になったり、傷が治ったからと言って痛みを忘れたりしてはいけない」と指摘した。習近平総書記は、また全体的な観点から次のように指摘した。大きな食糧問題がない限り、中国の万事は安定を保つ。食糧安全は経済問題だけでなく、政治問題でもあり、国家発展の「アンカー」である。食糧価格は、あらゆる価格の基礎であり、物価安定に関係しており、成長を安定させ、雇用を保障する重要な支えであり、景気下押し圧力が増大した背景ではなおさらのことである。食糧は国運民生にかかわり、「民は食を天とする」以上、食糧安全は社会の安定を維持する「バラスト」であり、国家安全の重要な基礎である。習近平総書記は、国家の食糧安全を保障することは永遠なる課題である、と繰り返し強調した。

中共中央の高度な重視があったからこそ、政策がタイムリーになり、措置が順調に運び、農業生産と食糧生産が安定発展し、十数億の中国人の食糧問題は根元的に解決されうる。

二、中国の特色ある農業経営体制及びその変革の道

農業生産にとっては、資源が基礎であり、経営体制が決定要因となる。新中国の成立から現在に至るまで、経済社会の発展の需要に適応し、農業生産と食糧生産の進歩を推進するため、中国の農業経営体制は絶えず調整されてきた。その結果、最終的に国の実態と発展ニーズに適応した、中国の特色ある体制の形式ができあがった。

㈠　新中国が成立してから国民経済回復までの時期、家庭個別経営を主とする

１９５０年冬から１９５３年春にかけて、中国共産党が指導した全国的な土地改革の順調な完成は、広範な農民を封建的な土地制度から解放させた。この時期の農業経営体制は、家庭の自営業が主体であり、集団経営の割合が小さかった。この経営体制は農業生産力を解放し、農村経済の発展を大いに促進した。

㈡　農業協働化運動時期、家庭個別経営が徐々に集団的な統一経営へと変化する

農業協働化運動は、三つの段階を経てきた。社会主義の萌芽的な互助グループから、半社会主義的

な初級公社、さらに完全社会主義的な高級公社へと逐次的な移行の形を進めてきた。互助グループは経営方式から見ると依然として自営業に属する。初級社の場合、土地や大型家畜などはまだ社員の私有であったが、協同組合によって統一的に使用された。組合員には、土地の大小によって配当金が配られた。これに対して、高級公社は完全な統一経営であった。

㈢「大躍進」と人民公社化運動時期、基本的には単一な集団的統一経営

このような統一経営、集団労働、平均分配の体制は、広範な農民の生産積極性と能動性を抑制し、農村の生産力を大いに破壊し、農業生産の発展を大いに遅らせた。その間、中共中央は国民経済を何回か調整したが、しかしこの種の集団的な統一経営体制は、終始変わることがなかった。1958年から1978年までの二十年間、中国の農村の人々の一人当たりの収入は低く、国民の生活改善は微々たるものであった。

㈣　中国共産党の第十一期三中全会から今なお、家庭聯産承包責任制を主とする

1978年、中国共産党の第十一期三中全会は、「中共中央の農業発展加速に関するいくつかの問題の決定（草案）」を各省市区に送り、討論と試行をさせた。これは1979年に公布施行された。当該決定によると、「ノルマに従って労働点数を記録しても良いし、労働時間に従って、労働点数を記録・評議しても良い。生産隊によって統一的に計算・配属されるのを前提として、作業班に生産請負制を敷き、生産量と結びつけて労働報酬を計算し、超過生産の奨励を実行しても良い」。中国共産党の第十一期三中全会の精神に鼓舞され、全国の広大な農村の公社と生産隊は、各種の形式の生産責

任制を回復し創立した。非共同生産から共同生産へ、労働請負制から生産請負制へ、また経営請負制へという変化過程が現れた。家庭共同生産請負責任制は全国の大部分の地域の主要な経営形態となっていった。家庭共同生産請負責任制には、各種の請負形式が含まれており、その核となるのは生産請負制と経営請負制、いわゆる「双請負」制である。生産請負制というのは、統一計算、統一配属のもとで、契約した条件により、一定の面積の土地と生産量を請け負う制度である。請け負った部分の生産量は、統一分配されるが、超過部分は、奨励として、全部または部分的に請負人に与えられる。減産すれば、罰として、一定の統一分配を減らす。経営請負制というのは、生産から分配まで農家が全部請け負う制度である。農民のことばを借りて言えば、「国家のもの（販売任務）を保証し、それから集団のもの（公共納税）を十分に保ち、残りはみな自分のものになる」ということだ。

１９８２年１月、中共中央は、全国農村工作会議の紀要を一号公文書として配布した。公文書は「今実行している各種の責任制は、生産請負制を家庭へ、またグループへ、経営請負制を家庭へ、またグループへ、などを含むが、いずれも社会主義集団経済の生産責任制である」と指摘している。１９８３年と１９８４年、中共中央はまた二部の一号公文書を連続で配布し、家庭連産請負責任制の発展を高潮期に突入させた。１９８４年までに、家庭連産請負責任制を中心とした農業経営体制が確立される。家庭連産請負責任制の実行は、農村に大きな変化をもたらし、農業の発展を大きく促進させた。１９８８年までに、農民の一人当たり収入は５４４・９元に達し、１９７８年より４１１元増加し、平均して毎年１５・１％増加した。これは、新中国創立四十年以来、農民の生活水準が最も速く向上した時期となる。[1]

１９９０年代後期以来、社会主義市場経済の発展に伴って、会社制や家庭農場制、農村発展共同経済組織、農業工業化などのような、農業経営体制を完備させ革新する方法が、次々と提案された。これらは、家庭連産請負責任制の実践における若干の問題を克服するに有効であったが、依然として家庭経営の基礎的地位を否定することはできない。従って、家庭の請負経営を基礎として、統一経営と家庭請負経営が結合した二重層経営体制は、依然として中国の農業の基本的経営制度である。この経営制度は改革開放以来、中国の農業生産と食糧生産を大きく進歩させる制度の基礎となったものである。２０１３年に発布された中央一号公文書は、全面的に農村の土地の確定権（土地の所有権と使用権を確定すること）と登録証明書の処理を行うべきだと提示した。これは、家庭連産請負責任制をさらに改善することに役立った。中国共産党の第十九回全国大会は農村振興戦略を実施し、農村基本経営制度を強化・改善し、農村土地制度改革を深化させ、請負地「三権」分置制度を完全なものとすることを提案した。土地請負関係を安定させ、長きにわたり変化させず、第二次土地請負が満期になってもさらに三十年延長できるようにする。これは中国の農業生産の安定的な発展の基礎となる。

三、国家が推進する農地水利施設建設の道

中国は水害、旱魃災害の多発国である。歴史資料によると、紀元前２０６年から１９４９年新中

1　林暁丹「建国後における中国の農業経営体制の変革と啓発について」『林区教学』２００９年（６）。

国の成立までの二千百五十五年間、比較的大きい水害は、総計1029回、比較的大きい旱魃は1056回発生し、ほぼ平均して毎年一回、比較的大きい水害あるいは旱魃が発生している。[1] 頻繁に起こる水害や旱魃は、社会に大きな災難をもたらしただけでなく、政治的な動揺をももたらした。したがって、治水はずっと歴代統治者の一大事であった。新中国創立後、中国共産党と政府が農地水利建設を非常に重視したため、六十年余りの努力を経た農地水利事業は、世界的に注目を集めた成果を得た。

新中国が成立した当初、農業生産の切実な任務は、できるだけ早く水利工事を修復し、建設することであった。1949年11月、新中国第一回全国水利工作会議が北京で開催された。会議では「水害防止、水利建設」の水利建設方針を提出し、そして、国家経済建設計画と国民の需要に応じて、異なる状況と人力、物資、財力、技術条件により、軽重緩急を区別し、計画的かつ段階的に洪水防止、灌漑、排水などの水利事業を回復し発展させることを要求した。1950年、中央人民政府は『中華人民共和国土地改革法』を公布し、全国で土地改革を行い、大衆が積極的に農地水利建設に参加するための非常に重要な条件を創出した。1955年10月、中共中央は「農業協働化問題に関する決議」を行い、農業協働化運動は急速に発展した。農業協働化の組織形式は、大衆生産の積極性を刺激しただけではなく、農民を組織して大規模な農地水利建設を行うことの優位性をも示した。その後、「1956年

1　朱爾明、趙広和『中国水利の発展戦略研究』、北京、中国水利水電出版社、2002年、16頁。

から1967年までの全国農業発展要綱」（1956年）は明確に次のように指摘した。1956年から十二年以内に水害と干ばつを基本的に消滅させる、と。1962年11月、農業部は、全国農業会議で「小型を主とし、セットを主とし、大衆を主とする」という冬の水利方針を提出した。1965年8月、水電部で開催された全国水利工作会議はさらに、「大寨精神、小型を主とし、全面的にセット化し、力を入れて管理し、よりよい農業増産に奉仕する」という水利方針を打ち出した。[1] 1970年代、各地で「農業は大寨に学ぶ」という運動が興った。水利建設と農地整備を結合し、再び農地水利建設の高潮を引き起こした。1970年代の終わりから1980年代初めに、中国の農地水利システムは基本的に完成した。

水利部が1980年に作成した三十年間の総括資料によると、三十年間に、全国で16・5万キロの堤防を整備・拡張し、あらゆる排水河川を浚渫・整備し、海河と黄河の排水路を開いた。8・6万基のダムや、667ヘクタール以上の灌漑区5200余り、機械電気排水灌漑動力5000万キロワット、揚水井戸220万個、全国の水電装機1900万キロワットを建設した。これにより、洪水災害を初歩段階で制御し、全国の有効灌漑面積は大幅に増加した。この時期の農地水利事業がこれほど大きな成果をあげた原因は、二つある。一つ目は、農地水利建設において、中国共産党や政府が水利建設を重視するだけでなく、資金の面でも強力な支援をしたことである。[2] 同時に、人民公社の政社合一

1　張岳「新中国水利50年」『水利経済』2000年（3）。
2　銭正英、馬国川「中国水利60年」『読書』2009年（10）。

の集権モデルと、生産隊を基礎とする集団経済が、広範な農民を動員するために必要な政治、経済と文化資源を提供したことである。[1] 二つ目は、国家が全面的に農地水利管理に介入し、農地水利事業を国の日常管理に置いたことである。同時に、農地水利建設と農業灌漑組織とを結合させて、水利工事の「専管」と「群管」との結合、大中小型水利施設とセットになった農地水利建設と管理体制との結合を形成した。これは水利工事の建造を促進させるに有利であっただけでなく、建造された水利工事の良好な維持を可能にし、これにより水利工事のシステムと有効性が保証された。

２０１1年の中央一号公文書「中共中央国務院の水利改革の発展加速に関する決定」は、新中国が成立して以来、中共中央初の水利に関する総合的な政策文書である。この決定は、戦略と全体的視点から出発して、農地水利建設を国家食糧安全の高層戦略に昇格させたものである。中国は人口大国であり、食糧安全問題は国家発展戦略問題であり、自身の力に基づいて解決しなければならない。現在、「国家の食糧安全を確保する最大の制約要素は水であり、最も弱い部分は農地水利である。特にここ数年来頻繁に発生した深刻な旱魃は、農地水利建設の遅延が依然として農業の安定発展と国家食糧安全に影響をもたらす最大の傷であることを十分に物語っている。[2] その意味では、農地水利建設を強力に推進することは、中国の食糧安全確保において大きな意義がある。

1　羅興佐『治水：国の介入と農民との合作――荆門五村における農地水利研究』、武漢、湖北人民出版社、２００6年、39頁。
2　「水利改革発展を全面的に加速させる新たなラッパを吹こう―水利部長、陳雷の分析、２００1年中央一号文書」、中央人民政府ホームページ、http://www.gov.cn、２０１1年1月29日。

四、中国の特色ある農業科学技術進歩への道

新中国が成立して以来、六十年余りの発展を経て、中国の農業科学技術は著しい進歩を遂げた。その進歩の貢献率は「一五」期間（１９５３〜１９５７）では20％でしかなかったが、２０１４年にはすでに56％に達した。中国の稲、小麦、トウモロコシの三大食糧作物プロトプラスト培養技術は、国際先進レベルと肩を並べ、スーパー稲の研究と新品種の選別育成は国際的にリードする地位にある。スーパー稲、交雑小麦、交雑トウモロコシなど、大量の高収量、超高収量、ストレス抵抗性が強く、適応性の広い新品種食糧が育成され、普及し、中国の食糧収穫率を高めるために大きく貢献した。農業科学技術の進歩は国レベルの農業科学技術政策と緊密につながっている。新中国が成立して以来、中国は主に科学技術計画方式を制定することによって、農業科学技術政策を実施し、農業科学技術事業の発展を誘導し、全体的に食糧生産量の巨大な上昇を推進してきた。

㈠　農業科学技術の進歩を強く重視する

早くも１９５７年には、中国は中国農業科学院を設立した。１９８２年、鄧小平は国家計画委員会の責任者と話した際に、「我々のあらゆる経済発展の戦略においては、エネルギーや交通が重点であるが、農業も重点である。農業の発展は、一つは政策にかかっており、もう一つは科学にかかっている。科学技術の発展と作用はきわまり尽きないものである」[1]と明確に指摘している。１９８９年に、鄧小

1　鄧小平『鄧小平文選』第3巻、北京、人民出版社、１９９３年、17頁。

平は、科学技術を通じて農業を振興する発展戦略を打ち出した。1991年に、中共中央も科学と教育を通じて農業を振興する発展戦略を確立した。二十一世紀に入って、特に2004年から2017年にかけて中央一号文書は、いずれも農業科学技術の問題について大幅に論述し、農業科学技術の刷新を強調した。これらはすべて国家が農業科学技術事業を強く重視していることを十分に表している。また、中国の経済社会の発展における農業科学技術の目立った地位をも集中して表した。

㈡　直接に農業生産に奉仕することを強調する

中国最初の農業科学技術計画「1951〜1955年農業科学研究計画」は、「理論が実際と結びつき、科学が生産に奉仕する」という方針の下で編成された。1982年、中国政府が鄧小平の「農業の発展は、一つは政策にかかっており、もう一つは科学にかかっている」という論述に基づいて提出した「科学技術は経済建設に向かわなければならず、経済建設は科学技術に依存しなければならない」という方針は、農業生産に奉仕するという、国の農業科学技術事業に対する価値観をさらにはっきりと確立した。中共中央は一連の文書の中で、産業の需要に向けて、農業の重大な鍵となる技術と関連性のある技術の問題を突破し、科学技術と経済の乖離問題を

確実に解決しなければならないことを何度も強調している。

㈢　農業科学技術体制のメカニズムの変革を推進する

農業科学技術体制のメカニズムが健全化していないため、中国の農業科学技術研究の重大な成果は少なく、科学技術転化率が低く、農業科学技術の進歩による貢献率が欧米先進国よりはるかに遅れていた。１９８５年に「中共中央の科学技術体制改革に関する決定」は、「農業科学技術体制を改革し、それが農村経済構造の調整に有利になるようにし、農村経済の専門化、商品化、近代化への転換を推進しなければならない」とした。中共中央は、農業科学技術革新は必ず「産業の需要に向けて、農業の重大な鍵となる技術と関連技術の問題を突破し、科学技術と経済との歩調が揃っていない問題を確実に解決しなければならない」と要求した。これは、農業科学技術が農業生産の要求に応じるべきことを強調し、同時に、引き続き農業科学技術体制のメカニズムについての探求を続け、科学技術と生産の「二枚の皮」の問題を確実に解決し、効果的に農業科学技術と農業農村経済の融合を促進させなければならないことを意味する。[1]

五、国有農場、特に大型農場の支柱作用

国有農場、特に大型農場の存在は、中国の食糧安定を保障するものであり、国民の食事問題を解決する重要な柱である。国有農場、特に大型農場の存在があるからこそ、我々は食糧自給に関して大

1　黄敬前、鄭慶昌「建国以来の中国の農業科学技術政策、及びその特徴分析」『技術経済と管理研究』２０１４年（９）。

きな自信があったと言える。我々がよく知っている北大荒グループを例に挙げよう。北大荒グループは中央部直属の大型農業企業グループの一つであり、中国で規模が最も大きく、機械化程度が最も高い国有農場経済区域であり、中国の重要な商品食糧生産基地と副産物加工基地でもある。１９９５年に食糧生産量が初めて５００万トンを超えて以来、現在、毎年北大荒グループは国に商品食糧２０００万トン強を提供している。北大荒開墾区で毎年生産される商品食糧は一億人が一年間食べるのに十分である。２０１１年に北大荒農耕グループの発展戦略部長の劉清泉が「我々が生産した食糧は、海陸空三軍に供することができ、一億人の食糧を供給することができる。それは全国の食糧の生産量の３分の１を占めている。それよりももっと多いかもしれない」と誇らしげに述べた。

国有農場が最初に設立された目的と役割は明確なものであった。それは以下の通りである。戦争を支援し、農業の将来の発展を助け、食糧の供給を解決し、国の食糧安定を保障し、解放後の大量の退役軍人を配置し、解放戦争中に蜂起し投降した捕虜の国民党の将兵を配置し、国家国境地域の安全、民族地域の安定を保障するためであった。国有農場が開設された初期は、新中国誕生前後の最も苦しい歳月であった。国有農場の建設者たちはわずか数十年の間に、ほぼ一億ムーに近い畑を開拓した。全国で欠乏していた耕地を増加させただけではなく、中国の人口が多く土地が少ないという矛盾を緩和し、中西部地区の食糧供給不足の問題を解決した。国は、それで遠い内地から食糧を調達して西部辺境を支援する必要がなくなった。これは開墾の大軍の大きな歴史的貢献であり、人類の開拓史上の奇跡でもある。

改革開放以来、中国の国有農場は改革過程で互いに差異が生じてきた。だが、全体的には、以下の共通する特徴がある。第一に、農業が主である。現段階において中国の国有農場のほとんどが二重経営体制下で、家庭農場と土地リリース経営の方式を取っている。国有農場と家庭農場は、行政的には指導し指導される関係であり、経済的には請負関係である。第二に、積極的に企業メカニズムの転換、制度の刷新と集団化の改造を推進し、絶えず企業の活力や市場の競争力、経済全体の実力を強める。農業を基礎として、農工商の総合的な経営を行い、農業の産業化を積極的に推進し、市場のニーズに応える合理的な産業構造を形成する。現在、中国の国有農場は、ほとんどみなこの改革方式を採用している。第三に、開墾区の管理体制の変更に伴い、一部の開墾区集団制は、企業グループに転換し、省級の農業開墾機構は組織を変更して国有資産を経営するグループ会社となり、所属農場と二、三の産業、企業は、場合によっては変更し、それぞれ完全所有子会社、持株会社、株式会社とし、資本を絆とする親子会社体制を形成した。[1] これらの大型国有農場は中央の「三農」戦略を実施し、中国の食糧安定を保障するための重大、かつ現実的な意義を有している。

六、国の強大な農業支援政策と農業支援への投入

中国の財政による農業支援政策の発展は、長い発展過程を経てきた。新中国が成立してから今に至

1　孫麗「中国の国有農場の形成、作用及び現状」『黒龍江科学技術情報』２０１１年（20）。

る長年にわたる調整、変更を経て、徐々に発展して系統的な政策体系となった。それは、食糧生産を支えたり、インフラ整備を強めたり、農村改革を推進したり、農村教育、衛生、文化の発展を加速させるのに重要な推進役割を果たした。

中国の財政的な農業支援政策の発展の道のりを顧みると、新中国の成立から１９７８年にかけて、工業化の推進を保証するために、農業発展の面でみると、財政配分による農業支援の資金はごく少なかった。それも、当時の農業支援の財政配分は、農業生産を回復させるためだけのもので、農業への財政投入は、農業による財政収入よりもはるかに低かった。この時期においては、主として政策は工業発展のためのものだったから、財政による農業支援の資金の流動は比較的単一であった。１９７８年の農村、農業改革から、国は農業への政策投入と資金投入を拡大し始め、農業生産の発展を推進してきた。１９９４年以降、中国の財政による農業支援は総体的に速やかな拡大期に入り、その資金の投入総量がだんだんと増え、その規模は絶えず拡大した。２００４年以降、財政による農業支援の政策は、速やかな調整期に入った。都市農村の発展を統一的に取り決め、「三農」への投入を拡大した背後には、財政による農業支援、農業優遇という国の一連の政策があった。それにより、農村への投入が拡大し、農民への三つの手当（種子購入手当、食糧生産農民への直接手当、農機具購入手当）を含めた公共財政が徐々に農村をカバーした。のちに、農業生産資料価格への総合的手当を支給する政策も推進した。これらの手当は、農民の生産意欲を非常に高めた。財政による各種の農業支援、手当支給政策により、農民は数多くの利益を得た。２０１６年1月、全国人民大会常務委員会の批准によって「農業税条例」が廃止された。これは、二千年にもわたった「皇糧国税」の時代の終わりを意味している。統計によると、農業税、牧畜業税、農業特産税がすべて廃止されてからというもの、毎年、農民の負担減少は、1335億元に達したという。それは、大いに農業生産のコストを減らし、農業製品の国際的競争力を高め、農業収益を向上させ、農民の収入を増やした。

新世紀に入って、中共中央と国務院は「三農（農村、農民、農業）」問題に対する認識を絶えず深め、一連の農業の富強を目指す財政政策を打ち出した。国の政策の大きな支持のもとで、中国の農業農村の発展は、比較的良い史的段階にあり、発展の状況も良好である。農民の一人当たりの純収入は、2003年の2622元から2015年には10000元以上に達し、7000元強増加した。それから、年平均600元強増えて、年間成長率は20%に達した。農民の所得は急速に伸び続けた。中国の食糧総生産量は年々増加し、2003年の4・307億トンから2016年の6・1174億トンに上昇し、平均で年間1500万トン強の増加があったので、年間成長率は約4%程度である。新農村の建設期において、財政による農業支援政策は「三農」問題を解決するのに積極的な役割を果たし、著しい成果を挙げた。

要するに、中国の食料問題の解決を可能とするのは、強い中国共産党の指導が根本にあり、力を集中して偉業を成し遂げる社会主義制度があるからである。農業生産経営体制の変革や、農地水利施設の建設、農業科学技術の進歩にしても、強力な国有農場体制や、強力な農業支援の力にしても、それらはみな中国共産党の指導を堅持し、中国の特色ある社会主義制度を実行しているからである。これらの成果は、他の多くの国々では実現が難しいものである。これに対して、中国は大きな困難を克服して、それを実現したのである。中国は、世界を頼りにして食糧を解決することはできないから、自らを頼りにするしかない。よくない要素は数多くあるが、中国共産党は、食糧安定問題の解決に対して、ずっと十分に透徹した認識を有している。食糧安定確保は、過去の経験から見れば、主として政策と投入と科学技術が頼りである。中国はこれらの面で力を増強しつつある。したがって、世界の多数の世論は、中国には、過去数十年の成功が示すように、自国の食糧問題をうまく解決する自信や能力があると判断している。

第二節　中国の特色ある社会主義の歩みは中国人の普遍的な貧困問題を解決した

食糧は生存の基盤であり、貧困問題を解決することが生存問題の真の解決策である。四十年にわたる改革開放は、中国経済の急成長を実現した。国家統計局が発表したデータによると、1979年から2014年まで、中国のGDPは年平均9・7％の成長率であった。1978年、中国は依然として世界で最も貧しい国の一つであり、2010年の同じ価格で計算した場合、当時の中国のGDPは2915億ドル、一人当たりGDPは305ドルにすぎなかったが、2010年、中国は日本を抜いて世界第二位の経済大国になった。２０１５年までに、中国のＧＤＰ総量は８７９８０億ドル、一人当たりＧＤＰは６４１６ドルに達した。中国はすでに世界銀行の定めた「中高所得国」の列に入っている。中国は貧困の削減と脱出において目覚ましい成果を挙げている。世界銀行の統計によると、中国国内の極貧層（一日の収入１２５ドル未満）の人口は１９８７年の８億３６００万人から２０１０年には1億５６００万人に減った。中国の統計によると、２０１５年末までの、貧困ライン以下の人口は５０００万人強であった。中国経済の持続的で速い成長は貧困を減少させた。中国の公式貧困ラインで測ろうと、世界銀行の貧困規準で測ろうと、中国の貧困削減は目覚ましい成果を挙げている。

一、中国の経済発展と貧困の減少

中国の貧困削減が大きな成果を得た理由は何だろうか。このような成功の裏には、経済体制の改革、都市化、改革開放政策が重要な役割を果たしている。

市場経済システム改革の推進により、１９７８年から２００７年までの三十年間でＧＤＰは年平均10％の成長を遂げた。農村家庭の一人当たりの年収が１３４元から４１４０元へと増え、全体人口における貧困層の割合が３０・７％から1・６％へと下がった。[1] 都市の成果はさらに明らかである。当時の中国の農村地域の生産責任制実施の魔法的な効果は、「即効性」で要約できる。初年度は食糧が足

1　黄子軒「中国の貧困救済事業の巨大な成果」、中国日報ホームページ、http://www.chinadaily.com.cn、２０１6年3月15日。

りなかったが、生産責任制の実施後は、穀物の生産量が急増し、どの家庭でも穀物を貯蔵できるようになった。

都市化も重要な推進力である。生計のために多くの農村の人々が都市に殺到した。中国の厳格な戸籍制度の下では、ほとんどの農村住民は社会福祉など都市住民に限った社会資源を利用することができないが、しかし、彼らが都会で稼いだ収入は農村での収入よりずっと多かった。それと同時に、すべてではないが、農村で生活している家庭は、農作物の耕作栽培を捨てて、自らの努力によって収入の多い非農業の仕事を試みるようになった。

そのほか、開放政策も貧困削減をさらに安定させた。経済のグローバル化の加速に伴い、中国の輸出、特に労働集約型の製品の輸出は速やかに上昇した。外資系企業や外資系投資を中国に進出させる政策は、雇用機会の拡大と貧困削減に大きな意味を有する。

二、中国の特色ある貧困救済事業

経済発展それ自身は、貧困問題を完全には解決することはできない。この問題を解決するために、中国は専門的な貧困救済を持続的に推進している。改革開放以来、あいついで「国家八七貧困救済攻略計画（１９９４～２０００）」「中国農村貧困救済開発綱要（２００１～２０１０）」「中国農村貧困救済開発綱要（２０１１～２０２０）」を実施し、貧困救済のアイディアと救済方法を絶えず刷新させた。特に中国共産党第十八回全国代表大会以来、中国は貧困救済、貧困脱出を的確に行い、貧困救済の新たな局面を打開した。

中国の貧困救済攻略は、主として以下の方法を採用している。

第一に、政府主導を堅持し、貧困救済開発を国の総体的な発展戦略に取り入れ、大規模で専門的な貧困救済活動を行う。中国は、特定の人々に対して、女性・児童、障碍者、少数民族にグループ分けして発展計画を実施している。開発的な貧困救済を堅持し、発展を貧困問題解決の根本的な道とし、貧困を軽減するだけでなく、貧しい人々に志を立てさせ、その人たちの積極性を動員し、発展能力を高めさせ、主体的役割の発揮を促している。

第二に、貧困救済の財政特別資金の管理メカニズムを構築する。国の貧困救済資金投入の構造を徐々に完備させ、中央財政、貧困救済信用貸出、以工代賑（救済の代わりに公共事業に参加させる）などの貧困救済資金を国指定の重点貧困県に集中して助け、関係する省（自治区、直轄市）の政府と各中央部門に、相応するサポーティング資金を配備し、一連の特別貧困地域に集中して資金投入し、プロジェクトの範囲を覆うことを主要目標とし、一連の村全体への推進を集中して実施する。その他の散発的な貧しい村や農家は、地方政府の貧困救済基金によって支える。

第三に、多くの機構と多くの経路による参与のメカニズムを構築することである。各級の政府、および部門は、定点での貧困救済の任務に参加し、幹部の養成と訓練を結び付けて、幹部を選抜して、定点で貧困を扶助させ、直接に郷から村までを援助する。政府は積極的に「東西扶助」の協力を実施する。西部の大開発と結び付け、東部地区は西部の各省、区を支え、地区の協調発展を促進し、東部と中西部の発展格差を縮小する。同時に、中国は社会救貧メカニズムに参与する多くの径路を打ち立て、「希望プロジェクト」「光輝く事業」などの動員を通じて社会の多方面で救貧事業に参与して力を注いでいる。

第四に、貧困地域の社会事業の全面的な発展を推進することである。教育における貧困救済の面で、貧困地域の教育的投入、知的投資を重視し、農業科学と教育との結合を実行に移し、貧しい家庭が先進的な実用的技術を獲得する能力を高め、医療救貧の面においても、積極的に医療協力を発展させ、徐々に農村の基本医療保障制度を作り、貧困地域の県、郷、村の多層クラスの医療サービスシステムを健全化し、病気による貧困化、病気による再度の貧困化を厳しく防止し、社会保障による貧困救済の面で、徐々に都市農村の特殊困難グループ社会の救助システムを打ち立て、徐々に農村の養老保険、「五保戸」（衣食住、医療、葬儀の保証）の生活保障などの制度を健全化した。

第五に、組織の指導を強化し、貧困救済が着実に行われることを確保することである。各級の政府に等しく専門の貧困救済事業指導班を創立し、責任の主体を明確にし、中国共産党と政府の最高責任者による貧困救済事業責任制を打ち立てた。農村の下部党組織の建設を強化することにより、貧困救済対策を確実にして、貧困村、貧困家庭に政策を定着させることを保証した。貧困救済のチーム建設を強化することを通じて、各級の貧困救済機構とその職責を強化し、貧困救済開発のレベルを高め、貧困救済開発統計の観測と貧困救済資金の監査を強化することにより、貧困救済の正確性と資金使用の効率を高めた。[1]

四十年にわたる努力によって、中国の7億強の農村貧困人口が貧困脱出を実現し、全面的な小康状態の基礎を築いた。中国は世界で最も貧困減少人口が多い国であり、国連のミレニアム発展目標を率先して実現した国でもある。中国の貧困救済の主要な成果は、四つある。一つは、農村貧困人口が大幅に減少し、貧困発生率が明らかに低下したことである。二つは、貧困地域の農民の生活水準が著しく向上したことである。三つは、貧困地域のインフラ条件が著しく改善され、道路、電気、電話が通じるようになり、テレビ番組を受信できる行政村の割合が90％以上に達し、インフラ条件が著しく改善されたことである。四つは、貧困地区の社会事業が比較的速く発展し、基礎教育、医療衛生条件などが非常に改善され、社会保障の投入力が絶えず増大し、社会保障レベルが絶えず向上していることである。断固として貧困脱出の攻略戦に打ち勝ち、貧困人口と貧困地区が全国と同じ全面的な小康社会に入るようにし、２０２０年までに中国の現行基準の下で農村の貧困人口が貧困脱出を実現することを確保し、貧困県というレッテルを取り外し、地域全体の貧困を解決し、完全に貧困から脱出させるということを、中国共産党の「十九大（中国共産党第十九回全国代表大会）」は誠意をもって承諾している。これは中国の民生建設の偉大な成果である。

1　宋洪遠「中国の高精度の貧困救済の成果は注目を集めている。世界の貧困削減のための経験を蓄積している」、中国網ホームページ、http://www.china.com.cn、２０１６年10月13日。

第三節　中国の特色ある社会主義の歩みは中国人の生存保障問題を解決した

人々の生存能力には違いがある。全体的なレベルでの衣食住、個々のグループの生活の困難はカバーすることができない。そのため、包括的で効果的な社会保障制度を確立し、制度的に高齢者、病人、障害者、失業者などの人々のために、基本的な生活保障を提供し、特殊グループの生存問題を解決しなければならない。何十年もの発展を経て、中国は、社会保険、社会福祉、社会特待、社会救助など幅広い範囲の社会保障制度を構築してきた。社会保険は養老保険、失業保険、医療保険、労災保険、母子保険などの社会保障制度の核心部分である。

一、中国社会の保障体系

社会保障制度の設立は１９４９年に中華人民共和国が樹立されてから始まった。１９５１年2月26日、行政院は「中華人民共和国労働保険条例」を公布した。同条例の発布、施行は、失業保険に加え、老齢年金、労災保険、疾病保険、出産保険、遺族年金などの中国における労働者の社会保険制度が初歩的に確立されたことを示している。この法律は国有企業、および一部のグループ企業に適用された。それと同時に、政府機関の職員を対象とした社会保険制度も、個別の法令を公布する形でしだいに確立された。その後の20年、国は関連法令を数多く公布し、計画経済時代に適した社会保障制度を確立した。

改革開放以来、中国は社会保障制度を再構築してきた。市場化改革の過程は、社会的利益と社会構造が大きく調整される過程である。当初の計画経済体制における社会保障制度の崩壊は、社会のセーフティネットを提供するため、早急に新たな社会保障制度の構築を必然的に要求した。特に、経済変容期においては、社会の急激な変化に伴い、公民の生存リスクを未然に防止、解決し、基本の生活を維持するための制度的整備が求められている。そうしなければ、社会不安を引き起こすだけでなく、改革への抵抗も生まれる。１９９３年、中国共産党の第十四回中央委員会第三回全体会議で「中共中央における社会主義市場経済体制の樹立に関する若干の問題の決定」が採択され、社会保障制度の全面的、かつ多層化が明白に要求された。新世紀に入って、中国政府は、また基礎公共サービスの平等化を推進しようという革新的な社会保障構想を打ち出し、社会保障事業における数多くの重要な進展を得た。一つは、制度システムが基本的に確立されたことである。２００３年に新農村協同医療制度が、２００７年に農村最低生活保障制度が、２００９年に新農村養老保険の試験事業が開始され、２０１０年に「中華人民共和国社会保険法」が採択された。長年にわたる公共サービスシステムの継続的な構築の末に、養老、医療、失業、住宅保障などの分野において、中国のシステム構築は継続的に改善され、社会保障制度の構築は、政府主導、責任分担、社会化、多元的発展の道を歩み始め、制度的枠組みは初歩の形成を見た。二つは、対象となる範囲が絶えず拡大していることである。２０１０年までに、全ての都市、農村住民を対象とする基本医療保障制度が初歩の完成を見て、12億6000万人の都市、農村住民が対象となった。中国は基礎医療保険の適用人口が最も多い国になった。そのうち、都市労働者や都市住民を対象とした医療保険の被保険者数は2005年より213％増の4億3000万人に達した。新農村協力医療制度の参加人数は8億3000万人に達し、保険加入率は96％だった。全国の養老保険加入者は4億人に達した。[1]

社会保障は、国民の生活を保障し、社会配分を調整する基本的な制度である。中国共産党の第十八回全国大会以来、習近平総書記を首班とする中共中央は、社会保障制度の構築事業を重視している。中国共産党第十八回全国大会の報告書では、包括的で、基本的で、多層的で、持続可能な原則を堅持し、公平性の強化、移動性への適応、持続性の確保を重点とし、都市部や農村部の住民を対象にした社会保障制度を総合的に構築する必要があると明記された。中国共産党第十八期三中全会では、改革の深化を通じて、より公正で持続可能な社会保障制度を確立するよう提言された。中国共産党第十八期四中全会では、社会保障の法治面での建設強化が提言されている。「高齢者権益保障法」「障害者保障法」などの法律が貫徹して効果的に実施され、社会保障制度の改革改善を力強く推進した。実践において、各級政府が、中共中央の重大な政策決定を貫徹し、社会保障の法令を具体的に実施し、基本的な国情に立脚し、体制のメカニズムを改善し、財政の投入を増加したので、社会保障制度の構築は、歴史的進歩を遂げている。

1　中共中央対外連絡部研究室『中国共産党第十八回全国大会　中国の夢と世界』、北京、外文出版社、2013年、98頁。

二、中国の社会保障制度における偉業

近年、中国における社会保障の水準は、全面的な小康社会構築の加速化に伴い、継続的に改善され、社会保障の内容も増加し続け、社会保障の範囲も絶えず拡大し続け、経済発展の水準があまり高くない中で、現段階の中国社会の現実に即した世界最大の社会保障制度の初歩を構築した。

(一) 社会保障制度におけるシステムの初歩的形成

都市、農村基本養老保険制度を全面的に打ち立てる。企業の従業員の基本的な養老保険制度は次第に完備し、住民基本養老保険の都市と農村の統一的な構造の基本は形成された。新型農村社会養老保険と都市住民社会養老保険も全面的に実施され、２０１４年2月、二つの制度は都市部と農村部住民の基本養老保険制度に統一された。

国民医療保険制度がしだいに健全化される。従業員基本医療保険制度、新農村協力医療制度、都市住民基本医療保険制度、医療保険オプションと都市農村部医療救助制度が基本的に確立し、多層の医療保障システムの枠組みの初歩段階が形成され、基本的な医療保険制度はすでに都市と農村の全住民をカバーしている。

社会救助制度構築を加速推進させる。中国政府は、物価変動が貧困層の生活に及ぼす影響を緩和するため、社会救助の基準と物価上昇との連動メカニズムを確立した。それ以外に、都市と農村の低い保障制度に対して改善と規範化を行い、低い保障制度の都市部と農村部における統一を強化し、基本的に生活が困難なグループに緊急的、また過渡的な救助を提供した。

社会福祉制度を絶えず改善する。基本保障を原則とし、高齢者、障害者、孤児など、特別な困難を抱える人々のさまざまな福祉保障政策が徐々に改善されてきている。また、中国政府は、慈善事業の発展に対して、明白な要求を提出し、各界の人々に慈善寄付やボランティアによる援助を訴えて奨励、支援している。近年、毎年ほぼ数千億元が寄付されている。

㈡　社会保障の適用範囲が絶えず拡大している。

基本養老保険の制度実現を完全にカバーする。企業の従業員に対する基礎養老保険は、国営企業、グループ企業、都市の各種企業、社会団体、都市の産業・商業の個人企業、臨時従業員をカバーしている。ここ数年、土地開拓労働者、無保険のグループ企業の退職者、「五七工」[1]や家事労働者など数千万人が労働者養老保険に加入した。

国民医療保険の基礎を打ち立てる。2014年11月末までに、都市基本医療保険の加入者は、5億9000万人（うち従業員2億8000万人、住民3億1000万人、NCMS〈中国農村部を対象とした公的医療保険制度である新型農村合作医療保険制度〉7億3500万人）で、13億人を超えている。また、都市、農村人口の95%以上が基本医療保険に加入している。

1　「五七工」とは、1960、1970年代、ある種の国有企業で生産自己支援や企業の補助的地位の仕事に従事したり、都市の常住戸籍をもっているが、基本的養老保険の総合計画に未加入の人を指す。これらの人々は、多くは1960、1970年代のはじめに、毛沢東の「五七」指示に応じて、さまざまな企業に入った都市労働者の家族であったので、一括して「五七工」と呼ばれている。

社会援助や社会福祉を困窮した人々に効果的に届ける。２０１４年11月までに、全国の低保障者の都市人口は１８９３万人、農村部は５２０２万人で、「五保」対象者は５３２万人であった。全国の都市部、農村部の家庭、地域の養老サービスの普及率は、都市部では70％を超え、農村部では37％を超え、養老ベッド数は５７２万となっている。また、54万９０００人の孤児を保障する孤児生活保障基本制度も創設された。

㈢　社会保障待遇水準を着実に高くする

養老金の水準は年々高まっている。企業退職者の基礎年金の水準は十三年連続で調整され、一人当たりの月平均は２０００元を超えた。２０１４年末までに、全国の都市、農村高齢者の一人当たり養老金は月82元だった。

基礎医療保険の保障水準を大幅に上昇させる。従業員医療保険と住民医療保険の政策範囲内で入院医療費が支払われる。２０１３年の基金支払い割合は、それぞれ約8割、約7割であり、ＮＣＭＳの政策範囲での入院医療費の払い戻し水準は約75％に達した。労災、失業、母子保険の水準も着実に改善している。

社会援助や社会福祉の水準を適度に向上させる。都市、農村の低保障者に対する一人当たりの補助金が大幅に増加しており、地域によっては、老齢手当、養老サービス補助金、介護補助、障害者生活手当、重度障害者介護補助、困窮児童のための区分保障制度を相次いで検討、創立したところもある。

㈣　社会保障の支払い能力が増強される

政府の社会保障に対する投入は絶えず増加している。雇用側や個人が料金を納入する一方で、各級政府が財政支出の構造を更に調整し、資金投入の強度を増加している。２００３年から２０１３年にかけて、社会保障と、雇用、医療、衛生方面の全国財政支出はそれぞれ８・１３兆元、３・９８兆元で、年平均成長率は１８・２％と２５・８％で、都市部、農村部の社会保障制度全体の構築を効果的に支えている。[1]

㈤　社会保険管理サービス水準が絶えず高まっている

各級政府、及び社会保障機関は、管理サービスの標準化、専門化、情報化を積極的に推進し、歳入歳出の管理を厳格に実施し、徐々に基金予算、決算制度を改善し、資金の監督を常時強化して、社会保障の管理・サービスの水準を大幅に向上させた。

もちろん、経済、社会の発展レベルには限界があるため、中国の社会保障制度には改善すべき課題が山積している。実際、どの国の社会保障レベルも国の状況に適応させなければならない。中国の国情は次の通りである。９６０万平方キロメートル強の面積、13億人強の人口、わずか四十年間の急速な発展の歴史と不均一な発展で社会主義の初級段階にある。過渡期の中国は金銭に余裕があるように

1　本節の社会保障体系構築成果のデータに関しては、馬凱「都市部・農村部における社会保障体系構築事業の統一的推進状況に関する国務院の報告」（中国人民代表大会ホームページ「http://www.npc.gov.cn/npc/index.shtml」2014-12-24）を参照されたい。

見えるが、支出すべき場所があまりにも多い。もし数十年の蓄積が福祉に「分け尽くし使い尽くす」ならば、中国の特色ある社会主義事業がこれまで培ってきた努力は無駄になるであろう。他方では、欧州債務危機において、いわゆる「福祉国家」の支出が収入を上回り、苦しみにのたうち回っていた光景は人々に衝撃を与えた。人口が多く、基盤が脆弱な中国がこのような苦境に陥れば、大惨事になるだろう。こうした問題点を踏まえ、中国共産党の第十八回全国大会、第十八期三中、四中会議において、突破力に富む、画期的なアイデアが提示された。中国共産党の第十九回全国大会はさらに次のように指摘した。最小限度を守り、密度の高い網を織り込み、メカニズムを構築し、全ての国民を覆う、都市・農村全体の統一計画、権利と責任の明確さ、適切な保護、持続可能な多元的な社会保障制度を総合的に構築すべきである。これらの概念の実現により、中国の社会保障制度はより強固で、より完全で、経済発展と社会の調和に有利なものとなる。

第四節　新時期における責任ある大国としての新たな貢献

中国は世界最大の発展途上国である。発展過程において、中国は中国国民の利益と各国国民の共通利益の結合を堅持し、南南協力関係の枠組みの下で、他の発展途上国にできる限りの援助を提供し、発展途上国、特に最も発達していない国の貧困の減少、民生の改善を支援する。中国は国際発展協力に積極的な姿勢で参加し、建設的な役割を発揮する。

一、中国は対外食糧援助を直接に提供する

世界的に見れば、多くの国は依然として深刻な食糧危機に直面しており、それぞれ程度の異なる食糧不足が存在している。これらの国は、国際社会が食糧援助と経済支援を提供することを切実に必要としている。もし提供がなければ、飢饉と貧困の淵に落ちるかもしれない。中国は主に自力で中国人自身の生存問題を解決したが、しかし、中国は、独善的な孤立主義的な態度をとっているのではないので、できる限りのことをして、発達していない国を飢餓と貧困から抜け出させるために、努力しているのである。

中国はすでに世界第三位の食糧援助国である。農業大国や人口大国として、食糧問題で中国は世界の注目を集め、そして世界の食糧問題を解決するために自ら貢献してきた。過去四十年間、世界の主要農産物の成長額の20％以上が中国から来たものである。国連開発計画の関係者からの称賛や、世界ミレニアム開発目標への中国の貢献に対する高い評価は過言ではない。中国が援助を受ける国から援助を与える国に変わったのは、一つのプロセスがあった。１９７０年代末、中国政府の申請により、世界食糧計画（ＷＦＰ）は１９７９年から中国への食糧援助をするようになった。世界食糧計画は、２００５年までの二十六年間、中国に70件近い無償食糧援助事業を実施し、その総額は10億ドルに達した。世界食糧援助計画を受けている間、中国政府は積極的に協力し、世界食糧計画と良好な協力関係を保ったモデルとなった。２００５年、世界食糧計画の対中食糧援助が終了した。世界食糧計画の援助を受けている間に、中国は自国の食糧供給問題を解決しただけでなく、世界の食糧安定にも貢献し、同時に他の国に必要な食糧援助を提供していた。世界食糧計画が発表した報告書によると、２００５年当時、中国から提供された対外食糧援助は５７・７万トンに達し、米国とＥＵに次ぐ世界第三位の食糧援助寄付国となった。中国の対外食糧援助の主要対象国は、リベリア、ギニアビサウ、スリランカなど十数カ国以上であった。援助国になった後、中国は世界食糧計画と共同で世界各地の数千万の貧困人口に食糧援助を提供し、国際食糧援助において身分と地位が大きく変化した。[1]

１９８８年から２０１１年にかけて、中国の対外援助食糧は累計で３００万トン強であった。そのうち、１９９６年から２００９年まで、中国の対外食糧援助数量は毎年平均10万トン以上で（２００８年を除く）、ピークは２００５年（50万トン強）であった。２０１０年には１００トン強に急落し、２０１１年には2万トン強に回復した。１９８８年から２０１１年までのほとんどの年で、中国国内からの食糧は平均して中国の対外食糧援助数量の98％を占めていた。個別の年では１９８８年、１９９2年、１９９３年、１９９4年、１９９6年までが１００％を占めた。援助タイプ別にみると、１９８８~２０１１年の平均値で計算すると、緊急援助食糧量は中国の対外食糧援助総量の77％程度であり、プロジェクト援助量は22％であったが、計画援助量は1％にすぎなかった。近年、中

1　呉芳芳「中国の対外食糧援助、及びその対外関係における作用分析」『農業経済』２０１３年（４）。

国は国際緊急食糧援助に何度も参加した。インド洋津波の際に、中国政府は世界食糧計画に救済用の100万ドルを寄付し、津波に襲われたスリランカで道路とインフラなどを再建しようという世界食糧計画のプロジェクトを支えた。2007年12月13日、中国は世界食糧計画を通じてエチオピアの「無料学校ランチ」計画に参加し、25万ドルに達する寄付を送った。中国が世界食糧計画と協力して多国間援助を展開したのはこれが初めてである。2011年、アフリカの角地域が、六十年以来のまれな干ばつと飢饉に遭遇した。半月余にわたって、中国政府は被災地への緊急食糧支援と食糧支援現物為替を二度発表した。総額は4億4320万元であった。これは新中国が成立して以来、中国政府が対外的に提供した最大の食糧援助である。その中で、中国政府は世界食糧計画に最大額の寄付金1600万ドルを提供し、ソマリアにおける世界食糧計画の飢饉救援行動を支援した。ジンバブエ政府の要請により、中国政府はジンバブエ国民が危機を乗り越えるのを助けるため、ジンバブエ国民に9000万元の緊急食糧援助を提供した。中国はアフリカの食糧安定問題の解決を中ア農業協力の根本目的とし、中ア農業政策、水利灌漑、生産技術、加工マーケティングなどの各領域の交流と協力を強化し、アフリカ諸国の食糧安定の促進に重要な貢献をした。同時に、中国企業も食糧援助に参加したが、その中には国内会社もあれば、海外の中国資本企業もある。これらの企業は、現金や食糧の形で援助を提供した。例えば、2011年にアフリカの角地域が旱魃に遭ったとき、ケニアにある中国の会社が被災地のために義援金を集めて、60トンのトウモロコシ粉や大豆1000袋などを購入した。

また、ザンビアにおける中国の会社も、約28万ドルの義援金を募った。[1]

中国の対外食糧援助は発展しながら次第に成熟し、果たす役割は日に日に増大している。中国は、国際多国間食糧援助機構との連携を強化し、食糧援助事業を共同で推進することをますます重視している。２０１０年、中国政府は、世界の救援活動を支援するために総額４００万ドルを世界食糧計画に寄付した。２０１１年には、中国の世界食糧計画への寄付額が２０１０年の5倍の２０００万ドルを超えたが、それは１９８１年から２００５年の中国の累積寄付額に相当する。２０１１年末までに、中国は世界食糧計画に総額６４５０万ドルを寄付した。政府からの寄付のほか、中国企業や民間社会組織も積極的に世界食糧計画に寄付し、アフリカにおける世界食糧計画の救済活動に参加している。中国は、緊急支援と開発プロジェクトの両方で、ますます重要な役割を果たし、国際多国間の食糧援助活動に参加することで、国際的影響力を高めている。

中国の対外食糧援助は、中国外交の発展に積極的な役割を果たし、責任ある大国としての中国のイメージを確立した。近年の絶え間ない努力によって、自身の食糧確保の実現を基本に、もっとも遅れた発展途上国に対する債務減免や無償食糧援助の増加などを通じて、他の開発途上国が食糧問題を解決するのを積極的に支援し、途上国の経済発展を支持援助し、発展途上国が貧困の緩和と社会の安定を達成するよう働き掛け、発展途上国との伝統的な友好、交流協力を推進し、地域の平和と安定と発

1　呉芳芳「中国の対外食糧援助、及びその対外関係における作用の分析」『農業経済』２０１３年（４）。

展の維持に重要な貢献をし、責任ある大国としての中国のイメージを確立し、国際社会における中国の影響力を客観的に拡大し、中国の国際的地位をさらに高めた。

二、中国は全方位的に対外援助する

直接的な食糧援助の外に、中国は全方位であらゆる分野の対外援助を推進し、支援された国が生産を発展させ、貧困から脱却し、民生を改善することを支えている。中国が重点的に支えているのは、他の発展途上国が農業発展を促進し、教育レベルを高め、医療サービスを改善し、インフラと社会公益施設を建設し、発展能力を向上させることである。そして他の国が重大な災害に遭遇した時は、中国は人道主義の援助を提供する。

第一に、当該国の農業発展を促進することである。中国は、農業技術模範センターの建造を支援したり、農業専門家を派遣してコンサルティングと技術協力を展開したり、農業技術と管理者を育成するなどの方法で、積極的に他の発展途上国を助けて、農業生産能力を向上させ、食糧危機に効果的に対応した。２０１０年から２０１２年にかけて、中国は海外援助で四十九の農業プロジェクトを打ち立て、千人以上の農業技術専門家を派遣し、大量の農業機械、優良種苗、化学肥料などの農業用物資を提供した。

第二に、教育水準の向上を推進することである。長期にわたり、他の発展途上国が教育レベルを向上させるのを助け、その教育の均衡と公平な発展を支持するために、中国は、校舎の維持修繕、教育設備の提供、教師の育成、中国留学の政府奨学金や定員の増加、職業技術教育発展への支持などを通じて、絶えず教育援助を強化した。

第三に、医療衛生条件を改善することである。医療衛生は中国の対外援助の重点分野の一つである。病院の建設援助や、薬品や医療設備の提供、医療チームの派遣、医療スタッフの養成、発展途上国との疾病予防の交流協力などを共同して発展させる形で、中国は援助された国が医療衛生条件を更に改善し、疾病防止レベルを高め、公共衛生能力の建設を強化することを支えた。

第四に、インフラや公益施設の建設に協力することである。その他の発展途上国が民衆の生活条件を改善するのを支え、社会公共活動を展開するために、無償援助、無利子融資資金を合理的に手配し、優遇貸付金の融資メリットを発動し、また、支援された国が切実に必要とするインフラプロジェクトの建設を積極的に支援したり、都市と農村の公共福祉施設、民生保障性住宅、及び社会活動の施設の建築を支援したり、関連設備、及び物資を提供し、運営管理技術の協力を展開したりした。

第五に、能力強化の建設を推進することである。中国は「漁を教える」という援助の理念を堅持し、人的資源開発協力、技術協力、ボランティアサービスなどの方式を通じて、他の発展途上国と発展の経験と実用技術を共有する。そうすることによって、発展途上国が人材を育成し、自主的に発展する造血機能を強化するのを支援した。

第六に、人道主義な援助を広げることである。近年、地震、ハリケーン、洪水、旱魃などの自然災害や戦乱による人道主義的な災害がしばしば発生し、被害国の人員の死傷と重大な財産の損失をもたらした。中国は積極的に国際社会の呼びかけに応えて、緊急救済物資や現物為替の援助を提供し、そして必要に応じて救助隊や医療チームを派遣して、被災国が被災の影響を軽減し、できるだけ早く家を再建するのを支援した。実際、中国による世界の生存問題解決に対する根本的な貢献は、中国の生存問題解決の基本経験に基づく。中国共産党の指導の下で、政府は政策、資金、技術、協力、保障などの各方面から、全方位的に食糧生産と貧困扶助の事業を推進し、そして社会保障システムの建設をしっかりと打ち立てる。これは、生存問題の解決に対して世界的に重要な参考の意義を有する。生存問題解決に対する中国の経験は、中国の道の重要な構成部分であり、それは中国の世界に対する際立った貢献である。

要するに、中国の実力が強まるにつれて、国際舞台における中国の役割はますます重要になってきている。中国は世界における貧困と飢餓を解消する行動に対して、自身の影響力をたえず強化し、国際的な事務に深く関与している。中国は技術と経験を惜しまず提供し、世界各国と協力して貧困と飢餓を根本から断絶し、飢えの侵攻に苦しむ人々に食料と衣服を与え、飢餓も貧困もない、持続発展が可能な世界を共に創造する。中国共産党の第十九回全国大会の報告書が指摘しているように、中国は引き続き責任ある大国の役割を発揮し、積極的に全世界の管理システムの改革と建設に参与し、絶えず中国の知恵と力で貢献していく。

第四章

中国の特色ある社会主義の歩みの発展的貢献

新中国の建国以来、中国共産党は全民族を率いて一丸となって邁進し、中国の力を合わせて、中国の特色ある社会主義の歩みを模索してきた。1959年に、毛沢東は「中国は自立して自らの世話をし、独立して生きるだけでなく、ほかの国や民族を助け、世界のためにならなければならない。他の国と同様に、自身のためだけでなく、世界にも何らかの貢献をしなければならない」[1]と述べていた。また、習近平総書記は、中国共産党第十九回全国大会の報告書の中で、「中国は対外開放の基本的な国策を堅持し、門を開いての建設を堅持し、〝一帯一路〟の国際協力を積極的に推進し、政策の交流、インフラ施設の連結、貿易の流通、資金の流れの円滑化、国民同士の意志疎通を実現し、国際協力のための新たなプラットフォームを構築し、共同発展の新たな原動力を創出する」[2]と述べていた。六十年以上の苦しい歴史の道のりを走破した中国共産党は、精励恪勤して棘の道を恐れず切り開き、貧窮に哀

1 毛沢東『毛沢東文集』第8巻、北京、人民出版社、1999年、71頁。
2 習近平『小康社会を全面的に構築して新時代の中国の特色ある社会主義の偉大なる勝利を勝ち取ろう—中国共産党第十九回全国代表大会における報告』、北京、人民出版社、2017年、60頁。

弱を重ね、あらゆる分野で復興が待たれた旧時代の中国を、一致団結して繁栄と富強の社会主義の新中国へと築き上げ、中華民族と人類の発展の歴史に華麗なる楽章を書き添えた。近年の経済のグローバル化と近代化を背景に、習近平総書記を首班とする中共中央は、マルクス主義の基本原則と中国の具体的な実践を融合させ、経済建設を中心とし、四つの基本原則を堅持し、改革開放を堅持し、自力更生により、万難を排して創業してきた。そして、ゆとりのある社会の全面実現という決勝に望んで、新時代の中国の特色ある社会主義の偉大なる勝利を獲得することは、歴史的にも画期的な大きな意義を有している。

第一節　中国共産党は中国を発展させることができる

中国の特色ある社会主義の歩みは、中国共産党が中国を発展させることを明らかにした。中国で物事を進めるうえで、肝心なのが中国共産党である。中国共産党の指導は、中国の特色ある社会主義の最も本質的な特徴であり、中国の特色ある社会主義体制の最大の優位性であり、中国共産党と国家のすべての事業を成し遂げるための基本的な保障である。中国共産党の指導を堅持し、改善することは、中国共産党と国家の基本であり、生命線であり、全国の各民族の利益と幸福の据るところである。中国共産党の誕生と発展は、中国の近現代社会における歴史的過程と大衆の選択によって決定されたもので、中国の政治、経済、社会などの各種要因の相互作用と発展の必然的な結果であり、近代以来の中国革命と政党の発展における歴史的選択である。中国共産党以外に、中国をうまく発展させ、中国の特色ある社会主義をよく築けるものはないということが、過去百年間の中国の革命と社会変化の実践によって証明されている。

中国共産党が与党になりえたのは、歴史の選択であり、国民の選択でもある。歴史的発展の観点から見ると、中国近代史は、中華民族の後裔に深い恥辱を与えた血と涙の歴史であり、また、中華民族の偉大なる復興を探求しつづける中国の仁者と志士の闘争の歴史である。長い間、世界の発展の最前線に立ってきた中華民族は、1840年のアヘン戦争以来、国内の封建的帝国体制の腐敗支配と西洋の帝国主義の列強諸国の侵略により、封建社会から半植民地、半封建社会に成り果てて、次第に苦難に満ちた屈辱的で悲惨な苦海に陥り、帝国主義と中華民族の間の矛盾、封建主義と民衆との対立がますます激化していた。しかし、果敢に抵抗する自立精神がある民族として、中華民族は、このまま永遠に眠ることに甘んじはしなかった。その時、中国国民の前には、二つの歴史的課題が並んでいた。一つは、国家の独立と国民の解放であり、もう一つは、国家の富強と国民の富裕であるが、この二つの課題は表裏一体で不可分のものである。先決の課題は、後続の課題のための創造、障害物の撤去が前提として必須であり、後続の課題は、先決課題の最終目的であり、必然的な要望である。中華民族の偉大なる復興を実現するために、国家存亡の機に、報国の志士たちは国民を率いて、西洋の列強や封建的な勢力と倦まず弛まず戦って、偉大なる復興の道を積極的に探っていた。1851年、洪秀全は、金田蜂起を起こし、太平天国を創設した後、内部紛争で失敗に終わったが、中国の封建主義に弔いの鐘を鳴らした。１８９８年、梁啓超と康有為をはじめとする資産階級の改良派は、戊戌変法によって、病膏肓に入った清王朝の悲惨な末路を救おうとしたが、百日維新の失敗で挫折した。１９１１年、孫文は、辛亥革命で封建専制の帝政を覆し、共和制を作ろうとしたが、袁世凱によって革命の勝利の実は横取りされた。近代では、多くの愛国者は、救国の希望を西洋の資本主義の文明成果に賭けたが、しかし、帝国主義の圧迫、封建主義による生産関係の束縛と中国の資産階級自身の軟弱性と制約によって、民族の資産階級は中国革命を最終の勝利に導くことができず、資産階級の組織や政党は中国の歴史の激流に溺れ、流されていった。中国の支配階級、農民階級と資産階級は、中国の実際の国情に即した科学的指導理論を引き出せなかったので、中国を富強にする民衆の輝かしい未来へ導けず、中国の歴史過程に存在する内外の発展問題を解決することはできなかった。それが、中国の悲惨な歴史から得られた教訓である。十月革命の砲火一声は、中国にマルクス・レーニン主義を送り、中国革命という新たな道を照らし、中国におけるマルクス主義の普及のための重要な思想的基盤を固めた。１９１９年5月4日、反帝国主義と反封建主義の「五・四」愛国運動が勃発し、中国の新民主主義革命への道が開き、中国共産党の誕生と発展に直接の影響を与えた。１９２１年には、中国史上の青天霹靂の大事変が起こった。すなわち、中国共産党の樹立であり、中国革命の様相は一新した。歴史と実践は証明している。労働者階級が歴史の舞台に立ち、その特殊性と先進性を備え、また、労働者階級の近代におけるその社会的地位が、革命の確固不抜たる信念と初志貫徹を決定したことを。帝国主義と封建主義によって長い間抑圧され、搾取されてきた中国国民が、立ち上がり、裕福になり、強くなりたいのであれば、科学的理論で武装した政党が必要なだけでなく、その政党が広範な民衆と密接に結びつき、国民の力を存分に発揮させ、全国のすべての民族を結束させ、困難な歴史的任務を成し遂げなければならない。そこで、マルクス・レーニン主義が指導する中国共産党がその必要に応じて誕生したのである。

このように、中国共産党の誕生は、中国革命の発展の情勢によって生まれた客観的な要請であり、中国の労働者運動と結合したマルクス主義の産物である。１９３０年代以来の中国の苦難に満ちた奮闘の歴史が示すのは、中国共産党が全国の各民族を結束させ、中国の歴史的任務を完遂させたことである。存亡の危機からの救済、救済から建設発展へと導いた。また、民族独立、国民解放を勝ち取り、国家富強と国民の富裕へと導いた。そのすべての成果は、中国共産党に内在する政治体制の優位性と切り離せないものである。

一、力を結集し、大事業に取り組む

力を結集して大事業に取り組むのが、社会主義体制の優位性である。中国の特色ある社会主義の事業は目覚ましい成果を収めることができたが、力を結集して大事業に取り組むことの優位性が、間違いなく成功の秘訣の一つである。経済のグローバル化という時代背景と、競争が激化する国際環境の中では、中国は、発展途上国として、民主的集中制の政治基盤を堅持したうえで、資源と力を結集してこそ、大事業や好事業を成し遂げるのである。例えば、新型工業化と情報化は、国家の富強、民族の復興、人々の幸福を実現するための最優先事項である。この最優先事項は、力を結集して成し遂げなければならない。特に、重工業やフロンティア産業などは前期投資の規模がやや大きく、スケール効果が顕著で、リターンサイクルがやや長いため、より一層、力を結集する必要がある。マルクスとエンゲルスは生産の集中化に関する論述を残している。彼らは次のように理解している。生産の社会化と集中化は、生産力の発展、特に社会的分業の発展を推進したが、資本主義の私有制に縛られる。生産力の日々の増加は、資本主義の私有制に、社会生産力の性質があるのを認めさせ、資本主義の無計画の生産から社会主義の計画生産に切り替えることを要求する。中国のように工業化が後発の国にとっては、力を集中させて資源配分の効率と主観的なイニシアチブを存分に発揮し、中国共産党と政府によるマクロ経済のコントロールを維持することによって、経済発展のための可能性を増やすよりほかはない。しかし、改革開放の加速と深化につれて、「力を結集して大事業に取り組む」ことの優位性を疑うばかりでなく、解体しようとする少なからぬ人さえ現れてきた。1982年、鄧小平は、「第六次五か年計画」と長期戦略について、「資本主義と比べて、社会主義の優位性は、全国を一つの対局と見て、力を結集して、重点を確保することである。欠点は、市場がうまく運用できず、経済が活発に機能しないところにある」[1]と論じた。それと同時に、社会主義制度の優位性を活用する際には、

1　鄧小平『鄧小平文選』第3巻、北京、人民出版社、1993年、16～17頁。

民主の科学的な意思決定という、この必須の前提を堅持すべきである。一方、我々が目指す社会主義は、マルクス主義の科学的社会主義である。それは社会発展の法則によって形成され、科学的合理性を基礎にしたものである。それにより、科学を重視し、科学精神をその本質として堅持することが、マルクス主義社会主義の本質的な要件となっている。もう一方では、社会主義の組織原理は「民主的集中制」であり、社会主義の集中とは、民主に基づく集中のことである。民衆は中華人民共和国の主人であるだけに、社会主義事業の建設には、広範な国民の参加と助言が欠かせない。したがって、中国共産党は「力を結集して大事業に取り組む」ことの優位性に対する自信を固く守り、民主的集中制に固執し、マルクス・レーニン主義の基本原理と中国の現実を結び付けてゆくことを堅持し、中国の特色ある社会主義の事業をたえず推進していかなければならない。

二、事実から真実を求め、矛盾に対処する

習近平総書記は、「事実から真実を求めることとは、党と国を興し、事実に逆らえば、党と国を害する」と指摘していた。事実から真実を求めることとは、マルクス・レーニン主義、毛沢東思想、鄧小平理論の本質と魂であり、中国共産党の思想路線の中核的内容であり、党の優れた伝統と流儀でもある。革命戦争の時期でも平和な時期でも、中国共産党は事実から真実を求めるという基本原則を長期的に堅持してきたため、国の飛躍的発展を成し遂げられたのである。毛沢東が提唱した「農村が都市を包囲する」や「火花でも野原を焼くことができる」などの戦略から、鄧小平が提唱した対外開放などの政策まで、事実から真実を求めるという思想の発展は、中国の革命と建設の過程と密接に結びつき、その外延と内包も中国社会の発展とともに絶えず変わってきた。だからこそ、中国の社会主義建設の道は、事実から真実を求めることを原点に、またそこから新たな進展を成し遂げたと言えよう。特に、中国共産党は長期にわたって、マルクス主義の基本原理と中国の具体的な実践とを組み合わせつづけ、マルクス主義の中国化を進める歴史的過程において、二大理論という成果を生み出してきた。最初のマルクス主義の中国化の重要な理論的成果は、毛沢東思想である。それは、中国の特色ある革命の道であり、実践的に証明された中国の革命と建設に関する正しい理論であり、原則と経験の集大成である。１９３８年に、毛沢東は次のように指摘した。

「抽象的なマルクス主義はなく、具体的なマルクス主義しかない。いわゆる具体的なマルクス主義とは、民族形式のマルクス主義を通じて、マルクス主義を中国という特定の環境の具体的な闘争のなかに適用することである。抽象的に適用するのではない。偉大な中華民族の一部として、この民族の血と肉につながった共産党員になるのである。中国の特徴を抜きにしてマルクス主義を語れば、そこに残るのは、抽象的な空虚なマルクス主義にすぎない。したがって、マルクス主義の中国化とは、その表現のすべてに、中国の特徴を持たせることである。つまり、中国の特性に従って、それを適用させることは、党全体が早急に理解し、直ちに解決すべき緊急の課題なのである」[1]

第一次のマルクス主義の中国化の実践成果は、革命期の戦局を逆転させる決定的な働きをしただけでなく、次の中国化という飛躍の時にも重要な役割を果たし、中国の新民主主義から社会主義への移行を成功裏に終わらせた。さらに、過渡期には、中国の特徴に適した社会主義改造の道を開き、そして、中国における革命や、革命の勝利の獲得や、革命の転換などをいかにすべきか、また社会主義をいかに進めるべきかという一連の問いにも総体的に答えてきた。それは、中国共産党が中国革命の発展法則の認識を一層深めた証である。ある意味では、第一次のマルクス主義の中国化の実践的成果は、第二次の歴史的飛躍に、一定の政治的、経済的、文化的、社会的基盤を提供したと言える。第二次のマルクス主義の中国化の主な理論的成果は、鄧小平理論、「三つの代表」の重要思想、科学的発展観、および習近平新時代の中国の特色ある社会主義思想を含む、中国の特色ある社会主義の理論体系である。中共中央は中国の特色ある社会主義を建設し、社会主義市場経済を発展させ、中国の経済体制の改革を実施するなど、社会主義を基本に据える経済制度と市場経済を有機的に結合させ、「公有制を主体とした複数の所有制経済の共同発展による結合」の基本的な経済体制を確立し、初期段階の形ではあるが、中国の国情に応じた社会主義の市場経済体系のモデルを構築した。社会主義の条件下で市

1　『中共中央文件選集』第11冊、北京、中共中央党校出版社、1991年、658〜659頁。

場経済を発展させることは、マルクス主義の理論を創造的に発展させる過程において産み出した中国共産党の歴史的貢献であり、中国の経済改革が成功を収めるに至った基本的な経験である。

三、学習に研鑽し、自己改善する

中国共産党は「市場経済」「国家ガバナンス」「社会組織」など、世界各国の文明のあらゆる有益な成果を積極的に学んできた。それは、経済発展の活性化や、社会の調和を促すだけでなく、中国共産党に自らの限界をたえず克服させ、強い生命力を表すことを可能にする。１９９２年、鄧小平は南方視察の講話で、「社会主義が、資本主義に対して比較的優位性を獲得するためには、人類社会が生み出したすべての文明の成果を大胆に吸収し、学ばなければならない。現代の社会生産の法則を反映させた、資本主義先進国を含む世界の国々の高度な経営方法や管理方法を吸収し、学ばなければならない」と指摘した。[1]中国共産党は、マルクス主義の指導の下に創立され、発展し、成長する学習型の政党であり、学習を重視することは、中国共産党の優れた伝統であり、中国共産党の力は組織にあり、組織の生命は絶え間ない学習にある。革命期であろうと建設期であろうと、能力不足による狼狽を防ぐために、中国共産党は、常に学習をチーム強化の有効的な手段として活用し、党の事業の繁栄を継続的に推進してきた。中国共産党は創立されて以来、全国の各民族の国民を率いて、三つの偉業を成

1　鄧小平『鄧小平文選』第3巻、北京、人民出版社、１９９３年、３７３頁。

し遂げた。第一に、国民を頼りに、中国共産党は、新民主主義革命を完成させ、民族の独立と民衆の解放を達成した。第二に、国民を頼りに、中国共産党は、社会主義革命を完成させ、社会主義の基本制度を樹立した。第三に、国民を頼りに、中国共産党は、改革開放という新しい偉大な革命を起こし、中国の特色ある社会主義を開拓し、堅持し、発展させた。そこからもわかるように、中国共産党が世界の注目を集める大きな成果をあげて、常に旺盛な生命力を保っているのは、マルクス主義の理論の学習を怠らず、マルクス主義の中国化、近代化、大衆化を常に推し進めてきたからである。情報技術の急速な発展と国際政治の多方面にわたる変化という新しい状況においては、中国共産党は、精神の怠慢、能力不足、大衆からの離脱、消極腐敗などのリスクを回避し、必然の王国のことをより早く理解し、無謀さを最小限に抑えるために、学習を引き続き重視しなければならない。絶え間ない学習と革新によって、中国共産党は、国民の利益のために、「真実に固執し、間違いを修正する」過程で、独自の特徴を持つ修正メカニズムを形成してきた。中国共産党は、革命期と執政期において、例えば、1927年の大革命の挫折、1934年の第五次反「包囲」作戦の失敗、1958年の「大躍進」と人民公社運動の失策など、さまざまな険しい生死の境を切り抜け、何度も危急存亡の危機が迫った試練を受けたが、しかし、結果として、小さいものから大きなものへと、弱いものから強いものへと成長を続けたのは、中国共産党が常に、時代の変化に適応し、幾度も自分の過ちを正す勇気をもっているからである。また、その過程において、一回一回の修正のなかから、経験から教訓を引き出し、勢いよく育ってゆき、最終的には中国国民を率いて、新民主主義革命、社会主義革命の勝利を得て、改革開放の偉大なる革命を進めたのである。中国共産党がつよい修正能力をもつことができるのには、主に三つの理由がある。第一に、中国共産党が「事実から真実を求める」という思想路線を長く堅持してきたことだ。即ち、事実に基づき、理論を事実に結び付け、事実から真実を求め、実践のなかで真理を検証し、また発展させていくのである。第二に、中国共産党が大衆路線を長く堅持してきたことだ。即ち、すべては大衆のためであり、大衆に頼って、大衆から出て、大衆のもとへ行きついて、党の主張を大衆の意識的な自発行動に変えるのである。大衆路線は、党が革命、建設、改革の偉大な業績を達成するための生命線であるだけでなく、党が自らの過ちを正す基本的な保証でもある。第三に、中国共産党が民主集中制を長く堅持してきたことだ。即ち、民主に基づいた集中と集中指導のもとで民主を結合させる制度である。民衆的集中制は、党の基本的な組織体制と指導体制であり、政権の建設にも適用されている。民主的集中制は、一方で、「民主」を強調するが、意思決定の正しさを保障するだけでなく、専制主義の誤りの醸成と悪化を防ぐことができる。他方、民主集中制は「集中」を強調するが、党の決議を効果的に貫徹させるだけでなく、無政府主義的な誤った思想の増殖と蔓延を克服することができる。

同時に、マルクス主義、社会主義の政治立場を脈々と継承し、堅持してきた中国共産党は、時代とともに新しい時代に適応し、新しい環境を開拓し、革新してきた。中国共産党は、マルクス主義の指導を受けた革新的な政党であり、時代とともに進化するマルクス主義の理論的本質、先進的な政党の本質、党自身が目指す価値志向が、中国共産党の革新的な政党の性格を決定している。永続する革新は、中国共産党の長期的な執政という地位を固めるための必然的な要件であり、中国共産党は長期にわたる実践の中で、歴史の各時期において、新民主主義革命の道、社会主義改革の道、中国の特色ある社会主義を建設する道を創造的に作り上げてきた。特に、中国共産党は、この三つの独自の特色がある道を主軸とし、多くのイノベーションを結集し、マルクス主義の中国化という二つの本質的な飛躍を成し遂げ、経済、政治、文化、社会とその他のあらゆるガバナンスの局面をカバーする新しい革新的体系を構築した。同時に、中国共産党の革新の歴史的伝統は、執政理論の途切れない革新にも見られる。革新的な政党に必要な要素は、ダイナミックな革新の活力と時代とともに進化する理論である。鄧小平は、先祖は無視できないが、「先祖が言っていないこと」を言う勇気を出して、「新しいこと」を言わなければならないと指摘している。[1] 中国共産党の指導者の多くは、任期中に現れた大きな課題に取り組むための革新的な理論を掲げてきた。毛沢東思想、鄧小平理論、「三つの代表」の重要思想、科学的発展観から、習近平の新時代の中国の特色ある社会主義思想まで、いずれもが、理論革新に対する多くの指導者の深い理解と思考を反映し、歴史の実践の中で、中国共産党の革新の伝統が発揚され、継続されていく。また、中国共産党の民主的集中制は、理論から実践へという革新の深化と変容を保障し、イノベーションの普及における様々な障害や困難を克服した。全体が一丸となって、革新という事業の発展を推進してきた。中国共産党の理論と実践の歴史からみると、中国共産党が大きな

1　鄧小平『鄧小平文選』第3巻、北京、人民出版社、1993年、91頁。

歴史的使命を担える重要な原因は、常に革新を堅持している点にあるが、それは、人々の心を一つにし、社会の各界を結束させる成功の経験にもつながる。

四、法律を尊重し、目標を明確に

マルクス主義は、人類の社会発展の普遍的法則を明らかにしたものである。資本主義の生産方式、生産関係、及び交換関係から資本主義の内的矛盾——生産の社会化と生産手段の私有化との間の矛盾——を分析し、社会主義が最終的に資本主義に勝利することが人類の社会発展の歴史的趨勢であるとし、社会主義の勝利と資本主義の崩壊が不可避であると指摘している。しかし、社会発展の客観的な法則は、自然界の発展の客観的な法則とは性質が違う。自然界の客観的な法則は、人間の意識が関与することなく、自然発生として作用するのに対して、社会発展の客観的法則は、人間の意識の関与で機能するのである。したがって、新民主革命、三大改造から社会主義建設までの間に、中国共産党は、社会主義と共産主義の主な思想をたえず大衆に広め、実践から社会発展の法則を探求し、歴史的進化の法則を掌握することに努め、党の路線と政策をより科学的かつ正確に策定し、無謀さを回避し、勝利を目指すのである。党の歴史的経験から見れば、中国共産党は、人類の社会発展の一般法則を把握したうえで、中国の社会発展の法則の特殊性を探求してきた。中国は、他国と違う特殊な国情があるため、独自の特色のある経済基盤と生産構造をつくりあげた。それで、風変りな上部構造と、その上部構造と経済基盤との特別な関係が導かれ、中国の社会発展の特殊な法則が生まれてきた。同時に、中国共産党は、社会の発展と歴史的進化という大きな課題や苦難に直面して、この戦略的変化の客観的な必然性を積極的に認識し、社会関係の進化の特徴を正確に把握し、戦略的明快さと戦略的確実性を維持するようにしてきた。改革の全面的な深化という大きな試練に直面している今、習近平総書記は、中国の経済発展は新常態に入ったので、いかにその新常態に適応し、有利に導くかについて、私たちの理解と実践は始まったばかりで、一部の領域では、まだ問題解決の糸口が見つからないのであり、さらに広く探索をつづける必要がある、と指摘している。その際に肝心なのは、戦略的解決力を揺るがさずに維持し、情勢に応じて対策を練り、効果のある施策と方法を深く研究することである。戦略的解決力は、つきつめて言えば、各階層の指導者と幹部が、どれだけ社会と地域の発展の本質と、その規則を把握したかに基づくものだ。中国共産党が、理論学習と実践活動を意識的に組み合わせ、客観的な世界の改造と主観的な世界の改造をうまく結び付けることによって、理論を科学的な世界観と方法論という思想の力に転換できるようになり、また、中国の特色ある社会主義の認識を深め、進路への自信、理論への自信、制度への自信、文化への自信を絶えず深めることで、中国の特色ある社会主義という偉大なる事業を着実に前進させることができるのである。

執政党としての中国共産党の内的組織と制度上の優位性は、衣食が足りるという中国人の基本的な生存問題を解決しただけでなく、中国の経済と社会の発展を大いに促進した。中国共産党は、13億人以上の人口を有する大国の与党として、至難で複雑な歴史的使命を担っている。新しい歴史的特徴がはっきりと表れた新しい時代において、民主主義の不完全さ、権力の集中、「四風」(形式主義、官僚主義、享楽主義、贅沢主義）の蔓延、権力の疎外、党の基本路線の動揺などのリスクのような、ある時期のことや制度によってもたらされた内因性と外因性の矛盾が生じている。そして、上述したような中国共産党の独特な優位性を無視して、中国共産党の執政のいわゆる「欠陥」を見る人もいる。中国共産党の歴史と発展から見ると、困難とリスクは恐るに足りず、歴史的な大きな挫折に直面しても、中国共産党は常に強い生命力を見せ、中国共産党は、いかなる社会的、歴史的困難をも克服する自信、解決力と能力を具備している。中国共産党が社会開発の法則に従い、現在の歴史的特徴を把握しさえすれば、必ず、全国の国民を率いて、現在の各方面から湧いてくる内外のリスクを克服し、中国の特色ある社会主義の事業に、より大きく、より新しい歴史的成果を導くことができよう。

第二節　中国の特色ある社会主義は中国の躍進を可能とする

中国の特色ある社会主義の歩みは、中国の特色ある社会主義が中国の躍進を可能とすることを明らかにした。何世代にもわたる中国共産党員の理想と探求によって支えられた、数えきれない仁者志士の念願と熱望が託された、何億もの民衆の闘争と犠牲の結晶である中国の特色ある社会主義は、近代以来の中国の社会発展の必然的な選択であり、中国の発展と安定のための必然的な方法である。改革開放以来のすべての成果と進歩の根本的な原因は、中国の特色ある社会主義の道を開き、中国の特色ある社会主義の理論体系を形成したことにある。中国の特色ある社会主義は、党と国民が長期的な実践で形成し、発展させてきたものであり、社会発展の客観的な法則、時代の特徴と国家の現実に合致した多くの独自の優位性を有している。

一、現実を重視し、国情に立脚する

中国の特色ある社会主義理論の提唱は、何事も現実に立脚し、事実から真実を求めるべきだと主張した鄧小平理論の大きな成果である。現在、中国の巨大な国情と巨大な現実が示すのは、中国が社会主義の初級段階にあり、これからも長く続くということであり、如何なる状況においても、あらゆる分野の改革と発展を推進するにも、この巨大な国情をしっかりと把握し、この巨大な現実をしっかりと足場にしなければならない。現在の社会主義建設の段階的特徴は、マルクスが提唱した資本主義の高度発展を基礎とした社会主義ではなく、不完全で、未熟で、未発達な社会主義である。すなわち、この時代と国情においては、マルクスの政治経済学理論の一部が言う実践の基礎ができていないのである。社会の生産力の未発達、制度体系と社会構造の不備などの矛盾と特徴を前に、中国の実践を出発点、立脚点とし、「社会主義の初級段階」という段階の特徴に基づいて提示された中国の特色ある社会主義は、社会主義の市場経済の道を歩み、社会主義の基本制度と市場経済を融合させ、所有制の上で、公有制を主体とした複数の所有制経済の共同発展という基本的な経済体制を堅持するものである。この所有制の構造は、伝統的な意味での単一形態である社会主義の公有制を突破するものであるが、私有制を基本とする混合所有制の制度とは区別されるものだ。それは、中国の現在の生産力発展段階に相応しい中国の独特の所有制構造である。また、分配制度については、中国は労働の量に応じた分配制度を中心に、複数の形態の分配が共存する分配制度を実施している。労働の量に応じた分配を主体として堅持することは、科学的社会主義の基本原則を具現している。また、複数の分配形態の共存の許容は、労働、資本、技術、管理などの生産要素をその貢献度に応じて分配すべく、中国の現実に合致する原則を確立する。経済管理と運用のメカニズムにおいて、私たちが図るのは、社会主義の市場経済体制の確立であり、それは、社会主義の基本制度と表裏一体のものであり、過去の社会主義計画経済と違い、また、資本主義の市場経済とも異なる。社会主義という条件のもとで、市場経済を展開させるのは、マルクス主義の発展に対する中国共産党の歴史的な貢献であり、中国の経済発展の鮮明な特色でもある。[1]改革開放以来、中国の総合国力は著しく強化され、人々の生活水準も絶えず改善され、社会の様々な事業が長足の進歩を遂げた。改革開放の実践によって、中国の特色ある社会主義が中国の現実に完全に合致し、社会主義の事業の発展に資することは、すでに証明された。我々はそれを堅持し、完全化してゆかなければならない。

二、一元による支配、原則に固執する

改革開放の初期段階で、鄧小平は、計画経済は社会主義と同じものではなく、市場経済は資本主義

1　秦宣「中国の特色ある社会主義の道の科学的意味」『思想理論教育導刊』２００７年（12）。

と同じものではないと主張していた。科学的社会主義の基本原則を堅持し、中国の現実と時代の特徴に従って明確な中国的特徴を有する中国の特色ある社会主義は、社会主義の四つの基本原則と基本的な政治原則の上での産出、発展を堅持している。即ち、社会主義の歩みの堅持、国民の民主専制の堅持、中国共産党の指導の堅持、マルクス・レーニン主義と毛沢東思想の堅持である。したがって、現代中国では、中国の特色ある社会主義の道を堅持することは、社会主義を真に堅持することである。鄧小平は、長い間の反省と実践を経て、「社会主義の本質は、生産力の解放、生産性の発展、搾取の排除、格差の二極化の排除であり、最終的には共同の富裕を実現することである」[1]と、社会主義の本質を創造的に要約して纏め上げたのである。社会主義の重大原則の堅持に基づいて弁証法的に定式化されたこの要約は、社会主義の本質についての理論を発展、深化させ、科学的社会主義への理解と認識を新たな高みに引き上げた。今日に至るまで、中国共産党の社会主義に対する理解はたえず進化している。同時に、習近平総書記は、中国共産党の指導力こそ、中国の特色ある社会主義の最も本質的な特徴だと指摘していた。この一文の指摘は、中国共産党の指導力が中国の特色ある社会主義の本質的規定に当然含まれるだけでなく、中国の特色ある社会主義の本質的規定の中で一番内核の部分で、最も基本的な属性であることをはっきりと示している。中国共産党の指導力は中国の特色ある社会主義の本質的特徴の中で最も核心的なもので、最も重要で、最も肝心な特徴である。と言うのは、それがほかの本質的な特徴に直接に影響し、それを決定するからである。中国の特色ある社会主義の本質的な特徴

1　鄧小平『鄧小平文選』第3巻、北京、人民出版社、1993年、373頁。

は、経済、政治、文化、社会、生態文明などの各分野で具現化されているが、そこには、中国共産党の指導力、社会生産力の解放と発展、国民が政権の主役であること、共同の富裕、社会の正義、社会の調和などが含まれている。その中で、中国共産党の指導力は、ほかの本質的な特徴に溶けこんでおり、その他の本質的な特徴に影響を与えるのである。

三、二つの基本の結合、矛盾の調整

「二つの基本の結合」は、ウィンウィンで共に勝つことと、協調しつつ発展することを目標とし、中国の特色ある社会主義を堅持することを前提に、矛盾する二つの側面に方向を示し、双方の矛盾を調和させる。中国の特色ある社会主義の発展の原動力は、矛盾にあり、矛盾の普遍性、客観性を認識することは、矛盾の理解と除去によってうまく問題解決し、仕事の情勢を打開する突破口に転換させることにつながる。唯物史観の観点からみれば、物質の生産は人間社会の存在と発展の前提条件であり、その過程で生まれた生産関係と生産力の矛盾と、それに基づいた上部構造と経済基盤との矛盾は、終始、人間社会を貫く根源的な矛盾である。中国共産党第十九回全国大会の報告書は「中国の特色ある社会主義が新しい時代を迎えるにあたり、中国の社会の主要な矛盾は、より良い生活を求める国民のニーズの高まりと不均衡、不十分な発展との矛盾へとすでに変化している」[1]と述べていた。この主

1　習近平『小康社会を全面的に構築して新時代の中国の特色ある社会主義の偉大なる勝利を勝ち取ろう―中国共産党第十九回全国代表大会における報告』、北京、人民出版社、２０１７年、11頁。

要な矛盾は対立的な矛盾ではなく、非対立的な矛盾であるため、矛盾を調整し、矛盾を原動力に転換させる。その鍵は調和にある。中国共産党第十七回全国大会の報告書は「社会の調和は中国の特色ある社会主義の本質的な属性である」としている。開発の不均衡不十分という主要な矛盾に直面し、中共中央は、調和のとれた社会主義社会の構築という観点から、改革と革新を通じて、社会的矛盾を解決するための一連の包括的な政治戦略を提唱した。その上で、中国の特色ある社会主義建設は、二つの基本的な側面を把握することに重点を置いているが、一つは、開発の過程で発生する問題を、発展によって解決することを堅持しなければならない。もう一つは、改革によって調和を促進し、発展によって、調和を強化し、安定によって調和を確保しなければならない。要するに、調和のとれた社会主義社会の構築は、経済、政治、文化の発展とともに絶えず発展する歴史的過程であり、社会主義社会の歴史的段階全体を貫くものである。新世紀の新段階では、中国は未曾有の発展の機会と前例のない挑戦に直面しているため、中国共産党は、常に冷静さを保ち、治に居りて乱を忘れず、より積極的に正面から矛盾に対処し、その解決に取り組み、調和の要素を最大化し、不調和な要素を最小限に抑え、経済と社会の開発を基盤に、一連の社会的矛盾を処理し、解決し、社会の調和を絶えず促進すべきである。

四、自己革新、全面進歩

中国の特色ある社会主義は、経済建設を中心とした社会全体の進歩を推し進め、一人一人が最善を尽くし、適材適所で、調和のとれた建設と発展の状況をしだいに形成してきた。社会の活力と労働者の意欲は、社会の発展の源泉と原動力であり、社会的調和の基礎であり条件である。全員が最善を尽くし、適材適所で調和のとれた建設と発展の状況を形成することは、社会の活力を刺激し、プラスの要因を総動員することに役立っている。中国の特色ある社会主義の構築と発展の過程は、実際には、すべてのプラスの要素が最も広範に、最も完全に動員される過程であり、各方面の意欲、主体性、創造性が発揮され、創造の活力が絶えず高められていく過程である。[1]近代以来、人間社会は四つの科学技術革命を経験し、そのたびに偉大なイノベーションの時代を生み出した。情報技術を核とした第四次科学技術革命（世界新科学技術革命）は、知識経済の台頭を牽引している。科学技術の革新は社会主義の発展を促進する基本的な原動力であり、生産力は人間社会の発展の究極の決定力である。1980年代、鄧小平は「科学技術は第一の生産力である」と重い発言をし、「マルクスは、科学技術は生産力であると言ったが、事実はこの発言が間違っていないことを証明している。私の考えでは、科学技術は、第一の生産力である」[2]と述べた。「第一の生産力」を含まない社会主義は「不適格」な社会主義であり、中国は「高度な技術を発展させ、工業化を実現」しなければならず、科学技術と経済体制改革という両者の融合の問題を解決し、科学技術によるイノベーションの問題を解決しなけれ

1　秦剛「中国の特色ある社会主義の道の革新性、及びその国際的意義」『現代世界と社会主義』２００８年（４）。
2　鄧小平『鄧小平文選』第３巻、北京、人民出版社、１９９３年、２７４頁。

ばならない。中国共産党第十九回全国大会の報告書は、「イノベーションは、発展をリードする第一の原動力であり、近代化の経済体系の構築のための戦略的な支柱である」と明記している。中国の特色ある社会主義の建設は、所有制構造の革新を出発点とし、関連する法律や規制を絶えず整備し、科学技術の開発計画を改善し、科学技術のイノベーションのための要素と他の社会的生産要素の有機的な融合を促進し、広範かつ多層的な革新の協力メカニズムの探求に取り組むことによって、国民の思想、道徳の素質と科学、文化の素質を大幅に向上させ、経済と社会全体の進歩のための強力な精神的な原動力と知的支援を提供してきた。イノベーションは、科学技術体制、教育体制、企業制度など人材や科学研究に関わるあらゆる分野をカバーする複雑で体系的な事業である。中国の特色ある社会主義の建設は、理論革新、制度革新、科学技術の革新を精力的に推進し、国家革新体制をさらに改善し、誇らしい中国国民の自主的な革新能力を、国家と社会の発展の様々な産業、分野において具現化させている。

五、原則の堅持、柔軟な発展

中国の特色ある社会主義建設は、まず第一に、原則を厳守しなければならない。即ち、四つの基本原則と中国の特色ある社会主義の基本戦略を堅持し、旗印を変えてはならず、広大な国民の基本的利益を断固として守り、中華民族の偉大なる復興の戦略的目標をしっかりと実現化しなければならない。同時に、中国の特色ある社会主義を構築するための柔軟性の重要さも認識すべきである。柔軟性がなければ、中国の特色ある社会主義は活力と生命力を失い、その役割を果たせなくなる。マルクス主義は、既製のドグマではなく、さらなる研究の出発点であり、そのような研究のための方法を提供している。マルクスとエンゲルスは、未来の社会について科学的に予測する際に、完全不変のパターンを決して規定せず、異なる国の社会主義の発展の道筋、方法、特徴については答えなかったが、その代わりに、各国の共産党による自らの創造を期待した。したがって、科学的社会主義の理論一般を具体的な理論に転換し、各国の科学的社会主義の実現形態と現実的な形態を見出すことによってのみ、科学理論の指導的機能を真に果たすことができるのである。事実から真実を求め、思想の解放に基づいた中国の特色ある社会主義の建設は、人類社会が生み出したすべての文明の成果を大胆に吸収し、資本主義の先進国を含む世界の国々から、近代化された生産法則を反映した先進的な経営方法や管理方法を吸収し、手本としていくべきである。特に、中国の特色ある社会主義の特徴を把握すべきである。中国の特色ある社会主義の特別さは、その道筋、理論、制度に現れ、そして、その特別さは実現方法、行動指針、基本的保証などの内在の連関性にあり、また、その特別さは中国の特色ある社会主義の偉大なる実践によってすべてが統一されているというところにある。原則性と柔軟性の統一だが、社会主義の建設の過程で生じる矛盾や問題を効果的に解決するために、政治原則を堅持しながら改革と革新を行う。改革と革新は、社会主義社会における基本的な矛盾の運動によって生まれる客観的な要件であり、社会の基本的な制度のすべては変えないことを前提に、生産力の発展の性質、水準、要求の変革に応じるために、平和的に生産関係と上部構造の関係を調整する。改革と革新は、社会の基本的な矛盾を解決する基本的な方法であり、中国の特色ある社会主義の発展を促進する直接の原動力である。

六、人本主義で経済を発展させる

中国の現段階における主な矛盾は、より良い生活を求める国民のニーズの高まりと、不均衡で不十分な発展との矛盾である。中共中央は情勢を見極め、改革開放を決行し、社会主義市場経済を確立し、公有制を主体とした、複数の所有制経済の共同発展の基本的な経済制度を樹立した。続いて、人本主義の科学的発展観と国民を中心とする発展思想を打ち立て、人を価値の核心と社会の本位に据え、人の生存と発展を社会の発展の最高の価値目標とし、国民の主体性を引き出し、マルクス主義の人本主義の観念を大いに刷新してきた。中国共産党が革命、建設、改革の勝利を次々と導くことができ、あらゆるリスクの試練に耐えられた重要な理由の一つは、結束できるだけの力を結束し、国民全体の熱意、イニシアチブ、創造性を存分に発揮してきたことにある。民衆は、社会の物質生産の主体であるがゆえに、最終的には、社会の発展の決定的な力となり、歴史の創造者となるのである。国民による物質的な生産と生活の実践は、すべての精神的な富の形成と発展の源である。

七、「四つの全面」、復興の牽引

「四つの全面」(小康社会の全面的完成、改革の全面的深化、全面的な法に基づく国家統治、全面的な厳しい党内統治)の戦略配置は、中国の特色ある社会主義の歩み、理論と制度を堅持し、発展させるための戦略の着手となる。「四つの全面」の戦略配置の協調的な推進は、中国の特色ある社会主義の全方向での堅持、発展のために求められるものであり、中国の発展の現実的なニーズから得られたものであり、大衆の熱烈な期待から生まれたものであり、また、中国が直面している顕著な矛盾や問題の解決を促進するために提唱されたものである。中国の夢を実現するために、「四つの全面」の戦略配置は重要な歴史的意義を有している。小康社会の全面的完成は基礎となるもので、中国の夢を実現するための一里塚であり、中国の特色ある社会主義の持続と発展に新たな意味合いを盛り込み、中国共産党の責任と使命を完全に具現化するもので、新しい中央指導部が全国民に宛てた厳粛な承諾である。改革の全面的深化とは、原動力である。それは、中国の発展が直面する一連の未解決の矛盾と問題を解決し、持続的で健全な経済社会の発展を達成し、国民の生活を継続的に改善するために必要なものである。全面的な法に基づく国家統治は、支えである。それは、中国の特色ある社会主義の堅持と発展のための本質的な要件であり、重要な保障であり、国家のガバナンス体制の実現とガバナンス能力の現代化の必須要件である。全面的な厳しい党内統治とは、鍵である。それは、小康社会の全面的完成、改革の全面的深化、全面的な法に基づく国家統治という三者のための政治的保障と組織的保障の役割を果たすだけでなく、中国の夢を実現する鍵なのである。中国の夢の実現には、この「四つの全面」の戦略配置が提供する強固な基盤と強力な推進力がなければならず、「四つの全面」の協調的な推進は、中国の夢の価値主導と目標志向なしには、実現できない。「四つの全面」は「問題志向」と「科学的思考」を堅持し、理論的、実践的、歴史的なロジックが弁証法的に統一された形を呈するもので、社会主義の発展の法則、改革開放、近代化建設の法則、マルクス主義の与党建設の法則に対する認識を豊かにし、中国の夢の実現を導く戦略的配置なのである。

中国の特色ある社会主義の道は、社会主義の近代化を実現する唯一の道であり、国民のより良い生活を創造するための必然的な道である。中国の特色ある社会主義の理論体系は、中国共産党と中国国民が中国の特色ある社会主義の道に沿って中華民族の偉大なる復興を実現するための正しい理論であり、時代の最先端に立ち、時代とともに進歩する科学的な理論である。中国の特色ある社会主義の制度は、現代の中国の発展のための基本的な制度の保障であり、はっきりした特徴を有し、明らかな制度上の優位性があり、自己改善のための強力な能力を有する先進的な制度である。

第三節　改革開放は発展途上国が近代化に向かう根元的な動力である

中国の特色ある社会主義の歩みは、改革開放が発展途上国の近代化と西洋の発展水準に追いつくための基本的な原動力であり、重要な武器であることを示している。途上国が達成すべき近代化の目標は壮大である。しかし、その目標の達成は、様々な制度、メカニズムの弊害と時代遅れのイデオロギーによって妨げられている。それらの制度、メカニズムを絶えず改革し、それらのイデオロギーを打破することによってのみ、近代化の道が順調に開くのである。中国共産党は、改革開放を通じて社会主義を苦境から脱出させ、社会主義の近代化建設の新たな局面を切り開くという歴史的責任を負ったが、経済的、文化的にも後進国である中国で、その歴史的責任を果たす上での一番の課題は、「社会主義とは何か、社会主義をどのように構築するか」という問いに答えることであった。鄧小平は、「経済改革に取り組んでいる今、社会主義の道を歩み続ける必要があるが、（中略）しかし、問題は社会主義とは何か、どのように社会主義を構築するかである。多くの教訓があるが、最も重要なのは、その問題を明らかにすることである」[1]と指摘している。そして、その問題を解明するには、がんじがらめの思考の束縛を捨てて、重い歴史的、思想的な重荷を捨て、思想を完全に解放しなければならない。「四人組」が粉砕された後、広大な大衆は、過去の「左翼」思想と政治路線の是正を強く要求した。しかし、「二つのすべて」（すべての毛主席の決定は断固守らねばならず、すべての毛主席の指示には忠実に従わなければならない）の誤った主張は、なお人々の心を縛り付け、混乱を鎮めて正常に戻したいという国民と大衆の積極的な要望を抑圧しつづけている。鄧小平は「思想の解放、事実から真実を求め、団結し、前進しよう」という正しい主張を提唱し、「実践こそ真実を試す唯一の基準」という軸となる論を打ち出し、人々の長年束縛された心を解放し、事実から真実を求める思想路線を復活させ、理論と路線の過ちの修正を行い、経済建設を中心とし、改革開放を堅持し、四つの基本原則を堅持するという党の基本路線を確立したのである。

1　鄧小平『鄧小平文選』第3巻、北京、人民出版社、1993年、116頁。

ソ連と東欧の激変後、社会主義はかつてないほど深刻な課題に直面した。社会主義がどのように発展するかは、しばらくの間、社会のホットな話題になり、中国社会では「左翼」と「右翼」の両論が白熱した議論を展開した。この重大な局面で、鄧小平は、党の基本路線を百年間揺るがすことはないと明言した。社会主義に固執せず、改革開放を行わず、国民の生活水準を向上させなければ、行き止まりの道しかない。鄧小平の南巡講話、特に「三つの有利」な判断基準は、党員幹部と大衆の思想をさらに解放し、改革開放の歴史的ペースを促進し、中国の特色ある社会主義の歴史的な過程を加速させた。鄧小平は、改革開放戦略の実施に向けて、主に考慮すべき二点を挙げた。一つ目は、グローバル化時代という大きな背景である。その「三歩走（三段階に分けて進める）」の全体的な戦略計画によると、二十一世紀中葉までに、国民の生活を比較的豊かにし、現代化を基本的に実現し、一人当たりのGDPを中程度の先進国並みのレベルにし、国民に比較的豊かな生活を送らせるためには、中国は積極的に改革開放政策を推進し、グローバルな国際分業、資源要素の流動化、産業の移転の流れに乗り、中国の近代化産業の発展のために大量の外国資本と技術を投入しなければ

ならない。二つ目は、実際の国情との結合である。二十世紀末、中国の労働力資源は比較的豊富で、総供給は需要を上回っていたが、経済と科学技術の基盤は非常に弱かったので、中国が競争の激しい国際情勢の中で急速に発展し、上位を目指すのであれば、世界各国との貿易協力と技術交流を強化することが求められた。過去四十年間の経済発展からわかるように、改革開放は、中国の近代化建設によって元の制度の束縛を打破し、近代化のための広い発展の余地を提供し、社会主義の近代化のプロセスを加速させた。経済においては、高度に中央集権化された計画経済の運営形態を転換し、人間社会に共通する、経済の運営調節に効果的な形態である市場経済を、徐々に中国の経済構造に導入することで、中国は従来の計画経済から社会主義市場経済への転換を実現し、社会生産力を大いに解放し、発展させてきた。改革開放後に確立された社会主義市場経済体制は、社会主義制度の優位性と市場経済の活力の両方を十分に発揮し、資本主義の市場経済固有の弊害を回避しながら、西洋の先進国の市場経済の成功経験を大胆に引き寄せた。それは実践によって証明されている。第十四回中国共産党中央委員会第三回全体会議で採択された「社会主義の市場経済体制の確立に関する中国共産党中央委員会の決定」は、第十四回全国人民代表大会（全人代）で定められた目標、要件、原則を体系化、具体化して明記し、社会主義の市場経済体制の基本的な枠組みを構築した。「社会主義市場経済」の概念は、鄧小平理論の指導の下での市場志向の改革開放の実践であり、特に鄧小平の南巡講話後の新たな改革開放の実践経験から導き出されたものである。

改革開放から四十年以上にわたり、中国共産党と中国国民は、「社会主義とは何か、社会主義をどのように建設するか」という第一義の根本的な問題をめぐって、真理の基準について深い議論を交わしてきた。歴史的唯物論の観点から見れば、社会主義とは、常に発展し、常に改革し、常に改善を必要とする社会のことである。生産力と生産関係、経済基盤、上部構造の矛盾による動きは、社会の発展の原動力である。生産力が発達すると、もともと生産力によって成立し、それに適合していた生産関係が、しだいにだんだん適合できないものとなり、比較的安定した状態を継続的に維持できないほどになる。そうなれば、生産関係は変更を余儀なくされる。生産力の発展の状況に応じた新たな生産関係によって、古い生産関係を置き換えなければならない。改革開放は社会主義の発展のための基本形であり、社会主義の発展の内的推進力である。社会主義は人間社会の発展史における新たな発展段階として、人間社会の発展史における他のすべての発展段階と同様に、不断の発展と改善を必要とする。改革開放以来の事実は、改革だけが社会生産力をさらに解放し、発展させること、改革だけがマルクス主義の基本原理と各国の具体的な現実とを融合した社会主義を樹立し、発展させること、改革だけが社会主義を発展させることを証明している。

中国の特色ある社会主義の歩みは、近代化の発展過程における改革、発展、安定の関係、政府、市場、社会の関係を正しく把握することが、発展の問題を解決する上で特に重要であることを示している。中国の発展の不均衡と不十分の矛盾を解決するには、市場経済と市場メカニズムの力を利用する必要があり、その動学的なメカニズムは特に重要である。発展には、発展を妨げる制度とメカニズムの障壁を打破し、良好なガバナンス体制を確立する改革が必要であり、その際、政府の機能を変革し、その力をよりよく発揮させることが重要である。計画経済の時代には、政府は社会全体のほぼすべての資源を独占し、主に行政性、指令性のある計画組織、生産の指揮、他のすべての社会問題の管理を任せられ、経済と社会生活において至らぬところのない、全般を管理する「全能」政府となっていた。長い間、政府は、管理すべきではないところ、管理しようのないところ、各種の社会の力で分担すべきだったところを管理してきたため、経済発展を遅らせ、社会の単純な画一化の進行で、国民の生活が改善されない状態を作り出した。改革開放後、国家は市場志向の改革の要求に応えるため、行政と企業の分離（実態は分業になるが）、所有権と経営権の分離、直接管理方式から間接管理方式への転換、単純な行政手段から、経済的、法的手段の運用への移転など、政府機関の行政改革を何度も実施し、初期の成果を上げてきた。しかし、長年の投資主導型の粗放的経済発展のパターンが根本的には変わっていないため、地方政府がＧＤＰの成長ばかりを追求する投資衝動を抑え難く、経済発展と同時に、建設の無駄な繰り返し、資源の浪費、環境悪化、利益と効率性の低下などの深刻な問題が発生している。また、市場経済は、整序化していないため、行政の許認可の縮小や市場アクセスの規制緩和があったものの、利権獲得をめぐる関係部門間の分断を効果的に処理できず、市場や企業に対する管轄部門による行政の介入が依然として多かれ少なかれ存在し、資源配分における市場の働きが阻害されている。そして、一部の独占的な産業における資源の独占的な利用と超過利潤、官僚の商業的贈収賄やレントシーキングの行為により、市場競争における機会不平等が生じ、市場主体の権益が侵害されている。さらに、市場の淘汰メカニズムによる資源の最適配分の一方で、社会の構成者間の所得格差の拡大、企業の破産によるレイオフ、雇用面の圧力の増加、弱者層の困難の増大、地域開発の不均衡など、社会の公平性と公正性の問題が日増しに表面化してきた。上記の状況から、経済の急成長が続く中で、社会の調整メカニズム面の困難と新たな試練が浮上してきていることが分かる。[1]

改革と発展の過程において、特に中国が相対的に発展を遂げてから、社会では、多くの権利主張と要望が飛び交い、トラブルの多発期に入り、安定性の問題が浮き彫りになってきた。こんな時こそ、バランスの取れたメカニズムを確立し、機能させ、社会各界の参加による力を積極的に発揮することが大切である。したがって、近代化の実現の過程において、中国は改革、発展、安定の関係と、政府、市場、社会の関係を正しく把握し、動学的メカニズム、バランスメカニズム、ガバナンスメカニズムを十分に活用し、三つのメカニズム間の協調と相乗を実現し、中国の急速な発展を実現した。実際に、計画と市場の結合、市場経済と社会主義の結合、「見える手」と「見えない手」の結合について中国が打ち出した理論と実践は、発展途上国を含めた今日の世界が経済発展の道を追求する上で、重要な貢献を果たすものである。実際の経済の発展において、ケインズのマクロ経済学が、市場メカニズムは万能ではないと早くに指摘していた。独占の存在、情報の非対称性、非営利の公共財の分野は、市場メカニズムの機能不全につながる可能性がある。市場メカニズム自体が、所得分配の不平等、経済変動などの市場の欠陥をも生み出す。市場の失敗とその欠陥に対処するのは、まさに政府が介入して機能を発揮すべき分野であり、すなわち、「市場による効率性の実現と政府による公平性」をはかる

1　彪松「改革開放と中国経済社会の近代化モデルチェンジとインタラクタティブ」『中国共産党史研究』２００８年（６）。

べきである。実際、中国の四十年間の改革において、政府の主導と市場化が共存してきた。政府主導は効率と公平を両立させようとしているが、効率性の保障が難しく、市場化の効率が優先されがちで、公平性が具現化しにくく、公共部門の建設が進まない結果となった。したがって、社会主義の市場経済の構築は、市場メカニズムの導入と政府主導の堅持の両方が必要である。これらによって、長期的に健全な経済発展と基本的な社会的安定を維持することができる。中国の経済社会の変貌と市場の主体性の伸長に伴い、政府がいかに自らの役割をうまく果たせるかが、日増しに注目される問題となってきた。かつては、経済社会の変革による利益構造の変化という焦点に目を向けず、政府体制の改革は外的圧力と内的動機を欠き、簡素化と肥大化のサイクルから脱却できなかった。明らかなことに、従来の経済発展に偏ったやり方は、経済、社会の二重層の変化による本質的な要望を満たせなくなった。政府の機能の「ミスアライメント」「行き過ぎ」「不在」の問題を抜本的に解決するために、中国共産党第十九回全国大会の報告書は、社会主義の市場経済体制の改善を加速させなければならない、また「経済体制改革は、財産権制度と要素の市場分配の改善に重点を置き、財産権の効果的なインセンティブ、要素の自由流動化、価格変動の柔軟化、公正で秩序ある競争、企業の適者生存の淘汰を実現しなければならない」[1]と指摘した。そのためには、現段階の経済体制改革の背景をより正確に定義し、経済体制改革における政府と市場関係の合理化の重要性をより深く理解し、新たな状況の中で政府と

1　習近平『小康社会を全面的に構築して新時代の中国の特色ある社会主義の偉大なる勝利を勝ち取ろう――中国共産党第十九回全国代表大会における報告』、北京、人民出版社、2017年、33頁。

市場関係の合理化によって、経済体制改革を包括的に深化させる必要がある。現段階では、中国は社会主義市場経済体制を完成させる時期にあるが、経済社会の発展における不均衡、不調和、持続不可能な問題が顕著であり、これらの問題は経済体制改革の深化を通じて早急に解決されなければならない。社会主義市場経済体制の改善は改革目標であり、経済体制改革の深化は社会主義市場経済体制を改善する方法であり、政府と市場の関係の合理化は、経済体制改革を深化させるための核心である。この重層的で漸進的な全局的な考えの下で、政府と市場の関係の合理化は、経済体制改革の深化と社会主義市場経済体制の改善という歴史的課題の中心にある。このことから、政府と市場の関係の合理化は、経済体制改革を深化させるための核心であり内在の要求であり、社会主義市場経済体制を改善する上でとても重要であることが分かる。政府と市場の関係を扱う上で注意すべき点は三つある。一つ目は、両者の境界、機能と強みを明確に理解し、社会経済の異なるレベルや異なる分野でそれぞれの適切な役割を遂行させ、無理に域を越えたり、場所を間違えたりしないようにすることである。二つ目は、両者の機能と役割を十分に活用し、「両手」ともに使い、相乗効果を狙うことである。そうでなければ、市場の役割のポジティブな効力は落ち、ネガティブな影響が広まるだろう。同様に、政府のポジティブな効力が落ち、政府のイメージや信用力はダメージを受け、経済面の重大な損失をもたらす恐れがある。したがって、両者のどちらかに偏ったり軽視したりしてはいけない。三つ目は、政府と市場は有機的に統合されるべきで、政府は市場経済の法則を尊重し、経済の法則に沿って意識的に行動すべきで、市場は政府の指導、監督、制度的規範の下で運営されるべきであることだ。このようにして初めて、政府と市場の強みが存分に発揮され、両者の健全な相互作用が実現される。そのためには、中国共産党第十八期三中会議と中国共産党第十九回全国大会の精神を踏襲し、「市場が資源配分において決定的な役割を果たすようにする」と「政府の役割をよりよく果たすようにする」という要求に応えて、経済体制と行政体制の全般にわたる改革を深めていかなければならない。次の改革をしっかりと行うことも肝要である。第一に、市場化の改革を推進し、現代の市場体系の改善を加速させることだ。第二に、基本的経済制度の堅持と改善をし、企業改革に力を入れ、深化させることだ。第三に、政府自身の改革を加速させ、政府機能を完全に正しく遂行することだ。政府と市場との関係に対処する意義はより重要なものとなり、難度もより増している。一連の特殊で複雑な問題の研究と解決をし、理論と実践の革新を推進し、改革の法則の把握と適用に努め、国家と国民の事業をよりよく促進させる必要がある。[1]

政府と市場の関係は、経済体制改革の核となる問題であると同時に、包括的な改革に関わる重要な問題でもある。この二者の関係の合理化と調整は、生産関係と経済基盤の変化と、上部構造領域における特定の連関部と分野とに密接に関連している。社会主義の市場経済の改革は、必然的に他の分野の改革を伴うものであり、それらの改革と調和し、適応していくためには、社会主義の市場経済の改革の方向性を、政治制度、文化体制、社会体制、生態文明体制などの制度とメカニズムの改革に浸透させ、社会主義の市場経済体制の改善という目標をめぐって、あらゆる分野の改革を展開させ、推進

1　魏礼群「政府と市場の関係の正しい認識と処理」『全球化』2014年（4）。

していく必要がある。

第四節　中国の発展そのものが世界の発展に貢献している

中国の発展は、それ自体が世界への発展的貢献である。中国の発展は、全世界に多くの低コストの日常生活消費財やハイテクの中国製品を提供し、貢献してきた。多くの国々で、中国で生産された日常生活用品や、輸出した中国の高速鉄道が見られるが、これも世界への貢献である。航空、自動車、携帯電話、コンピューター、テレビなど、中国の世界市場の発展の幅を広げ、先進国の資本がより多くの利益を得る機会を提供している。また、中国が実施している「一帯一路」協力構想のように、一部の国が中国の発展の成果を共有することが可能となり、それによって陸上と海上のシルクロード沿いの国が恩恵を受けることになる。中国は世界最大の貿易国となり、その勢いが続けば、世界に巨大な市場を提供することになる。したがって、中国の発展を正しく成し遂げることは、世界の発展への最大の貢献となる。

１９８０年代以降、経済のグローバル化の波が急速に進展する中で、中国経済は長期的に、速いスピードの急成長の勢いを維持し、世界経済における地位は上昇の一途をたどっている。２００８年の国際金融危機の勃発は、世界経済のパターーンの大規模な再編プロセスをさらに加速させた。財政と債務の危機に引きずられて、主要先進国は景気回復が遅く、世界的な影響力を著しく低下させている中で、新興国経済の台頭は大きなチャンスを迎えていた。中国経済は、世界平均を大きく上回る着実な成長で新たなブレークスルーを遂げ、ＧＤＰは世界第二位に躍進し、世界経済の重要な牽引役となっている。中国の発展が世界経済に与える影響は日増しに明らかになっている。新時代において、複雑で競争が激烈な国際経済環境や発展の過程に絶えず現れる問題、矛盾と課題に直面した中国は、自国の発展のレベルと質を向上させ、より多くのパワーで世界の発展に貢献するために、将来の世界経済における戦略的な位置づけを正確に把握し、調整し、未来志向の国際化戦略を科学的に計画し、策定する必要がある。

一、持続可能な発展、常に最前列にあること

中国共産党第十九回全国大会の報告書は、中国は「中高速の経済成長率を維持しており、世界の主要国の中でも最も高い水準にあり、ＧＤＰは54兆元から80兆元に成長し、世界の第二位で、世界経済の成長に30％以上貢献している。中国の経済は中・高成長を維持し、世界の主要国の中でトップであり、ＧＤＰは54兆元から80兆元に増加し、着実に世界第二位の座を占め、世界の経済成長への貢献率は30％以上である」[1]と指摘した。中国の持続的で安定した急速な経済発展は、世界経済の安定した

1　習近平『小康社会を全面的に構築して新時代の中国の特色ある社会主義の偉大なる勝利を勝ち取ろう――中国共産党第十九回全国代表大会における報告』、北京、人民出版社、２０１７年、３頁。

発展に強く貢献している。1978年にはわずか1・8%だった世界経済に占める中国のシェアは、2000年には、3・7%まで上昇し、2014年には13・3%まで上昇し、今世紀に入った時よりも10ポイント近く上がった。2010年には、中国はGDPが日本を抜いて世界第二位の経済大国になると発表し（その後の世界銀行のデータでは、2009年の為替レートベースの中国のGDPはすでに日本を上回っていた）、現在の中国経済の規模は日本の2倍以上になっている。[1] 中国は世界で最も重要な経済大国の一つとなった。2013年、世界経済の景気回復が鈍化し、世界経済の低迷が続く中、中国経済は依然として高い水準の成長を維持し、経済全体は新たなレベルに跳ね上がった。中国経済の急成長は、世界の国々や地域に巨大な市場を提供している。まず、堅実な経済成長により、中国の輸入需要は非常に旺盛である。中国の巨額の輸入額は、世界中の国々に多くの雇用を生み出している。近年、中国はさらに開放され、世界中の国や地域が商品や労働サービスを輸出したり、技術移転や投資を行ったりする機会がより多く増えている。次に、中国の良質な商品と優れたサービスを低価格で効率よく供給し、世界中の消費者に実益をもたらしている。世界の製造業大国としての中国の地位は、製造業の世界シェアの急上昇だけでなく、その成長で世界の製造業の成長の大きな牽引役となった、などの面にも表れている。1995年から2010年にかけて、世界のGDPと製造業の付加価値（MVA）は、それぞれ52・4%、58・1%と成長し、中国はMVAの増加のうち

1　劉偉、蔡志洲「主要経済体の比較から中国の経済成長を見る」『経済縦横』2016年（1）.

18％分貢献した。労働力、資本、技術、市場、経済発展水準と資源構造に大きな差があるため、中国経済と多くの先進国と途上国の経済との間には強い補完関係があり、中国製の商品は、生産コストが低いため安価であることが多く、長年にわたり、中国製の商品が先進国や地域で継続的に販売されているという事実から明らかになったように、世界中の消費者に歓迎されている。「メイド・イン・チャイナ」は、国際社会で最も注目されている。[1] また、「一帯一路」とアジアインフラ投資銀行などの戦略的なプロジェクトの実施により、世界への中国の貢献がさらに促進されている。最後に、中国の外貨準備高と海外投資の継続的な増加は、世界経済の安定的な成長のための重要な要素である。2015年末の外貨準備高は3兆3304億ドルで、着実に世界第一位となった。外貨準備高は、その国の経済の安定性を保障するものであると同時に、海外への投資能力を示す重要な指標でもある。巨額の外貨準備高は、中国の海外投資の着実な成長を強力に保証するものであり、世界経済の着実な成長

1　「中国の発展の世界経済への影響」研究チーム「中国の発展の世界経済への影響」『管理世界』2014年（10）。

に寄与することは間違いないのである。同時に、第十八回党大会以来、習近平総書記は、貧困削減のための新たな要求と新しいアイデアを絶えず提示し、貧困削減事業を精力的に推進し、比較的顕著な成果を上げてきた。２０１５年時点で、中国は6億人以上の人々が貧困から脱却し、ミレニアム開発目標（MDGs）の貧困削減目標を達成した世界初の発展途上国となった。２０１３年から２０１６年の間に、中国の農村部の貧困人口は年間１０００万人以上減少し、累積で５５６４万人が貧困から脱却し、貧困の発生率は２０１２年末の１０・２％から２０１６年末には４・５％に５・７ポイント減少した。中国共産党第十九回全国大会の報告書は「貧困撲滅の闘いは決定的な進展を遂げ、６０００万人以上の貧困層が着実に貧困から脱却し、貧困の発生率は１０・２％から４％未満に低下した」[1]と指摘していた。貧困地域の農村住民の所得増加幅は全国平均を上回り、貧困層の生活水準は著しく向上し、貧困地域も見事な変容を遂げた。中国が自国の貧困撲滅に尽力する一方で、多くの発展途上国の貧困撲滅にも積極的に支援、援助していることは、称賛に値する。第十八回党大会以降、中国は発展途上国への支援を強化してきた。統計によると、１９５０年から２０１６年までの間に、中国は累計４０００億元以上の対外援助を提供し、５０００以上の各種の対外援助プロジェクトを実施し、そのうち約３０００件は、セットプロジェクトであり、１１０００件以上の研修コースを開催し、発展途

1　習近平『小康社会を全面的に構築して新時代の中国の特色ある社会主義の偉大なる勝利を勝ち取ろう――中国共産党第十九回全国代表大会における報告』、北京、人民出版社、２０１７年、５頁。

上国のために中国国内で26万人以上の各種の人材を訓練、養成した。[1] 中国自身の貧困撲滅計画と対外援助の事業は、世界の貧困撲滅事業にも大きな貢献をしてきた。

二、国際貿易の発展の促進

「一帯一路」やアジアインフラ投資銀行などの主要戦略と事業が進むにしたがって、中国は労働生産性の向上、加工、製造能力と裾野産業とのマッチング能力の絶えざる向上により、次第に世界の多くの商品の主要生産国と輸出国となった。中国は、自国の生産優位性を利用し、生産要素価格の上昇と下落の影響を部分的に吸収し、世界経済の安定化と貿易国の実質購買力の向上に積極的な役割を果たしてきた。

中国の国際貿易の発展は、世界貿易の発展の重要な部分である。２０１５年、国際市場の低迷と世界貿易の著しい衰退を背景に、中国の物品貿易の輸出入総額は着実に世界第一位になり、国際市場シェアはさらに拡大し、貿易構造は引き続き最適化され、品質と効率は継続的に向上し、たやすからぬ成果を収めた。２０１５年には、中国の輸出入総額は24兆５６００億元に達した。このうち、輸出は14兆１２００億元、輸入は10兆４４００億元、貿易黒字は３兆６８００億元であった。ドル建てでは、輸出入総額は３兆９５００億ドルであった。このうち輸出は２兆２７００億ドル、輸入は

1　劉得手「中国は世界経済の安定器にして貢献者」『人民論壇』２０１７年（12）。

1兆6800億ドルであった。国際市場のシェアは引き続き拡大し、特に一部の新興国向けの中国からの輸出が急増し、インド、タイ、ベトナムがそれぞれ7・4%、11・6%、3・9%と増加した。[1]このように、中国は国際貿易の発展の重要な原動力となっている。WTO加盟以来、中国政府は、積極的に公約を履行し、法制度を強化し、関係法規を包括的に整序し、社会主義の市場経済、WTO規則、及び国際慣行の要件を満たす、統一的で完全かつ透明性のある対外経済法制度を整備するなど、多くの作業と活動を行ってきた。同時に、中国の経済成長は、世界経済における発展途上国の地位を大幅に高めた。世界経済の発展の歴史を振り返ってみると、二十一世紀以降の世界経済の様相は、過去とは異なる変化を示している。世界経済における先進国と途上国のシェアは、1960年代から1980年代前半までは基本的にほぼ横ばいで、先進国のGDPは途上国の3〜4倍程度であったが、二十世紀後半の十五年間では、先進国の世界経済におけるシェアは、それまでの80%以下から85%近くまで大幅に上昇してきた。この状況は、二十一世紀以降、途上国の、特に中国の高い経済成長に牽引されて逆転し、途上国のシェアは、以前の18%前後から2012年には31・8%へと急速に上昇しはじめ、世界経済に占める中国のシェアは、2000年の3・7%から2012年の11・6%へと上昇してきた。[2]中国は、主要な発展途上の大国として、常に新しい国際政治・経済秩序の構築に尽力

1　以上のデータは、中華人民共和国商務部が発表した『2015年中国対外貿易発展状況』による。
2　〈中国の発展の世界経済への影響〉研究チーム「中国の発展の世界経済への影響」『管理世界』2014年(10)。

し、世界経済体制に参加した後は、必ずや公正で合理的で公平で互恵的な新しい国際経済の新秩序の構築に向けて努力し、国際的な慣行とルールに厳格に従いながら事を進めていくことだろう。中国政府は、先進国と途上国の懸け橋となり、先進国と途上国の利益をめぐる衝突の解決に向けて、より積極的な役割を果たす立場になるだろう。さらに、中国の経済成長は、世界の経済状況が途上国に有利な方向にシフトすることを助長し、中国の台頭は、大国間の力関係の比率を変え、世界の多極化を促進するだけでなく、発展途上国の力を強化し、発展途上国の国際社会での発言力を高めることになる。

習近平総書記は、中国の夢は中国人だけでなく、各国の国民に利益をもたらすと指摘している。「窮すれば則ち独り其の身を善くし、達すれば則ち兼ねて天下を善くす」というのは、中華民族が常に尊んできた美徳である。13億人以上の人口を擁する発展途上国の大国である中国は、自国のビジョンをしっかり遂行することに専念している。国家の発展と安定を実現することが、そもそも世界への大きな貢献となる。同時に、中国の発展は、世界の各国にとって重要なチャンスでもある。中国は、新型工業化、情報化、都市化、農業近代化の推進を加速しており、今後も新たな経済成長のグローバスポイントが出現し続ける。これにより、国際的なパートナーや地域的なパートナーは、より広い市場、より潤沢な資本、より豊富な製品、そしてより貴重な協力の機会を得ることができよう。これは間違いなく世界の経済発展に大きな恩恵を与えることになる。中国の発展は、世界平和のための力の増強となり、友好のためのポジティブなエネルギーとなっている。中国の夢の実現が世界にもたらすのは脅威ではなく、チャンスであり、混乱ではなく、平和であり、退行ではなく、進歩であるということは、歴史によって証明されるであろう。国力の絶えざる高まりに伴い、中国は責任ある大国としての役割を一層強化し、その能力の範囲内でより多くの国際的責任と義務を負い、人類の平和と発展という崇高な事業のために、より大きな貢献をするであろう。新世紀に入ってからのこの十六年間、中国は世界貿易機関（ＷＴＯ）に加盟し、上海協力機構の設立を提唱し、中米間の新たな大国関係を積極的に構築し、中露間の戦略的パートナーシップを確立し、中国・アフリカ、中国・アラビア、中国・ラテンアメリカの協力フォーラムを開催し、特に「一帯一路」の美しいビジョンを実行に移し、アジアインフラ投資銀行を設立し、「人類運命共同体」の国際的な戦略的思考を提唱し、中国が世界へのより大きな貢献に向けて、急速に前進していることを示している。中国は世界中の国々に豊かな物質財を提供しながら、人類により多くの知的、精神的な富の方面においても貢献するよう努めている。中国は必ずやより多くの国際社会の責任を担うことになる。それは国際社会から期待されているだけではなく、中国の発展と利益にも合致することだ。それが、中国の世界の発展動向に対する深い理解であり、中国の世界に対する荘厳な決意でもある。

三、人類運命共同体の構築

二十世紀の著名な歴史家トインビーは、もしも中国が社会と経済の戦略的選択に新たな道を切り開くことができれば、中国と世界が必要とする贈り物を世界に提供するかどうかの能力を証明するだろうと、かつて指摘したことがある。今日では、その「もしも」が現実となり、中国は本当に新しい道を切り開いた。その中国と世界に提供される「贈り物」とは、まさに習近平総書記が提唱した「人類運命共同体の構築論」である。

㈠　今日の世界の難局を乗り切れない西洋文明

長い人類文明の発展の中で、世界に対する文明に対する影響力の点から見れば、ヨーロッパから繁栄した西洋文明は、輝かしいものがある。啓蒙運動の時代から近代に至るまでの三百年以上もの間、世界は西洋文明の支配下にあり、社会的生産力の発展は、それまでの人類の歴史的発展の総和をはるかに超えていた。しかし、二十一世紀に入ってから西洋文明は挑戦を受けるようになり、２００８年に国際金融危機が勃発したことにより、世界は、混沌とした状況に投げ出された。

今日の世界では、人類は、長引く経済不況、貧富の格差の拡大、経済・金融危機の深刻化、軍備・核競争の激化、戦争リスクの増大、テロ事件の頻発、資源の枯渇、環境の悪化など、人類の生存と発展を苦しめる地球規模の課題に直面している。習近平総書記は、現在の世界経済の三つの顕著な矛盾は効果的に解決されていないと指摘する。一つ目は、グローバル成長の勢いが弱く、世界経済の持続的かつ安定的な成長を支えることが難しいことである。二つ目は、世界経済のガバナンスの滞りによる立ち遅れで、世界経済の新たな変化への適応が難しいことである。三つ目は、世界的な発展の不均衡で、よりよい生活への人々の期待に応えるのが難しいことである。それは、世界の発展に影響を与える、動力、ガバナンスとバランスの三つの基本的なメカニズムに問題があることを意味している。その根底にあるのは、西洋文明のロジックの過ちである。

「西洋中心主義」は西洋文明のロジックの出発点であり、世界の難局につながる理論的な根源である。「西洋中心主義」は「二元論」と「主客分離」の哲学的思惟を恪守し、即ち、西洋世界は「主」で、非西洋世界は「客」であり、西洋世界なら「同族」で、非西洋世界なら「異類」であり、西洋世界となると「先生」で、非西洋世界となると「学生」である。西洋的価値観の普遍性と西洋的方法の独自性を誇示し、西洋文明こそが人類の真の文明であり、西洋の基準は世界基準であり、非西洋世界は西洋世界に目を向けるべきだと主張している。このようなロジックでは、「客は主人の便宜に従う」「同族は異類を差別する」「先生が学生に教え諭す」という道理になるのは、西洋にとってはごく自然なことである。西洋列強が世界を支配し、分断するウェストファーレン体制は、このようなロジックの産物である。このロジックの下では、特定の国による「普遍的価値観」の押し付け、武力による「色の革命」の輸出、主権国の内政への軍事介入などの茶番は、すべて「筋が通った」「正義の行為」である。しかし、事実上、西洋文明に「対立」と「対抗」の遺伝子が含まれているため、世界はそれで相反する対立体に切り分けられている。これでは、国際秩序は持続不可能である。

自由主義は西洋文明の精神的な支柱であり、これは世界の難局につながる人間性の根源である。自由主義は、個人の利益と自由の最大化を提唱し、私有制を宣伝し、「市場万能」と「民主の神話」を掲げ、貪欲に眩む消費主義への耽溺を許し、弱肉強食のジャングルの法則を重んじている。世界的に有名な物理学者ホーキングは、全世界、特に西洋は、世界は物質であるとしか考えず、有形物質しか見ず、物質しか、物質による楽しみしか求めない、という機械的唯物論の概念の支配下に長い間、置かれてきたと指摘している。西洋文明に牽引されて、人類は物質的な楽しみを追求することで、ほとんど帰れぬ道をたどってきた。警告に値するのは、西洋が鼓吹した「民主の神話」が世界中で崩壊し、「市場の全能」の夢が「市場の失敗」の現実によってしばしば打ち砕かれ、一時流行った新自由主義の落日の下で、それが混乱に加担するだけで治める力がないということである。国際金融危機の後遺症、地域戦争の激化、世界の貧困層の激増は、いずれも西洋文明が危機に陥っていることを示している。西洋文明の行動が目指す本旨である資本拡大は、世界の難局を作り出す制度上の根本原因である。近代以来、資本は、暴走する野馬のように世界を暴れまわり、商業資本主義から独占資本主義、金融独占資本主義へと、資本主義の高度化を推し進め、直接的、または間接的に世界の隅々にまでも影響を与え、人間社会の発展を促進すると同時に、世界を危機に陥れてきた。資本の利益追求、拡大と増殖の本質は、資源、環境、生態系、人的発展、途上国の利益を犠牲にした生産様式、金融覇権、文化覇権、軍事覇権による世界支配の様式を生み出し、地域開発の不公平、不均衡、持続不可能の問題を増大させ、資本主義制度の下での構造的、累積的、依存的な発展の問題を引き起こしてきた。特に、資本主義制度の克服不可能な矛盾そのものが、経済危機の転嫁を目的とした二回もの世界大戦の勃発に直結し、冷戦後も、湾岸戦争、ボスニア・ヘルツェゴビナ内戦、コソボ紛争、アフガニスタン戦争、イラク戦争、シリア戦争を相次いで勃発させた。これらの戦争は人類社会に甚大な災難をもたらした。

　こうして見ると、張本人である西洋文明は、現在の世界の難局を到底解決することはできず、「西洋中心主義」と「歴史終結論」は必然的に破綻し、人類が新しい理論と新しい文明を呼び求めていることが分かる。

㈡「人類運命共同体の構築」を世界に提案する中国

習近平総書記は、時代は思想の母であり、実践は理論の源であると指摘している。中国の特色ある社会主義の新時代を無駄にしてはいけない。現在の中国の学術界に見られる学術的自信の欠如、理論的な自信、理論的な革新における「脱力」の現象に対して、習近平総書記は「理論の中国」を構築することを明言している。

西洋との交流と融合と交戦の過程において、「西洋中心主義」の言説体系は、中国の学界に大きな影響を与えた。その結果、学術研究の中で、一部の人が西洋の学術に依存するようになり、「西洋の土地を耕し、中国の畑はさびれている」、つまり、現代中国の発展の現実的ロジックと中国の問題に関する包括的で綿密な体系的研究の欠如があり、真の自らの概念カテゴリー体系と記述体系を形成せず、真の自らの学術体系と言説体系を形成せず、自らのオリジナリティと際立った核心的理論を真に形成していない。世界に知らしめた「舌先の中国」はあるが、世界に知らしめる「理論の中国」は構築されていない。

習近平総書記は、後進は叩かれ、貧乏は飢えに遭い、失語は罵られる、と指摘している。罵られるという問題を真に解決するには、中国の特色がある哲学、社会科学の言説体系の構築を加速させ、「理論の中国」を構築し、主流のイデオロギーの言説と国際的発言力を効果的に高めていく必要がある。「理論の中国」を構築する上で最も基本的で核心的なことは、世界に貢献できる中国理論を構築することである。習近平総書記が提出した人類運命共同体の構築という主張は、中国の発展してはいるが、まだ先進国ではない、強大ではない歴史的位置づけから、世界に貢献できる独創的で際立った理論を打ち出すことである。

人類運命共同体の構築は、強い問題意識を有したものであり、国内の特定の分野や方面における公平で公正な供給の不足、ガバナンスの近代化の相対的遅れに起因する問題への対応策であり、また、国際覇権主義の横行による世界的なイノベーションの推進力の欠如、貧富の格差の拡大、グローバル・ガバナンスの立ち遅れ、そして「三つの赤字」（平和赤字、開発赤字、ガバナンス赤字）などへの対応策である。公平と公正の不十分な供給は、社会的イノベーションの弱体化を引き起こし、利益の分化は、社会的調和と安定に影響し、ガバナンスの近代化の相対的な立ち遅れによって多くの難問が効果的に解決されないため、民族の復興に影響を与えることになる。国際的な覇権主義の横行は、グローバルなイノベーションの推進力をさらに弱め、貧富の格差をさらに拡大し、グローバルガバナンスの更なる立ち遅れにつながる。これらの問題は、社会主義の近代化と中華民族の偉大なる復興の歴史的過程を妨げるだけでなく、全世界を窮地に陥れる。習近平総書記は、大国の勇気と自信をもって、国内の難問を撃破し、国民を中心とする発展の思想を提唱し、世界秩序の再建という使命と責任を果敢に引き受け、戦略的、世界的に意義のある人類運命共同体構築論を提唱している。

人類運命共同体構築論は、世界は多様性と統一性を併せ持っていることを強調し、西洋の「二元論」を超越し、中国と世界の難問を解決するための理論的根拠を備えている。人類社会と世界の各国は、歴史、伝統、文化、国情、制度などが異なり、差異性と多様性に富んでいる。同時に、世界の国々の間には統一性と共通性があり、社会の歴史の発展の法則に従い、より良いビジョンを共同で追求せねばならない。統一とは、世界の多様性の認識と尊重を前提とした統一である。多様とは、統一の中にある多様性のことである。統一性を重視して、多様性を軽視してはならないが、多様性を強調することで、統一性を見失ってはいけない。世界は多様性の中で統一され、統一性の中に多様性が存在する。このように世界を理解し、把握することは、世界を活性化し、調和させるのに役立つのである。統一だけを強調し、多様のほうを軽んじると、覇権主義に走りがちで、多様に重点を置き、統一を重視しなければ、世界の対立と分裂を引き起こすだろう。習近平総書記は、多様性の中に共通点を求め、世界の違いを尊重しつつ、統一性を重視した人類運命共同体の構築論を展開している。これは、「一」のみを強調し、「多」を排除する「西洋中心主義」や「歴史の終末論」の方法論的な欠点を克服するものである。

人類運命共同体の構築論は、西洋の「主体」による「客体」の支配という哲学的思考を超越し、平等と包容を強調するものである。中華文明は、包容力が非常に高く、様々な文明の優れた要因を取り入れ、束ねることができる独自の強みがある。同時に、中国文明は、仁愛の発揚、民本の重視、誠信の厳守、正義の尊崇、和同の珍重、大同の追求などの優れた遺伝子を深く具えており、修身、斉家、治国、平天下などの方面で豊富な経験を積み重ねてきた。これらの強み、遺伝子と経験は、民族の復興と世界平和のための戦略的資源となるだけでなく、西洋文明の弊害を排除するための、今日のグローバルガバナンスのための独自の資源となりうる。人類運命共同体論を構築するためには、主体による客体の支配ではなく、平等と包容、主権の平等に重点を置くべきである。蔑視や強制ないしは武力行使ではなく、和して同ぜず、と、仇必ず和解す、を唱えるべきである。各国は大小、強弱、貧富の差にかかわらず、国際社会の平等の一員であることを主張し、勝つか負けるかや、勝者総取り方式の発展パターンに替わる、平和、協力、包容力のある共同利益の発展モデルを採用すべきである。これらは、「二元論」「主体」による「客体」の支配などの哲学を基礎とした覇権主義を是正することができる。人類運命共同体の構築論は、個人の至上主義ではなく、他者、共同体、自然に対する個人の責任と義務を強調し、個人の権利、自由、平等などの総合的発展を尊重し、社会の調和と国家の富強を重視する。これらは、自己中心主義の蔓延に対処するだけでなく、資本主義の私有制の先天的欠陥を克服し、人類により良いサービスを提供するのに役立つのである。

人類運命共同体の構築論の内容には、厳密で完全なロジックがある。第一に、共同利益を堅持し、ゼロサムゲームを超越し、共同利益の協力共同体を構築することである。人類運命共同体は、まず、共同利益の協力共同体であり、ウィンウィン協力と全人類の共同利益の維持がその主要な内容である。国家間の交流では、国益が第一の関心事であり、共同利益があって初めて各国が協力関係を結ぶことになる。国家間の共同利益のために、利益の共有を達成する必要がある。経済のグローバル化は、世界を密接に結び付け、みなが同じ船に乗っていて、あなたのなかに私があり、私のなかにあなたがあり、一方が栄えれば他方も栄え、一方が損すれば他方も損をするわけで、どこの国と民族も独善をよしとすることはできない。第十八回党大会以降、中国はグローバル・ガバナンスに積極的に参加し、近代以来の世界秩序における「社会ダーウィニズム」の法則を変えようと努力し、現在の国際秩序の不当で不合理な部分を変革し、国連の役割を非常に重視し、グローバル・ガバナンスにおける国際法の地位と役割を高め、全人類の共同利益を守るために中国の英知で貢献してきた。

第二に、合意と協議の原則を堅持し、国際交流におけるイデオロギーの違いを合理的に管理し、価値観の共同体を構築することである。価値観は合意に深く関わっており、合意がなく、違いだけが残れば、協議ができず、共同体の形成も難しい。共同価値は、人類運命共同体の必須の前提条件である。人類運命共同体の構築には、価値に関する合意が必要である。習近平総書記は、平和、発展、公正、正義、民主、自由は全人類の共通の価値であり、国連の崇高な目標でもあると指摘していた。この重要な論述は、全人類の共通の価値は、人間と自然、人間と社会、人間と人間、人間と自己などの関係を扱う人間社会の共通の価値基準であり、人間の共同努力の方向性であることを闡明している。全人類の共同価値は、中国の優れた伝統文化を継承し、中国の特徴、中国の風格、中国の気骨を際立たせ、全人類の共同の文明の成果を引き受け、世界の趨勢、国際的な視野、世界的な共同認識を引き立て、人類のための多様性と統一性、平等と互恵の青写真を描き、全人類の異なる形態の社会制度と価値観の隔たりを取り除き、中国の立場を表明し、国際社会の幅広い認可を得て、人類文明の発展の道筋を指し示すものである。

第三に、共同建設と共同進歩を堅持し、唯我独尊の一人勝ちを超越し、発展のための行動の共同体を構築することである。全人類の共同利益を守り、全人類の共同価値を掲げ、共同の発展を遂げるには、各国が共同建設に参加し、行動に移し、自らの発展を実現すると同時に、ほかの国や国民に恩恵をもたらす必要がある。中国の発展の鍵は、開放性の中で、共同発展の道を切り開いたことにある。

第四に、共治と共存を堅持し、「トゥキディデスの罠」を超越し、安全保障共同体を構築することである。発展も安全もどちらも欠かせないもので、互いに補完して初めて、平和的発展と言えるのである。習近平総書記は、世界には絶対的に安全な桃源郷は存在せず、一国の安全は他国の混乱の上に成り立たず、他国の脅威も自国への挑戦になる可能性があると指摘している。国々が平和であれば、世界は安全であり、国々が戦い合えば、世界は乱れる。我々は、紛争やトラブルをよりよく解決し、戦争や衝突を無くすためのメカニズムと手段を改善していく必要がある。国家間において、対立ではなく、対話的で、同盟ではなく、パートナーシップの関係を構築する必要がある。大国は対立をうまく抑制し、非対立と非対決で、相互に尊重しあい、ウィンウィンの新型関係を築くために努力する必要がある。誠心誠意をもって、協商と交流を堅持すれば、「トゥキディデスの罠」は回避できる。

第五に、共有とウィンウィンを堅持し、同盟思考を超えて、協力共同体を構築することである。各国間の相互連関、相互依存の度合いはかつてないほど深まり、人類は同じ地球村にあり、歴史と現実が交わる同じ空間と時間の中で生活し、利益は混ざり合い、安危を共有するようになり、日増しに一つの協力共同体になりつつある。したがって、各国は、運命共同体の意識を確立し、競争の中で真に協力をし、協力において、ウィンウィンな状況を作り出すべきである。

人類運命共同体の構築論の本質は、包容とあまねく恵みを追求することだ。習近平総書記は、人類運命共同体の構築をテーマに、多くの国際的な重要な場で基調講演を行い、あまねく恵みの包括性の原則の堅持、包容的で包括的な経済グローバル化、バランスのとれた包括的な発展モデルの構築などの重要な思想を提供してきた。習近平総書記は、恒久な平和の世界を構築するための基本原則として、経済のグローバル化を推進するための核心概念として、また、人類の発展を形作るモデルとして、包括性という概念を提唱している。中国共産党第十九回全国大会の報告書は、「経済のグローバル化を、より開放的で、包容的で、包括的、バランスの取れたウィンウィンな方向に推進する」[1]と改めて述べている。これは関心を向け研究するに値するものだ。その講演の核となる哲学的概念は、包括的な価値を提唱することである。その包括的な価値とは、全人類の共同価値の実質と核心であり、共同価値についての解釈、展開と説明である。

近代西洋が世界に輸出しているのは「西洋中心主義」であるが、中国は、今日の中華民族の偉大なる復興を実現する歴史的過程において、「西洋中心主義」を超越し、世界に福祉をもたらすことができる人類運命共同体論の構築によって世界に貢献している。

㈢　人類運命共同体論の構築には、中国の新しい文明が含まれる

人類運命共同体の構築とは、本質的には、「西洋中心主義」とは異なる世界発展の再生の道筋を模

1　習近平『小康社会を全面的に構築して新時代の中国の特色ある社会主義の偉大なる勝利を勝ち取ろう――中国共産党第十九回全国代表大会における報告』北京、人民出版社、２０１７年、59頁。

索し、人類が共同で直面する三大問題である「平和の赤字」「発展の赤字」「統治の赤字」に、「中国の解決策」を提供し、「中国の英知」で貢献し、進んで新たな世界パターンを再構築することである。これは実際に、多様性、平等性、包容性、包括性を強調した、西洋文明とは異なる中国の新しい文明を含んでいる。

世界文明の系譜において、西洋文明と比較できるものは、間違いなく中国によって代表される東洋文明であり、一般的に中華文明と呼ばれる。中華文明は典型的な農耕・内陸文明であり、夏商周の三代以前に起源を発し、秦漢の時代に形を整え、隋唐の時代に栄え、宋明の時代に最盛期を迎えたその深遠な文明成果は、人類の発展に顕著な貢献をしてきた。西洋における、地理上の発見であれ、ルネサンスであれ、中世期から近代社会への移り変わりであれ、中華文明は重要な役割を果たしてきた。清朝末期の閉鎖的で硬直した支配者の影響で、中華文明は西洋の工業文明と海洋文明の衝撃を受け、急速に衰退していった。近代史において、中国は盛者必衰を経験し、中華文明もこれによって汚名を被ることになり、かつては中国の「重荷」となった。その結果、「全面的西欧化論」が蔓延し、今なお、その影響力が残っている。第十八回党大会以来、習近平総書記を首班とする中共中央は、国内では、中華民族の偉大なる復興を実現するという中国の夢を提唱し、国際社会では、人類運命共同体の構築を唱え、中華文明は不死鳥の再生のような変化を成し遂げつつある。

人類運命共同体の構築論とは、本質的には、現代中国が人類と世界に多大な貢献をした中華新文明である。古代史における「華夏中心論」も、近代以降の「西洋中心主義」も、時代の発展の流れと相容れないものであり、人類の永続的発展と世界の持続的な繁栄に寄与するものではない。習近平総書記が提唱した人類運命共同体の構築という世界的な意義は、伝統的な中華文明を弁証的に止揚し、西洋文明を超越し、人類と世界の発展に新たな中華文明で貢献し、「中国が世界にどのような貢献をするか」という梁漱溟の当初の問いに答えるものである。中華新文明は、優れた伝統的な中国文化、中華民族の革命文化、先進的な社会主義文化を母体としながら、西洋文明など、すべての外国文明の有益な構成要素を合理的に吸収し、未来を見据えたものである。中華新文明は、本然から逸れず、外来を吸収し、未来志向の文化的風格がある。また、古きを捨てて新しいものを取り入れ、長所を広く聚める。第十八回党大会以来、習近平総書記の人類運命共同体の構築論は、世界の多様性、競合性、不確実性、挑戦性を現実の根拠とし、弁証法的思考、共同体理念、平等と包容を思想の方法とし、国家の富強、民族の振興、国民の幸福を基本的な立場とし、平和的発展、協力とウィンウィンの概念を核心理念とし、共同利益共同体、価値共同体、行動発展共同体、安全保障共同体を中核的内容としている。それは、物質文明、精神文明、政治文明、社会文明、生態文明を含む包括的な文明の構築に力を入れ、国民の共立共有共営の全要素を含む文明の構築に取り組み、人類の運命共同体の構築を核としたグローバル文明の構築に力を注いでいる。したがって、それは人類の真理と道徳のハイランドに立って、世界の紛争を解決し、各国の対立を抑制する「如意棒」であり、経済のグローバル化を導く中国の計画なのである。

第五章

中国の特色ある社会主義の歩みの制度的貢献

中国共産党成立95周年の記念大会で、習近平総書記は次のような重要談話を発表した。そこで、総書記は「中国共産党員、及び中国国民は、人類のより良い社会制度への模索に対して中国のプランを提示することに十分な自負がある」と初めて指摘した。今日まで中国で発展した偉大なる成果は、自らの歩み、理論、制度、及び文化に対して更なる自信をもたらした。そして、自身の発展にふさわしい道と制度を求める発展途上国に、参考になる斬新な選択肢を提供することができる。

偉大な国家の成功は偶然ではなく、多くの要素が複合的に作用した結果だ。しかし、文化、伝統、イデオロギーなどの「文化化」作用より、制度の機能は必然的にもっとも直接的であり、核心を直撃する。いかなる国の運命の隆盛も、必然的にその制度が優れているからこそなのである。制度は安定性、普遍性、序列性、構築性と規範性を有し、有形の世界に作用する無形のネットワークである。誰もが制度から逸脱することはできず、人の行為も、制度の網の下で、その要求、規範、順序に従ってなされるもので、それが秩序と呼ばれる。善か悪かの制度は、必然的に人事に反作用し、ひいては人間の生活を文化化することになる。そのため、制度の品質は官僚の品性を決定し、更に公民と民族の徳性に影響する。鄧小平の言葉は簡潔で素朴であったが、「制度が良ければ悪人の勝手な横行を許さず、制度が悪ければ善人が良いことを十分にできず、逆に進ませてしまうこともありうる」と述べ、制度が人事に対して作用する実質を語った。古今の政道と治道の理を探究するにあたり、政治家と賢人はいずれも制度の設計と構築に最終的に着目するのである。端的に言えば、国家ガバナンスの成否は、その制度にかかっている。

中国の政治発展の歴史的経験もそれを証明している。古代中国は世界文明の中心の一つであり、農業生産条件において相対的に物産が豊富で、国力が隆盛し、長期的に安定して太平を維持した。それは制度が十分機能していたからであるといえよう。同時代の他の国々に比べ、古代中国は制度が精密で完備し

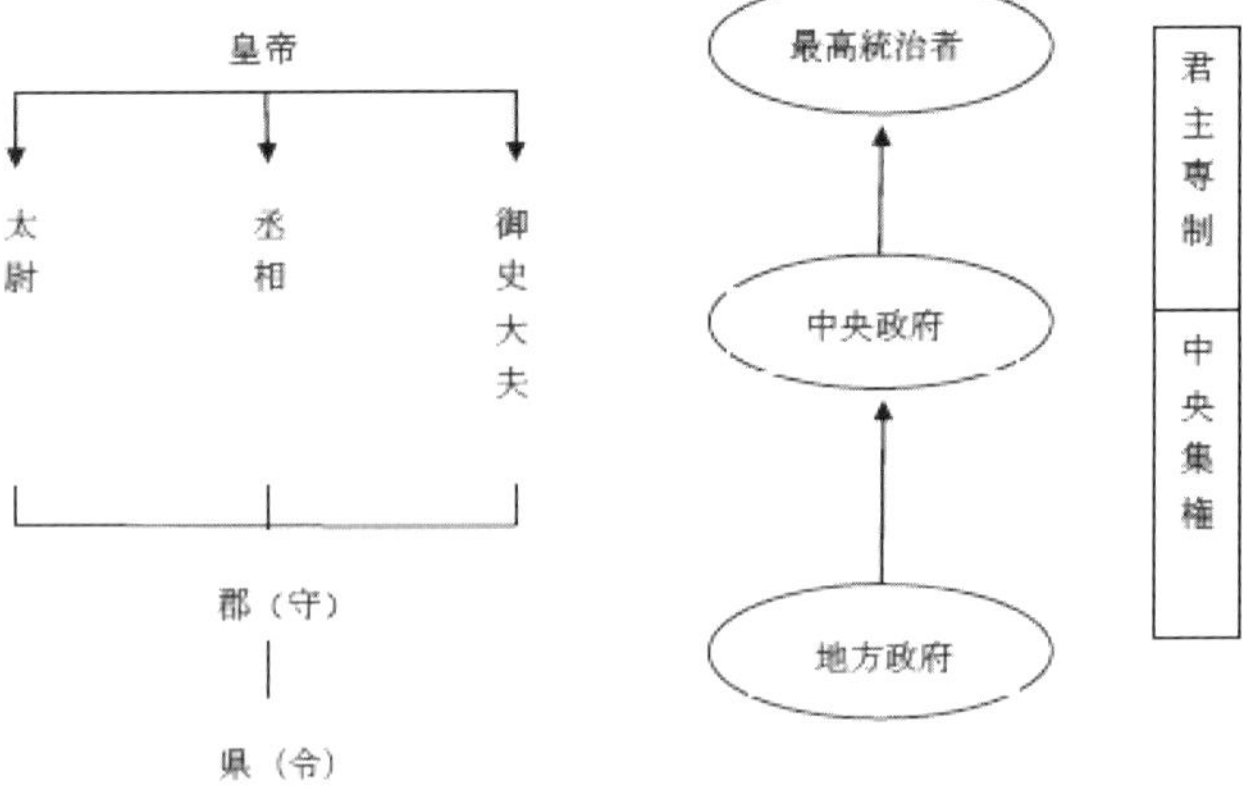

郡県制組織図

ており、運営も最善であった。統一管理に有利な郡県制は、西欧が民族国家を樹立し、分封制を破るのをより千八百年も前に成立していたのである。それに伴い、分業の完備した、権力責任のはっきりした官僚体制を比較的早く樹立し、文字、度量衡、貨幣などを統一し、その制度を強化させた。また、人材を吸収し、流動を促進し、社会を教化するための科挙制や、合併を防止し、生産を促進する土地制度、軽い賦役税制などがいずれも鍵となっていった[1]。改革開放前後の中国の発展過程を振り返ってみると、その論断も同様に有効的であった。中国の経済的奇跡を解析する実に多くの論説があるが、改革開放は、本質的には経済制度と政治制度の変革であり、労働所得配分制度を改革し、財産所有権を保障し、労働と所得とを連動させた。それは人々の生産意欲とヘクシャー＝オリーンの定理の解放を刺激し、最終的に、社会の活力を解放し、社会の富を急増させることになった。

端的に言えば、一国の興亡はその経済、社会、文化など諸システムをどう発展およびインタラクティブさせるかにかかっており、その背後でより根元的なことは、政治が経済、社会、文化などの分野にいかにして作用するか、強制性と規範性を有する政治権力がいかにして経済、社会、文化業務を処理するか、相応する資源をいかに配分し、相応する権利と義務との関係をいかに確立させるかである。政治権力の運営は、必ずその制度をめぐって展開されるが、その制度が正式な制度であるか非公式な制度であるかは問わない。

1　銭穆『国史新論』（北京、九州出版社、２０１１年）、銭穆『中国歴代の政治における得失』（北京、三聯書店、２００１年）。

第一節　中国の国家制度の現実論理

本質的に、中国の制度が貢献する文脈と経験は、発展が追いついた段階で、国内の複雑な局面を統一し、国外の干渉の挑戦に応じなければならず、自主的に発展する国家であるべきだということを示している。そして、その制度の鍵は多元社会と一元管理の矛盾をよりよく処理することにある。[1] ここで言う多元とは、観念多元、利益多元、民族多元、宗教多元、地域差異多元、発展段階多元、文化習俗多元といった社会多元の状態を指す。一元管理とは、多元的という前提の下で、秩序を維持し、方向を把握し、全体を統一し、意思決定を行い、意思決定を実行する能力を含む優れた国政運営能力を強調しなければならないということだ。[2] 目標に追いつくという導きの中で、多元紛争の複雑な局面を安定的に掌握し、全体を統一し、定力を保持するためには、権威的な制度と管理能力、即ち権威体制の下での有効な管理が必要である。これは、ガバナンスの有効性において政治的正当性を絶えず蓄積するプロセスであり、[3] その論理的脈絡は具体的に以下のように展開される。

第一に、現代性の前提の下で、目標に追いつかなければならない。現代社会の本質は工業文明であ

1　周雪光「中国の国家管理とそのモデル」『学術月刊』２０１４年（10）。
2　王紹光「国家管理と基礎的国家能力」『華中科技大学学報』２０１４年（３）。
3　林尚立「有効性の中に政治的正当性を蓄積する：中国政治発展のルートに関する選択」『復旦大学学報』２００９年（２）。

り、工業化社会は総合的な国力を強調し、強国が絶対的だ。強国にならなくても、工業文明の下で民衆の福祉を追求し、国際競争の中でいじめられ、搾取されないことを確保するためには、工業化の発展論理をたどり、強国への発展の歩みを遅らせてはならない。

第二に、追いつくという前提の下で、一国の発展目標には重点と選択があり、戦略を集中させなければならない。その目標は、李沢厚の言葉を借りていえば「救亡は啓蒙を圧殺する」、厳復の言葉を借りれば「富強を求める」、鄧小平の言葉では「発展こそすべてである」となる。それは工業文明の下で、後発の大国がある段階で明確にしなければならない戦略的選択である。

第三に、富強を求める前提で、第一の任務は絶えず国の統治能力を高め、有効な統治を実現させることである。発展を図り、富強を求めるには、良好な国家ガバナンスを実現し、国家の秩序、経済の活性化、法制の健全化、社会の協同を図ることが肝要である。その目標を実現させるためには、戦略的資源を集中させ、優先度と緩急を明らかにし、核心的利益を明確にしなければならず、更に実際の統治過程において、優れた強制服従力、資源の取り込み、教化影響力、情報収集力、吸収整合力、マクロコントロールと再配分能力を有さなければならない。

第四に、国政運営能力が十分優れているという要求においては、権威ある制度が求められる。有効な管理を核心とする段階的な戦略目標を実現させ、多元的な利益と観念を協同させ、絶えず国家管理の執行力を高めるためには、権威ある組織と制度を保障し、目標の支配下での発展統率を実現させる必要がある。

現代中国のその処理方向は、中国の伝統的治理論理の継承であると同時に、新しい変化と政道の刷新を有するものでもある。伝統的なガバナンスの論理の継承として、重要なのは、領土が広大で、民族が多元的である複雑な中国のガバナンスを継承したという点である。まず権威の下でのガバナンスの有効性という政道を保持しなければならない。これは中国の伝統的なガバナンスが直面する根元的な現実であると同時に、ガバナンスの効果を高める根元的な経験でもある。変化と刷新があるのは、それは政道のコア、すなわち権威の下での支配有効性の実質的な評価基準と原則に交替が発生するためである。伝統的な政治はまず統治を維持し、秩序と平和を保障することだが、現代中国の支配の肝心な目標は追いつくことであり、その本質は支配の有効性の評価基準に変化と刷新が発生したことにある。

実際には、どの制度も静態的であっても硬直化することもならず、制度の構築には目的論的な次元があり、規範とプログラムを通じてどのようにその目的を実現させるかが鍵となる。それは本末を転倒させてはならない。硬直化した制度に束縛され、その初心の目標を制約されてはならない。それを認識するには、健全な歴史感覚と現実感覚が必要だ。中国の制度は事実上、以下のとおりに、その目標と論理をめぐって展開されてきたことが分かる。

第二節　中国の特色ある社会主義の歩みの核心制度とその基本的特徴

一、政治的権威のある与党の指導制度を安定させる

他の国に比べ、中国の制度の最も根元的な特徴は、安定した政治的権威、すなわち中国共産党の存在にある。党の指導制度は党の政治的権威を安定させる鍵となる保証である。各種の具体的な指導制度を通じて、党の権威的地位が全面的に展開し、持続的に安定し、制度化されている。

理論的には、政治生活には必然的に権威が存在してあるものだ。政治は集団生活と関連しているため、集団の事務があれば、必然的に権威が必要となる。フィニスは集団内の行為を調和させる方法は二つしかないと強調した。全体が一致するか、権威を打ち立てなければならないか、それ以外の可能性はないと。[1]前者は現実的にはほとんど不可能である。集団生活には、効率であれ正義であれ、権威が必要である。その根元的な目的は「効果的な調和」を成すことにある。権威は本質的には統治と服従の関係であり、「統治の権力」であるから、指令を発し、義務を課し、服従を要求し、さらには暴力で罰する「資格」と「能力」を有し、服従の排他的理由となる。[2]自由主義革命後、後発自由主義国家の多くは、個別の先駆者（国家構築が先行した）を除き、政治的衰退という苦境に陥った。そのた

1　ジョン・フィニス『自然法と自然権』、北京、中国政法大学出版社、２００６年。
2　ジョセフ・ラズ『自由のモラル』、長春、吉林人民出版社、２００６年。

め、多くの学者は政治秩序における権威の重要な位置と役割を洞察してきた。彼らから見れば、現代政治の変化形態自体が極めて複雑で困難な過程であり、多重的な目標の確定、任務配置の緩急、現実戦略の選択などを全般的に考慮しなければならない。さらに革命派と保守派からの挟撃に直面するため、強力な権威がなければならない。さもなければ「帆を揚ぐるに錨なし」といった状況になるに違いない。[1]

権威の帰着点は古今東西でまちまちである。古代中国の場合、権威は常に皇帝であった。西洋も啓蒙以前には往々君主であった。しかし、啓蒙の現代化の道が一旦開かれれば、西欧の伝統的権威は必然的に失墜する。自由主義の論証を借りて、政治的正当性の根幹を揺るがし、主権を全国民の肩にかけ、主権の代表者は往々にして抽象的な意味で自主的な国家となる。「人々の平等の理念が世界に容赦なく蔓延する時」[2]が来ると、伝統的な東方の権威も力を失い、西洋人に追随しはじめ、権威を再建する曲折の道をたどった。多くの後発新興国にとって、国民主権の代表者は往々にして政党に帰着し、現代社会において政党は権威の真空を埋めている。

現代の国家では、政治的権威は往々にして政党に帰着している。特に後進民族国家の多くは、その近代的な国家構築を政党に依存している。歴史を振り返ると、二、三世紀前のイギリス革命、フラン

1 サミュエル・P・ハンティントン『変革期社会の政治秩序』(上海、上海人民出版社、2008年)、フランシス・フクヤマ『政治秩序の起源』(桂林、広西師範大学出版社、2012年)。
2 アレクシ・ド・トクヴィル『アメリカの民主政治』、北京、商務印書館、1998年。

ス革命、アメリカ革命にしろ、或いは二十世紀の反植民地主義、反帝国主義、第三次民主化国家の革命と独立にしろ、その背後には、いずれも「党派――派閥」の影が隠れていた。前者の方がより秘匿的で、後者の方がより顕著であるに過ぎない。本質的に急進的な政治参加である革命の背後で、政党が仲介役となり、主導的になることさえあった。特に発展途上国の多くでは、独立建国、近代国家への転向において、一部民族のエリートによって構成された強力な政党は最も核心的な指導力であった。それらの政党は、仲介と統合の役割を発揮するだけでなく、動員、指導と革命戦争の中核ともなる。それらの政党は、日常の政治に転換した後も、群衆を組織し、秩序を安定させるなど、政治代表の重要な役割を果たし続けている。政党の不在が政治参加の無秩序と混乱をもたらし、政治秩序を弱体化させると、ハンチントンは明確に指摘していた。現代政治には政党が必要だ。[1]

事実上、中国制度の核心的な特徴は中国共産党の指導にある。その背後には現代国家における権威の位置と有効な管理に対する価値が示されている。現代中国は完備した系統的で精密な党の指導制度を通して、政治的権威の指導を国家ガバナンスの各分野に徹底し、その指導方式を制度化、長期化、安定化、合理化させている。現代中国における党の指導制度は多重次元を含み、各方面をカバーしている。政権内部では、党の立法作業、政府の仕事、司法作業などへの指導制度が含まれ、また軍に対する党の絶対的な指導制度が含まれている。それらの指導を実現するカギは、党が幹部への指導制度

1　サミュエル・P・ハンティントン『変革期社会の政治秩序』、上海、上海人民出版社、２００８年。

と規律検査制度の全過程を貫いている。ひいては党の指導を組織への指導、思想への指導から党の監督まで伸ばしている。社会分野では、党のイデオロギーに対する指導、党の社会組織に対する指導、党の国有企業に対する指導などで、社会生活のあらゆる面をカバーしている。さらに、それらの指導制度は具体的な政治教化、官僚選抜、上奏下達、規律検査などの機構によって運営され、強化されている。このような制度の目的は、本質的には強力な政治的権威を構築し、党の意志を徹底し、全国を一つの方向に導くことで、与党の指導権と指導権威を制度化することにある。

二、国民が主体となる人民代表大会制度

党の指導制度以外に、中国の政治の重要な制度的特徴は広範な民主性と代表性であり、社会主義政治の人民民主の特徴を示している。その民主性と権威体制は一定の条件の下でインタラクティブに調整され、動的にマッチングされ、特有の合意式民主制度を形成した。一方では、権威ある体制によって効果的なガバナンスを実現する。一方、鍵となる民主性、代表的な制度の存在により、治理過程においては国民の意志と願望を如実に体現し、反映する。それは中国の治理の奇跡と法政秩序の構築の根元的な方向を保証することができる。

民主面における中国の制度について、その最も核心的なものは人民代表大会制度である。中国の憲法は中華人民共和国を人民民主独裁の社会主義国家と規定しており、その一切の権力は国民に属する。国民は国家と社会の主人として、国家ガバナンスの主体である。憲法の規定によると、中国の政体は人民代表大会制度である。人民代表大会制度は人民民主主義を実現する具体的な形式と根元的な道である。人民代表大会制度はすべての権力が国民に属するという原則に基づき、普通選挙を経て各級の国民代表を各層で選挙し、国家権力機関を構成し、更に国家権力機関からその他の国家機関を誕生させる。それにより完全な授権の連鎖を構成し、国民が主人公となることを実現させる。人民代表大会制度は中国の根元的な政治制度であり、国民は法律によって規定された各種のルートと形式を通じて国家事務と社会事務を管理し、経済と文化事業を管理する権利を有する。それは国家の統一と民族の団結を維持し、民衆の共同の意志と普遍的な利益を実現させる根元的なルートである。

中国の人民代表大会制度の思想はマルクスの議行合一の思想から来ている。マルクスは、パリ公社の行政一体のアイデンティティを総括し、「公社はパリの各区で普通選挙で選出された市政委員で構成されている。これらの委員は責任を負っており、いつでも罷免されうる。その多くは労働者や公認労働者階級の代表である。公社は議会式ではなく実質的な機関であり、行政機関であると同時に立法機関でもある」[1]と述べた。マルクス・エンゲルスはパリ公社の総選挙制の施行を高く評価した。公社の総選挙制の施行は「国家の等級制を一掃し、国民の上に君臨する旦那の代わりに、いつでも罷免できる勤務者がそれに取って代わる。虚偽の責任制を真の責任制に置き換え、それらの役員が常に公衆

1　マルクス、エンゲルス『マルクス・エンゲルス選集』第3巻、北京、人民出版社、1995年、55頁。

監督の下で仕事をする」[1]と。この理論に基づいて構築された人民代表大会制度は、米国の三権分立とは異なる。中国の全国人民代表大会の権力と行政権、司法権は併立するものではなく、国民を代表して国家の最高権力を行使し、行政権と司法権はそれによって生み出され、監督される。人民代表大会は国家の権力機関と立法機関として、すべての国家機関の中で崇高な地位と最大の権力を有している。人民代表大会制度は国家制度体系の中で基礎的な役割を果たし、各関連制度を統括している。

人民代表大会の制度は、様々な具体的な制度が協力して構築されたものである。その主なものは、人民代表大会自らが組織・運営する制度と、人民代表大会と国民と間にある関係制度という二種類に分けられる。前者は主に人大議事制度、人大立法制度、人大監督制度、人大任命制度などを含み、後者は主に人大代表の選挙制度、人大代表の職務履行制度などを含む。具体的には、全国人民代表大会と地方各級の人民代表大会は民主的に選挙され、国民に対して責任を負い、監督を受ける。各級の人民代表大会は国民の利益を代表し、国民の意志に従って法律と法規を制定し、重大な事項を決定し、国家機関の指導者を選挙し、任免する。そして、国家行政機関、裁判機関と検察機関の仕事を監督し、国民の国家生活における主人公の地位を根元的に保証する。

米国の学者ハンティントン氏は、政治発展は政治参加と政治的権威の間のバランスを保たなければならず、制度的変遷は社会発展が置かれた段階を越えてはならない。そうでなければ混乱と無秩序を

1　マルクス、エンゲルス『マルクス・エンゲルス選集』第3巻、北京、人民出版社、1995年、96頁。

もたらすだけであると述べている。巨大で複雑で追いつ追われつの現代中国ではなおさらだ。したがって、一元統理の要求の下で、中国の民主制度は合意式の特徴を体現することが多い。即ち、相互否決の対抗性の政体ではなく、合意型の民主を追求し、醸成するものである。民主制度がある程度発揮しているのが、牽制しあって平衡を保ち、偏頗性を矯正する非主導的な作用である。それにより、追いつ追かれつという状況の中で、西側民主制のいくつかの弊害を避けることができる。例えば、民意の引き裂かれ、選好依存、空小切手、大衆の人気取り、無限の口論、特権に奉仕することなどだ。合議式の民主制度は、その過程では十分なコミュニケーション、協調、交流があり、処理態度は穏やかで、処理方式は協力的である。根元的な目標は合致しているため、協力と相談で意思疎通ができ、認識を共有し、問題を解決し、不足を補強し、事業を推進していくことが期待できる。それは、過剰な対抗性による発展の妨げや、政治的分裂や社会的混乱を避けることができる。[1]

三、民主的に協議する多党協力制度

中国の特色ある政党制度は中国の国家管理においても重要な役割を果たしている。現代政治は政党政治であり、現代の国家のほとんどは政党が政権を握っている。政党は大衆の政治参加の一種の制度的ルートとして、いたるところに散在し、さまざまな要求を有する民衆を組織して、安定した政治参

1　王若磊「「保護的監督」あるいは「対抗的監督」『人民之声』2014年（8）。

加の組織を形成したのである。それにより、民意を吸収、抽出、反映するのである。だが、世界各国には異なる政党制度が存在する。一国がどのような政党制度を実施するかは、その国の国情、国家の性質と社会の発展状況などの要素によって決定され、それは人類文明の発展の多様性と国別の国情の相違性を現している。異なる政党制度を形成する根本的な原因は、国家の構築過程における政党の役割の違い、すなわち政党の起源の違いにある。先進資本主義国家の政党の多くは、国家が成立した後に創設されたものである。まず国家があり、その後に政党ができる。政党はその多くは議会政治が出現した後に誕生した。英米仏独などの国はすべてそうである。政党（party）は本来の意味では「一部」を意味し、議会政治における会派のことである。だが東洋、また後発国の政党はそれと違い、先に政党あっての国家である。植民支配、専制、暴政の圧迫という条件の下で、目覚めたエリートたちが、規律厳しく、目標が明確な政党を創設したのである。政党は、革命の指導層として、自己犠牲を通じて国民を率い、独立と解放を獲得し、新たな国づくりができたのである。西欧の政党は、旧制度が崩壊して新しい政治団体と階層ができた後に形成されたのだが、東方では、新しい政治団体である政党がまず登場し、政党の力を借りて新しい政治制度を作り、最終的に旧政権を崩壊させたのである。[1] そのため実際、後発国の建国は、基本的にエリート政党の指導の下での革命の勝利の結果である。この場合、革命を指導する政党は自然に権威となる。これは革命の過程で確立された権威であり、革命の

1　ハンティントン『変革期社会の政治秩序』、上海、上海人民出版社、２００８年。

勝利によって証明された権威である。

　そのような歴史発生論の相違が、政党制度の違いを生んだのだ。すべての政党政治国家の中で、中国の政党制度、つまり中国共産党が指導する多党協力と政治協商制度は、他のいかなる国家にも類を見ない特徴がある。事実、新中国は政治協商会議により建国され、政協会議は臨時憲法の役割を果たす「中国人民政治協商会議共同綱領」を制定し、中央人民政府を樹立し、各国家機関を設立した。この時の政協が建国の正当性を有するのは、人民代表大会の設立条件が整っていない状況下で、政協にある政党の代表性と各階層の代表性が、ある程度国民の代表性を明らかにし、具現することができるからだ。人民代表大会制度が成立した後、政協は人民代表大会の職権を代行することはなくなり、中国共産党が多党協力と政治協商を行う重要なプラットフォームとなり、政党制度の重要な構成部分となった。

　中国共産党が指導する多党協力と政治協商制度の主要な特徴は、中国共産党が指導する立場にあり、多党派は協力するという点にある。中国共産党が政権を握り、多党派が参政する。諸党派は、中国共産党と結束して協力する親しい友党や参政党であり、反対党や野党ではない。諸党派は政権運営に参加し、国家の大政方針と指導者の人選の協議に参与する。また国家事務の管理に参与し、国家の方針、政策、法律、法規の制定と実行に参与する。中国共産党と諸党派の協力は以下の四つの基本的な内容を含んでいる。第一に、中国共産党は与党として長期政権を獲得する。第二に、中国共産党は諸党派と協力関係にあり、中国共産党は与党であり、諸党派はすべて参政党である。第三に、中国共産党と諸党派の間で政治協商を通じて多党の協力を実現する。相互協力の基本方針は「長期的な共存、相互の監督、肝胆相照らす、栄辱を共にする」である。第四に、中国共産党と諸党派はすべて憲法と法律を活動の根本的な準則とし、自覚的に憲法と法律の範囲内で活動する。中国共産党と諸党派の政治協商は主に四種類の制度形式がある。第一、中国共産党は諸党派と無所属の代表人士を招待して民主協商会議を開き、近く提出する大政の方針について協議する。第二に、中国共産党は情勢の必要に応じて、不定期に諸党派と無党派の代表人士を招待して対話を行い、考えを共有し合い、意見を交換する。第三、中国共産党が諸党派と無党派の代表人士を招き座談会を開くことで、重要状況を報告し、重要文書を伝達し、政策的な助言を聴取する。第四に、諸党派中央委員会も中国共産党中央に対して政策に関する提案を書面で出すことができる。

そのため、中国の政治システムは参与型の政党民主制度を形成したのである。それは権威を維持すると同時に民主を発揚し、それによって統一の指導と広範な民主と、効率の豊かさとあふれる活力との有機的な統一を実現した。その本質の上で、中国の制度の現実ロジックを変わらず貫徹しつつ、すなわち複雑な超大型国家が追いついて追い越しを実現する過程で、この政党制度は権威体制、一元統理と有効な管理、民主参与の間に平衡点を探し出すのである。

四、動的なバランスの中央と地方の関係制度

一定の規模を有する国家はすべて中央と地方の関係問題に直面しなければならない。それは国家管

理の実現にとって重要な内容である。両者の関係は、本質的に政治構造の理性化と国家ガバナンスの業績向上という二大テーマを含んでいる。そのため、中央と地方の関係をうまく処理することは、世界のすべての国が直面する難題である。中国では「黄宗羲の法則」という管理の難題[1]が歴代に存在した。実は、私たちがよく言う「締めれば死ぬ、放っておけば乱れる」という管理の局面のことである。毛沢東も『十大関係論』で中央と地方の関係を強調した。そのため、中央と地方の権力構造の関係は、国家管理の重要な内容であり、国家管理体制の重要な構成部分でもある。

歴史を振り返ってみると、中央集権国家である中国としては、その中央と地方の関係は常に国家ガバナンスのテーマであった。歴史的長短から言えば、中国の歴代はすべて中央集権の条件の下で地方の主動性と柔軟性を発揮することを重視し、地方が興れば中央が興り、地方が治まれば天下が安定する。[2]どの国でも中央機構にはある程度の集権性があり、ある程度の集権性がなければ国家の統一性と全体性を持つことは難しい。連邦制の米国も同じだ。しかし、中央集権だけでは明らかに不十分であり、地方分権も必要だ。地方分権がなければ、地方には成長動力がなく、発展の積極性が欠乏する。したがって、国家中央集権と地方分権の統合が必要だ。

中国の国家管理はまさに両者を有機的に結合する模範である。中国では、中央機構は大きく強力な統合力を持っており、効果的に各分野の勢力を整合し、合同力を形成することができる。地方機関は

1　周雪光「『黄宗羲の法則』から帝国の論理へ」「開放時代」２０１４年（４）。
2　銭穆『中国歴代政治の損得』、北京、三聯書店、２００１年。

また大きな自主力を持ち、自らの管轄区域内で管理権を行使し、有効な管理を施行することができる。中国のような大国にとって、国家管理は中央の統一意志を確保し、また管理網のチェーンの長さは圧縮しなければならない。中央の方針と政策に方向と要求の統一性を確保し、その目標を実現するという前提の下で、地方の積極性と能動性をよりよく発揮することにより、地方管理を推進する。その管理により標的性をもたせれば、効果も極大化する。そのため、管理制度の背後にある理念から言えば、地方の自主性をより重視し、多様性を認め、十分な政策空間を与えなければならない。管理制度の背後にある策略では、管理効果の実現をもっと重視しなければならない。地方管理が中央の目的、要求に達しているかどうか、中央の初志と戦略的考慮を実現しているかどうかを確認しなければならない。ただ中央の方針に追随するだけではない。それによって政策の多様性と制度の弾力性を実現し、地方の積極性と自主性を十分に発揮し、締めるところと緩めるところの間にバランスを保つのである。

具体的には、動的にバランスの取れた中央と地方の関係は、一連の具体的な管理制度を通じて、中央の権威と地方の管理の有機的統一を実現した。財政には分税制が含まれる。分税制改革を通じて中央財政権を強化し、移転支給することによって地方財政権に返還し、その管理能力と積極性を保証した。その基礎の上で、大多数の資金は「プロジェクト制」の方式を通じて中央から発注し、地方から入札することによって、中央一元の統括管理と地方の有効な管理のバランスを実現する。選挙官制度から見ると、中央には高度に集中した政治任命権があり、その選挙官制度の背後には、研究者によって「地方政府官僚選手権」と呼ばれる体制が存在する。国家がそれを利用して地方官僚を選抜し、地方官僚の管理業績の考察を続ける。このことは地方官僚を刺激し、彼らはすべての精力を地方発展の上に注ぐことになる。それにより、中央は地方官僚を治め、地方官僚は施政を行うという、いわゆる「上下分割」という制度システムが形成される。[1]

このような中央・地方関係のモデルの背後で貫徹されたのは、依然として中国ガバナンスの現実ロジック、即ち権威体制下の有効なガバナンスの保証である。権威体制は中央の権威の上に現れるが、巨大な国家の管理網チェーンが長すぎるため、有効な管理を実現するには地方の積極性を十分に動員しなければならない。これが実際のところ中国経済の飛躍の鍵となる制度的要素であった。[2]

五、民族平等と地域自治の民族自治制度

中国は複雑な超大型国家として、その複雑さは人口の多さ、領土の広大さ、地域の発展のアンバランスにあるだけでなく、その多元性にもあり、利益の多元、文化の多元、民族の多元、宗教の多元、習俗の多元などを含んでいる。その中で、民族の多元は最も際立った特徴であり、他の大国に比して、中国の民族数はさらに多く、構造も複雑である。そのため、民族管理は中国歴代の政治の核心的問題の一つである。現代中国が近代化の追求という条件のもとで、権威体制の中で有効な管理を実現するためには、民族問題を解決しなければならない。

1　曹正漢「中国における上下分割統治のガバナンス体制とその安定メカニズム」『社会学的研究』２０１１年（１）。
2　張五常『中国の経済制度』、北京、中信出版社、２００９年。

いかなる多民族国家においても、民族平等、民族自主は国家民主の重要な内容である。少数民族の自決権や平等権は、各少数民族が自らの主体となることを保障する基礎であり、国家制度の民主性の現れである。中国の民族区域自治制度は、マルクス主義民族理論の中の民族自治思想理論と中国の実情を結合させた産物である。中国共産党は、民族地域における民族区域自治に関するマルクス・レーニン主義の理論原則に基づき、実践の中で民族区域自治制度を確立し、非常に良いガバナンス効果を得たのである。

そのため、民族区域自治制度は中国の制度的成果のもう一つの重要面である。その背景にはまず、民族平等の原則がある。民族平等は中国の最も基本的な民族政策であり、重要な憲法の原則でもある。民族平等の原則は各民族、特に少数民族の歴史、文化、経済発展のレベルなどの尊重を要求し、それは民族団結の基礎を固め、多民族間の友好的融合の政治的前提になっている。中央による統一指導の下で、少数民族集合地域に民族自治機構を設立し、自治権を行使することは、中国が民族平等の国家管理体制を堅持していることを示す。民族区域自治制度は中国のもう一つの基本的な政治制度である。中国には五つの自治区が設置されており、一部の省には民族自治州と自治県が設置されている。これらは民族平等原則の体制的基礎と具体的実践である。この制度は中国の歴史的発展、文化的特徴、民族関係と民族分布などの具体的な状況によって作られた制度であり、中国の各民族国民の共通の利益と発展要求に符合する。それは単一制の国家形式を実行して、国家の統一を確保すると同時に、少数民族が集まる地方で自治を実施し、民族平等関係を効果的に処理し、民族民主自治をも実現した。この制度は民族の平等に制度的保障を提供するよう設定されている。

六、多元共同統治の基層社会ガバナンス制度

複雑な大国において国のガバナンスを推進し、このような成就を遂げたのは、政権自身の力だけではありえない。中国の急速な発展と法政秩序形成の背後には、社会の自発的な要素も重要な役割を果たしており、与党はその社会ガバナンス制度を通じて社会の秩序を整然とさせ、活力をほとばしらせており、この制度は有効なガバナンスの制度的基礎となっている。

長期的な社会ガバナンスの実践の中で、中国共産党は協議して共同統治するガバナンスのモデルを次第に形成した。この制度は主に二つの方面を含み、一つは協議民主制度であり、もう一つは社会共同統治の基層自治制度である。

協議民主について言うと、政治協議の基礎の上で、中国は次第に完備したマルチエージェント、マルチレベル、マルチプラットフォームの協議民主を作り出し、それはすでに中国人民民主の重要な形式になった。中国はすでに、立法協議、行政協議、民主協議、参政協議、社会協議などを含む社会主義協議民主制度を形成している。

基層自治制度については、それはガバナンスにおいて多元的主体が共同統治に参与するという本質的な特徴を明らかにし、効果的にガバナンスの効果を向上させた。基層の大衆自治制度は中国の特色ある政治制度の重要な構成部分であり、中国共産党が絶えず社会主義政治制度の自己完備と発展を推

進していることの重要な現れである。基層の大衆自治制度とは、広範な大衆が法律に基づいて直接民主的権利を行使し、基層の公共事務と公益事業を管理し、自己管理、自己サービス、自己教育、自己監督を実行し、国民が主となる最も有効かつ広範な道を実現することである。いわゆる共同統治とは、共同管理、即ち多元的な主体が共同で社会管理の仕事に参与することである。社会はマルチエージェントで構成され、各エージェントは社会活動への参加者である。多元的な主体が共同管理に参与することは、各主体の積極性を引き出し、各種類の社会主体の役割を発揮する重要な方式となり、同様に社会民主の重要な体現となる。近年のガバナンスの実践において、社会ガバナンスは顕著な成績を得ており、共同統治はますます重要な役割を果たし、国家ガバナンス体制とガバナンス能力の近代化という目標を実現する重要なルートになっている。

第三節　中国の特色ある社会主義の歩みの制度的優位

１９７８年まで、中国国民の一人当たりの所得は、世界で最も貧しい大陸、サハラ以南のアフリカの国の三分の一に過ぎなかった。経済総量は世界の５％に過ぎず、人口の80％が貧困ライン以下だった。しかしその後、天地がひっくり返ったかのように変わり、中国は数十年間、年間平均９・７％の経済成長率を続けてきた。２０１６年までにＧＤＰは10兆ドルを超え、１９７９年の28倍にも達した。

経済総量は世界の六分の一を占め、国民一人当たりの所得も２０１５年には７８０８ドルに達し、中国は中上位所得国となった。経済学者が購買力平価に換算した結果によると、２０１４年に中国の国民一人当たりの所得が米国を上回り、２０２５年には経済総量も米国を抜いて世界第一位の経済大国になる見通しだ。歴史を振り返ると、産業革命後、国民一人当たりの所得が倍増した時間は、イギリスは五十八年間、米国は四十七年間、日本は三十五年間、ブラジルは十八年間だが、中国はわずか十年間で達成した。また、中国は世界の舞台で重要な地位を占めており、一定の発言権を有してる。縦の比較であれ、横の比較であれ、多くの不十分な点はあり、先進国とイノベーションなどの面においてまだまだ大きな差はあるが、客観的に言えば、中国のこの四十年間で納めた成果の右に出る国はほとんどない。

中国の国家管理がこのような成果を収めた背景には、制度的要因が重要な役割を果たしている。世界の他の国と比べ、中国の国家管理体制は、多くの顕著な優位性を示している。それは主に統一性、権威性、高効率性、安定性、連続性、協調性、柔軟性、相互性などの八つの面で体現されている。これらの優越性は、社会主義制度の先天的な要素のおかげであり、中国独自の歴史的伝統的な原因もあり、また、現行の体制構築の実践的な努力によるものでもある。

一、力を集中して大事を行う統一性

統一性は中国の国家管理体制の最大の利点である。力を集中して大事を処理できることは、世界が公認した中国の管理制度の革新的な優位性である。中国は社会を総動員して急速な発展、外資誘致、大規模な活動、災害救助などの重大なプロジェクトを効率的に完成させることができる。ハーバード大学費正清東アジア研究センターの前主任・傅高義はかつて次のように指摘した。中国の国家管理体制は、動乱が絶えず、歩みが困難で、地域格差の大きい中国に統一を提供する指導者である。中国は国土が広く、人口が多く、経済社会の発展が極めて不均衡で、かつ多元的な利益、多元的な民族、多元的な宗教、多元的な風俗習慣を有する国である。統一的管理体制は「砂上の楼閣」式の伝統的な中国の国家管理の低い組織化構造を変えることができる。各地域と、各民族とをしっかりと結びつけ、共同の奮闘目標に向かって進ませる。中国の国家管理体制の統一性の優位は、深い歴史と文化の伝承を有している。大統一の国家観念は昔から人々の心に深く刻まれている。秦以来、中国は大統一の政治局面を形成し、中央集権の郡県制国家を建設し、そして今日まで維持してきた。途中、分裂と統合を繰り返すことは多々あったが、根本的な変化は見られない。また、統一性は中国の特色ある社会主義という現代の制度の最大のメリットでもあり、中国共産党の指導は中国の国家管理体制が統一性のメリットを発揮するための根本的な保障となっている。この統一性は、中国のガバナンスが戦略的に集中し、手段的に集中し、力を合わせて発展を追究するガバナンス目標の実現を保障するものである。

二、上行下効、令行禁止の権威性

統一性の裏側には権威性がある。権威性は本質的に統一性を実現するためのものであり、権威は手段で、統一は目的である。簡単に言えば、権威とは本質的に一種の「資格」であり、命令を発したり、義務を課したり、服従を要求したり、あるいは罰を与えたりする「能力」を有し、「他の人に、要求されなければ選択しないだろうそれを選択するよう求める」ことができる。この時、権威は他の私的または公共的な理由を排除することを要求し、そうした理由自体が服従の「排他的な理由」と見なされることになる。命令を遵守する原因は命令の内容には依存しない。その背後にある脅威は服従の副次的動機で、服従はただ権威というその資格自体から来ているのである。したがって、一つの政治社会には、相互協力、普遍的協調、および他のすべての公共財の供給を可能にする有効な権威が存在しなければならない。中国の国家ガバナンスの権威制システムが保障する鍵は民主集中制である。民主集中制の原則は、中国共産党の組織原則であり、中華人民共和国国家機関の根本的な組織原則でもある。それは中国の国家ガバナンスの権威性を保障する制度保障でもある。中国共産党内では、民主集中制の原則は、党員と組織に「四つの服従」を要求する。すなわち、個人は組織に服従し、少数は多数に服従し、下級は上級に服従し、全党は党中央に服従しなければならない。鄧小平は、「四つの服従」のうち、「全党が党中央に服従することが最も重要だ」と指摘した。党員が党中央の権威を維持し、党中央部と高度に一致することは、中国の国家統治体制における権威と優位性の核心である。国家レベルでは、中国の国家憲法は国家機関が民主集中制を実施するという基本原則を規定している。中央と地方の国家機関の職権の区分は、中央の統一の指導の遵守の下で、地方の能動性、積極性を十分に発揮する。このような権威性は中央の政策決定の上意下達、執行迅速を保証し、全国を一つの全体にまとめ、国家の管理目標の実現を推進する。

三、ガバナンスの決定と実行の効率性

統一性と権威性の合同力は、国家ガバナンスの効率性を保証する。効率的な管理モデルは中国の発展の奇跡の鍵である。中国の国家管理の効率性は、意思決定、執行、運行効率など多くの面に現れる。まずは、国家体制の効率的な政策決定、科学性に現れる。中国共産党の指導の下で、国家管理体制内の重大な意思決定は、常に主導的な要素、或は主導力によって支えられている。中国は民主集中制を原則とする共産党委員会と政府による意思決定の制度をとっている。意思決定プランの設計であろうと、意思決定プランの選択の段階であろうと、効率的であるという特徴が現れる。次に、政策執行体制が効率的で力強い。中央から地方までの5段階による政府管理体制の下で、国家管理任務は各レベルに分解され、上から下へ、それぞれが責任を負い、国家が確定した各方針や政策に着実に力をかけて実行する。地方に困難があっても、国家の長期的利益に合致した決定さえすれば、その執行効果も得られる。最後は中国国家管理体制が構築したシンプルな運行メカニズムで、各レベルの共産党機関と国家機関は簡素効率化、職責明確化を図り、国家管理運用コストは相対的に低い。中国の国家管理の効率的な運営に比べ、欧米の先進国の管理体制は常に非効率的、あるいは高コストの運営状態にあり、政治的衰弱に陥っている。それらの国々は意志がそれぞれ分散的で、せっかく得られた妥協による一致も貫徹できない。これらの国々の政治家一人ひとりは空想的で行動力がない理想主義者にすぎない。それがもたらしたのは現実生活の困窮と没落である。いくら討論してもいつも結論がでない、結論がでても行動に移らないという局面に陥る。政治学者フランシス・フクヤマは米国の現行体制を正確に「否決政体」(vetocracy)と概括している。この体制はイデオロギー化された二つの政党によって、政治がよくマヒ状態になり、たびたび相手を否定しあういがみあい状態になる。是非を問わず、反対のための反対で、人目を引くだけだ。中国の国家管理体制はこれらの弊害を克服し、できるだけ国の管理体制の「否決点」を減らし、絶えず国家管理の「共通知識」を増やしている。

四、政治秩序の安定性

管理体制の統一性と権威性も秩序の安定性を保証する。いかなる発展も秩序から離れれば持続することは不可能である。良き秩序がなければ、個人の発展と家庭生活が調和を成すことは不可能だということは、誰もが知っている。中国の制度が有する統一性と権威性はこの秩序の実現を保障している。中国の管理の奇跡によって発生した基礎の一つは、安定した政治秩序と政治権威が保障として存在することである。近隣諸国を見てもわかるように、多くの後発国が発展を図るためには、まず政治と経済秩序の安定を必要条件にしなければならない。多くの先進国で政治参加が過激になったり、難民や反テロなどの問題が政治安定の妨げになっている。中国の管理体制は、権威ある共産党の指導制度、合意式の民主制度、参与式の政党制度などを通じて、制度の安定性を保障し、良好な政治秩序を構築することができる。

五、政策制定と執行の連続性

権威性と安定性の下で、中国は管理政策の連続性を保障した。このような政策の連続性は社会の急速な発展、経済の飛躍的成長の前提となるものであり、秩序の基礎と予期可能な保障を提供する。中国の経済成長の奇跡の背後には、政策が長期的に安定し、繰り返さず、後退せず、振り回されることがないという功労のおかげである。中国共産党の指導の下で、国家級、省市級、県区級など各レベルの発展戦略計画が、政府政策の一貫性と安定性を有効に保証した。これは中国の経済社会の長期的かつ急速な発展の重要な前提となるものである。経済社会発展五カ年計画を例にすれば、１９５３年から中国の国家レベルで連続して第十三次五カ年計画(「一五」から「十五」までは「計画」と称し、「十一五」からは「規画」と改称)を制定した。世界でフランスや日本などの少数の国は、第二次世界大戦後しばらくの間は国民経済発展計画を推進した。「一枚の青写真を最後までやりとおす」という管理理念の指導の下で、中国の各級の共産党委員会と政府は「前任者から後任者へ一続きにやる」ことにし、こうして国家と地方の管理は一貫して安定し、集中力を維持し、責任者交代の影響を受けない。対照的に、西側の国家管理体制は二大政党制、あるいは多党制を施行するので、国家発展促進のための長期戦略を立てられない。国家の大政方針、社会公共政策の制定などは、政党と指導者の変化によってよく反転、転覆、撤回などの状況が出てくる。それは社会の発展を妨げるだけではなく、管理コストも増やし、貴重な時間を浪費することになった。

六、諸地域各部門が連動する協調性

統一性と権威性は、超大型国家の内部統一を可能にする。中国の国家管理体制は地域の発展、部門の行動面を調整するのに顕著な優位性を示した。中国共産党が全体を統括し、各方面を調整する指導の核心的な役割は、中国の国家管理体制の協調性の優位の発揮を根本的に保証することである。第一に、中国の国家管理体制の協調性の優位は、地域の発展を調整する面において顕著に現れている。改革開放の初期に、鄧小平は「二つの大局」という発展思想を提唱していた。まず沿海地域を優先的に発展させるが、内陸部はこの大局に従わなければならない。次にある一定の段階に発展が達した時、沿海地域はより多くの力を出して内陸部の発展を助けなければならない。沿海地域もこの大局に従わなければならない。新世紀に入ってから、中国は西部大開発と東北旧工業基地の振興戦略を全面的に実施しており、これはまさに中国の国家管理体制が地域経済の発展を調整する典型的な例である。第二に、重大な管理任務をめぐり、中国の国家管理体制は一連の部門間の協調メカニズムを確立し、多部門にわたる集団行動を協調、統合した。部門の枠を超えたリーダーシップ・グループ、共同の政策制定、共同の法執行機構などの設立を通じて、部門間の責任逃れを有効に防止し、健全な国家管理体制を系統的に構築した。第三に、重点管理プロジェクトをめぐり、例えば南方の水を北方へ、流域管理、地震災害救援、災害後の再建、弱体地域援助など、中国の管理制度は部門、地方、社会を有効に調整できるが、これは他の国ではほとんど実現できないものである。

七、時勢を吟味し、時代と共に進む柔軟性

権威的な体制の下での有効な管理を実現し、変化する現実と調整中の戦略任務に迅速に対応するために、制度は柔軟性を有し、制度の弾力性と応答性を通じて管理業績の向上を保障しなければならない。中国の国家管理体制は政策の制定、執行の過程の中で柔軟性に富んだ面を現わし、時代に合わせて発展することが可能で、硬直した保守化や旧態依然化といったことがない。長期的な国家管理の実践の中で、中国共産党は中国の国情に合わせ、独特な融通性のあるシステマティックな配分を形成した。まず、中央が推進する国家管理の各種の政策は、基本的に地方が実際の状況に応じて適切に執行することを許可し、「一括して」やらない。領土が広く、人口が多く、地域の発展がアンバランスな大国にとって、改革案は原則的、価値的、方向的に統一性はあるが、具体的な内容と措置においては、地域間の差異性と多様性を無視することを避けなければならない。実際、中国の東部地区と西部地区、発達地区と立ち後れた地区の発展段階、レベルと重心には大きな差異が存在し、同じ省内でも地区によって発展状況も異なり、一つの尺度を使うことができない。ある合理的に見える政策を、それがある地区で試験的に効果の良かった改革措置であったとしても、区別をつけずに全国に広めれば、制度の制御不能の状況が現れることになろう。中国の大多数の地域や分野に適用されている改革措置でさえ、当該地域や分野の特殊な状況に合わせて調整する必要がある。次に、政策試行に注目すると、政策の局部試行から全面的に普及する管理ロジックと方式にまで、国家管理の柔軟性と有効性の有機的統一を実現した。新しい国家管理問題に直面した時、中国の国家管理体制は往々にしてすぐに全国的

な政策、法律を制定するのではなく、いくつかの地方を選択して政策試行を行う。政策試行が成功または経験を獲得した後に、全面的な普及を行う。「以点帯面（局部の経験を全体に広める）」は中国の国家管理体制をより柔軟なものとし、多様化させた。

八、「一方に難あれば、八方支援」の相互性

中国の制度の統一性と権威性も管理の相互協力性を促進しているが、このような制度の優位性は他の国では見られない。地域管理の相互援助性は中国の国家管理体制の特別な優位性である。中国には、上下位階のつながりが緊密であり、その責任の境界がはっきりしている階層型政府制度があるが、その制度の優位性はまた、各地域をまたぐ協力的、補強的な管理を実現させることができる点にある。代表的なのは、弱体地域支援という中国の特色ある制度である。重大な危機に直面する際、あるいは発展が厳しい時など、中央政府は全国の資源を調達でき、中央省庁や先進他府県の力を頼りに、途上地域や救助が必要な地域に資金、事業、施設や人員など、全体的、長期にわたる支援を実現することができる。それはいわゆる「一方に難あれば、八方支援」という精神の表れである。汶川地震後の復旧やチベット自治区、新疆ウイグル自治区などに対する支援も典型的だ。このような協調制度の展開による互助性は、社会主義の優位性を最もよく体現するものである。

第六章

中国の特色ある社会主義の歩みの文化的貢献

中国共産党第十九回全国大会の報告書は、「現代の中国共産党と中国国民がすべきことは、新しい文化的使命を担い、実践創造の中で文化を創造し、歴史的進歩の中で文化的進歩を実現することであり、それはきっと可能である」[1]ことを強調している。また、習近平総書記が指摘したように、「中国国民は人類のために新しい発展モード、発展の道で貢献するだけではなく、文化革新、創造において自ら得た成果を世界に捧げている」[2]。

道は運命を決めるが、正しい道を見つけるのは決して容易なことではない。中国の道は中国の特色ある社会主義の道であり、この道は容易なものではない。それは天から落ちてきたものではなく、党と国民が艱難辛苦を経て、様々な代償を払って得た根本的な成果である。それは改革開放四十年の偉

1 習近平『小康社会を全面的に構築して新時代の中国の特色ある社会主義の偉大なる勝利を勝ち取ろう——中国共産党第十九回全国代表大会における』北京、人民出版社、2017年、44頁。

2 習近平「中華民族の偉大なる復興時代の文芸最盛期を作り上げよう」、新華網、http://news.xinhuanet.com/politics/2016-11/30/c_1120025224.htm.（2016-11-30）

大なる実践を進める中から、また中華人民共和国の成立六十余年の持続的な探求の中から、さらに近代以来百七十年余りの中華民族の発展過程に対する真剣な総括の中から、そして中華民族五千年余りの悠久の文明の伝承の中から出てきたものであり、深い歴史の起源と広範な現実的基礎を有するものである。

習近平総書記は、何千年もの間、中華民族は他の国や民族とは異なる文明の発展の道を歩んできた、という深い指摘をしている。中国が中国の特色ある社会主義の道を開いたのは偶然ではなく、中国の歴史的伝承と文化的伝統が決定したものである。確かに、文化は民族の生存と発展の重要な力である。人類社会のすべての飛躍、人類文明のすべての昇華は、すべて文化の歴史的進歩を伴うものである。中華民族は五千年以上の文明史を有しており、近代までは、中国はずっと世界的強国の一つであった。数千年の歴史の流れの中で、中華民族はこれまで順風満帆ではなく、無数の困難に遭遇したが、しかし中国はみなそれを乗り越えてきた。その中のごく重要な原因の一つは、代々の中華の青年たちが独自の特色を有し、豊かで深い中華文化を育成、発展させ、そして中華民族に困難を克服させ、たゆまず生成して強大な精神的支柱を提供してきたことである。

中華民族が強大な文化的創造力を有することは、歴史や現実が証明している。重大な歴史的時期になると、文化は国運の変化を感じ、時代の先端に立ち、時代の呼び声を発し、億万の国民と偉大なる祖国のために歓呼し、鼓舞に努めるのである。根本を守り抜くと同時に、絶えず時代と共に進歩してきた中華文化は、中華民族に確固たる民族的自信と強大な修復能力を保持させ、共通の感情と価値、共通の理想と精神を育成し、中華文明が世界各国国民の創造した多彩な文明と共に、人類に正しい精神指導と強大な精神力を提供するようにさせた。

第一節　中国の特色ある社会主義の歩みという視野からの文化強国

言説は時代の産物であり、時代の特徴を形作り、時代の方向を導く強大な精神文化の力である。改革開放前、中国が西洋に与えたイメージが「政治中国」であるとすれば、改革開放後、中国の道の構築に伴い、「経済中国」のイメージがすでに世に現れるようになった。しかしながら、経済は急速に発展しているが、現代の中国が世界との関わりの中で出会う苦境は変わっていない。今では、中国は明らかにいわゆる「罵られる」時代に入った。[1]是非を問わず謗られ罵られるのは、イデオロギー面での西側敵対勢力の陰謀があるに違いない。同時に、我々はまた、それがいかなる批判も反省の価値もないわけではないことも理性的に考えるべきである。このため、中国は、発言権における苦境を早急に解決し、自身の言説体系を構築しなければならない。中国は五千年もの輝かしい歴史と文明を有する古い国であり、文化大国である。そこで、「経済的、政治的、地域的、親族群の観念ではなく、

1　趙瑧「虐められる」「食糧不足」から「罵られる」まで――中国の道はまだ長い」『人民フォーラム』２００８年（９）。

文化的で広義の観念から中国を理解すべきである」とする「文化中国」の概念を提唱した学者がいる。[1]確かに、中華民族の最も際立った優位性とイメージは、文化であると見なされるべきである。孔子を代表とする儒家が中国の文化の系譜を創始したことは、現代的な価値と世界的な意義を有することである。文化は民族の血脈であり、国民の精神的故郷である。だから、中国共産党第十八回全国大会以来の習近平総書記の文化強国建設に関する一連の重要な論述は、文化建設の次元から生き生きと力強く中国の道の価値理念と文化的追求を表現するにとどまらず、中国の道の言説表現と構築のロジックを明らかにした。それが、我々の文化強国の内包に対する理解を深めた。文化強国は、日に日に現代中国の発展における一種の全体的な追求と志向になりつつある。

一、文化強国についての古今のロジック

中華民族は五千年を経て、悠久の歴史を有する人類の最も古い文明の一つである中華文明を創造した。習近平総書記は「中華文化が蓄積した中華民族の最も深い精神的追求とは、中華民族がやむことなく生成、発展させてきた壮大で豊かな滋養である」と指摘した。長い歴史過程の中で、地域間の頻繁な流動、民族間の相互交際、文化間の融合を経て、「なんじ来たれば、われ行きて、われ来たれば、

1　杜維明が述べた「文化中国」という概念には三つの「意義世界」が含まれている。王呈「文化中国が含む三つのインタラクティブで独立した社会」『人民日報』２０１３年5月29日。

なんじ行き、われの中になんじありて、なんじの中にわれあり」という中華民族の多元一体構造を形成した。[1] また、誇り高き燦爛たる文明を生み出し、高度な文化的アイデンティティと生命力に富んだ民族精神を形成した。例えば、「天行健なり、君子以て自ら彊うして息まず」という進取の精神や、「天下の興亡は匹夫に責あり」という引き受け精神、「貧賤憂戚、庸んぞ汝を玉に成さんや」という不屈の精神、「天下の憂に先んじて憂ひ、天下の楽しみに後れて楽しむ」という奉献的精神、「天地のために心を立て、生民のために命を立て、往聖のために絶学を継ぎ、万世のために太平を開く」という政治的理想、「人生古より誰か死無からん、丹心を留取して汗青を照らさん」という民族的品位、「天人合一」という精神的境界、「和して同じからず」という寛容の気風、「民胞物与にす」の調和的意識、「大道の行くや、天下を公と為す」という社会的理想など、これらはいずれも中華民族の絶えざる進取の精神の源泉と尽きない動力となった。比較文化視野の角度から、中国のきわめて強い文化的個性を指摘した学者がいる。すなわち、独自に創造し発生させるのであって、他のものから受けるのではない。自ら形成した体系は、他と大きく異なり、昔から今に至るまでずっと独り存在し、同化能力が極めて強く、影響力が遠大であり、高度な妥当性と調和性を有している。[2] 中共中央が時宜を得て提出した「社会主義文化強国」建設の目標は、文明古国、文化大国の歴史の流れを継承し、深い底を有する中国の

1　費孝通「中華民族の多元一体の構造」『北京大学学報（哲学社会科学版）』１９８９年（４）。
2　梁漱溟『梁漱溟全集』第３巻、済南、山東人民出版社、２００５年、10頁。

文脈を自主的に継続することである。

現在、歴史虚無主義と文化虚無主義の思潮は社会に絶えず蔓延し、大きな市場があり、非常に影響力がある。それらは、民族の歴史を脱構築することを通じて文化の伝統を転覆し、革命の正当性を否定し、国家の発展成果を誹り、主流のイデオロギーを解消しようとしている。我々は「正しい歴史観、民族観、国家観、文化観を確立、堅持し、中国人の気骨と自信を強めなければならない」と、習近平総書記が強調している。これは明らかに現在の歴史虚無主義的な思潮に対して提起されたものである。もちろん、この思潮は古くからあり、早くは二十世紀の新文化運動の中で「全面的な西洋化」論が提唱されており、中国文化は二束三文であるため、西洋文化を「誠意をもって全面的に受け入れなければならない」と考えられてきた。しかしながら、我々は慌てふためく必要はない。そのいきさつをはっきりさせれば、病状に応じて薬を与え、逐一反駁し、正しい見方、聞き方を有することができる。習近平総書記が指摘したように、「中国共産党員はマルクス主義者であって、（中略）歴史的虚無

主義者でも文化的虚無主義者でもない。（中略）中国共産党員は始終中国の優秀な伝統文化の忠実な継承者と発揚者であるから、孔夫子から孫中山に至るまで、我々はみな注意してその中から積極性のある養分を汲み取っている」伝統を捨て、根本を捨てたら、それは自ら民族の精神の命脈を断つことを意味する。銭穆が指摘したように、「本国の過去の歴史に対して一種の温情と敬意を有する者は、少なくともその本国の歴史に対して一種の偏った過激な虚無主義を抱くことはないし、我々は今、歴史の頂点に立っており、我々の目下の様々な罪悪と弱点はすべて古人のせいである、と少なくとも感じるようなことはあるまい」[1]。そのため、我々はこの深く厚い民族の歴史の底にどっしりと横たわる文化的伝統を大切にして、その基礎の上で絶えず国家文化のソフト面での実力を高めて、一日も早く「社会主義文化強国」の目標を実現しなければならない。

二、文化強国における東洋と西洋とのロジック

長い歴史を有し、博大精緻で、豊富多彩な中華文明は、自ら強くして息まず、勤勉で知恵のある中華民族を形作っただけでなく、世界最高の成果を代表する科学技術の発明をも創造した。独り風騒を領すること数千年にして、人類文明の進歩のために不滅の傑出した貢献をした。しかしながら、明清の時期に、西欧諸国が競って国の門戸を開放し、産業革命を行い、世界貿易を発展させたが、清朝の

1　銭穆『国史大綱』北京、商務印書館、1961年、1頁。

支配者は世界の状況を知らず、傲慢に国を閉ざし、依然として天朝は世界の中心だという夢を見ていたのである。また伝統的な皇権体制の硬直化と腐敗に加えて、近世の中国は、世界の急速な工業化の波に容赦なく取り残された。アヘン戦争の勃発に伴い、西洋列強の堅船利砲の圧力の下、中国は国の門戸を開放させられ、領土を割譲して賠償金を払い、開港して通商し、主権を失って国を辱めた。そして、民は命を長らえるに堪えず、危機は四面に伏している状況になった。こうして、近代中国は、屈辱的な歴史から始まった。そこで、中華文明は昔日の風采をなくし、影響力が日に日に減少し、全民族は次第に文化への自信を失うようになった。

百年に及ぶ数奇な山あり谷ありの近代史を前にして、習近平総書記は、「中華民族の偉大なる復興を実現することは中華民族の近代以来の最も偉大なる夢である」と指摘した。中華民族は気骨のある民族である。孟子が言うことには、「富貴も淫する能はず、貧賤も移す能はず、威武も屈する能はず」と。数え切れないほどの仁人志士が、救国救民の真理を求めるために、次から次へと艱難に耐えて模索を続けた。洋務運動、戊戌の変法（政変）、辛亥革命などの救国策を経てきたが、維新派内部で求められていたトップダウンの改革にしても、革命派が西洋に倣って行った民主革命にしても、気候風土に合わなかったために、相次いで失敗した。それは「十月革命の砲声が、中国にマルクスレーニン主義を送る」時まで続いた。マルクス主義の広範な伝播に伴い、中国共産党が誕生した。その時になってはじめて、中国は本当に、生きるために国を救う道を見つけることができた。先進的な文化は、啓蒙喚起するだけではなく、民を救うこともできる。さらには改革実践を指導し、民族文化の偉大なる復興を実現するのにも用いられた。

近代中国は、かつて確かに世界の先進文化に後れをとったことがあったし、先覚者もまた西洋に真理を求めたことがあった。だが、習近平総書記が指摘したように、「世界には、四海遍く適用する具体的な発展モデルがあるはずはないし、普遍的な発展の道もない。歴史的条件の多様性は、各国が発展の道を選択する多様性を導く。人類史から見れば、外部の力を頼りにして、他人の後に追随することによって、強大さと振興を実現した民族や国家はない」。歴史の法則には客観性があり、任意に選択することはできない。著名な歴史家の許倬雲は次のように指摘している。近代中国と西洋の遭遇は相当に不思議なものであり、ヨーロッパはルネサンス、宗教改革、工業革命後に次第に衰退から隆盛していったのに対して、中国は漢唐の二度の盛世を経てからというものは隆盛から衰退に至った。「近代四、五百年の接触の中でヨーロッパの盛世にぶつかり、衰退する中国は、無力感を覚えざるを得なかった」。しかし振り返ってみると、百年前の歴史家シュペングラーの『西洋の没落』が指摘しているように、西洋は衰退しつつあった。二百年の苦難を経て、中国は再起のための強大な動力を蓄積してきた。「状況は逆転したかもしれない。中国が衰退から立ち直ろうとした時、欧米はかえって盛況から衰退に転じた」。[1] 梁啓超もまた、戦乱によって荒廃したヨーロッパを見て、「海の対岸には、何億人もの人々が、物質文明の破綻を憂い、悲しげな声で助けてくれと叫んでおり、あなたが克服する

1　許倬雲『中西文明の対象』、杭州、浙江人民出版社、2013年、2頁。

のを待っている」[1]と感嘆の声を上げた。そこで、没落しつつある「西洋文明」の種が中国で実を結ぶのを、どうして望みつづけることができようか。早くも二十世紀には、多くの思想家がこれを真剣に深く考えるようになった。梁漱溟は考えた。国民は西洋の道をやみくもに追うべきではなく、この世界の流れの中で中国の道を構築しなければならない。「中国人をして近代西洋における個人の権利を本位とする立国の道を学ばしめることは、数千年にもわたって倫理、義務を本位とする社会の人生とつなげることはできない。それでは、前後がつながらない文章のようなものだ。これを乗り越えて、高度を高めて、直接に人類社会の未来の文化のために新たな局面を切り開いてはじめてチャンスがあるのだ」[2]。張君勱氏も「今の世に居りて最大の責任は、厥れ今後の世界新文化に対する貢献に在り。吾が国人にして誠に能く発奮して之を為さば、則ち新文化の卓上に、必ずや吾が国人の一席を占むるを容るべし」[3]と指摘した。中国の問題を解決するには中国の大地で自らに合った道と方法を探るしかない。そのため、中国は必ず本土の歴史文化資源を借りて、世界の新文化に新しい機縁を開拓し、中国の要素を有する普遍的な価値を提供し、それによって世界の潮流をリードする文化強国になるべきである。

1　梁啓超『遊欧心影録』、北京、商務印書館、２０１４年、52頁。
2　梁漱溟『梁漱溟全集』第４巻、済南、山東人民出版社、２００５年、４８３頁。
3　張君勱『明日の中国文化』、北京、中国人民大学出版社、２００６年、１３９頁。

三、文化強国の理論的ロジック

十七世紀のエストバキアのシステムは新世界構造に深い影響を与えた。伝統的な帝国の形態が消滅し、それに継いで、新世界秩序が「民族国家」という単位で形成された。エリック・ホブスボムが言ったように、「この二世紀以降の地球史を垣間見るならば、「民族」や民族から派生したさまざまな概念から手をつけなければならない」[1]のである。長い歴史の過程の中で、中国はずっと世界では文明国家のイメージでとらえられており、名実ともに華夏を以て中心とし、天下を以て情懐とする文明儀礼の国であり、昔から今に至るまで、文化によって立国してきた。梁漱溟が言ったように、中国人は従来から「天下観念を国家観念の代わりにしてきた。ただ『天下泰平』を願っているだけで、『国家富強』など、これまで考えたことは一度もない」。[2]雷海宗によると、二千年間の中国は「散漫な政治形態を有する大文化エリアであり、（中略）近代西洋列国とはまったく異なる」。[3]アメリカのルシアン・パイも「中国は民族国家ではなくて、文明の一種であり、国家に偽装している」[4]と考えている。しかし、近代以来、亡国絶滅の深刻な危機に直面し、救済を図る必要から、中国は「民族主義」という西洋の言説を受け入れることを強いられた。そして「民族国家」として新世界システムに入りたいと考えた。

1　エリック・ホブスボーム『民族と民族主義』、上海、上海人民出版社、２００１年、１頁。
2　梁漱溟『梁漱溟全集』第３巻、済南、山東人民出版社、２００５年、26頁。
3　雷海宗『中国文化と中国の兵』、北京、商務印書館、２００７年、71頁。
4　PYE L. China:erratic state. frustrated society. Foreign affairs. 1990. 69（4）:56-74.

ジョゼフ・R・レベンソンは「近代中国思想史の大部分は、『天下』を『国家』にする過程である」と鋭く指摘した。[1]

一般的に言って、非西洋の後発近代化国家が近代化を実現するには三つの選択肢がある。一つは自国の伝統を捨ててすべて西洋化すること、二つは自国の伝統を信じて反西洋化のために反近代化すること、三つは近代化を追求するが西洋化を拒否することである。最後のタイプは、また近代化の過程で二つの段階に分けられる。初期段階における西洋化の過程で近代化を促進したが、成熟段階に入ると、経済がある程度まで発展したため、一種の「西洋化」と「本土文化」を復興する要求が発生した。[2] 大まかに言えば、中国は、第三のタイプに属しているが、何よりもまず「世界民族の森にそびえ立って」はじめて、生存と発展の機会を得ることができる。１９４９年、新中国を創立するという理想の実現の成功に伴い、その後四十年の改革開放を経て、中華民族は基本的に「世界民族の林にそびえ立つ」という目標を実現した。中国はすでに重要な大国になったのだから、その国家的イメージは「政治中国」

1　ジョゼフ・R・レベンソン『儒教中国、及びその現代的運命』、桂林、広西師範大学出版社、２００９年、84頁。

2　ハンティントンによると、「社会的レベルにおいては、近代化は社会の総体経済、軍事、政治の実力を高め、この社会の人民を鼓舞して、自己の文化に対する自信を持たせることによって文化を発揚させた。個人的レベルにおいては、伝統的絆と社会関係が分裂した場合、近代化がもたらしたのは違和感と異常感である。それが、宗教から答えを求める必要があるといったアイデンティティの危機に陥る羽目になった」サミュエル・P・ハンティントン『文明の衝突と世界秩序の再築』、北京、新華出版社、２０１０年、51～55頁。

「経済中国」だけではなく、更に伝統に回帰し、文化を本位として、「文化中国」の国家的イメージをくりひろげるべきである。『中国が世界を支配する時』の著者マーティン・ジャックが述べたように、「中国は本質的に文明国家であり、そのアイデンティティの認識は文明国家としての長い歴史に由来している」。もちろん、世界には、たとえば西洋文明のような多くの文明があるが、中国は唯一性のある文明国に属している。中国人は国家を監督・庇護者、管理者、文明の化身と見ており、その職責は統一を保護することである。国家の合法性は中国の歴史に奥深く隠れている。これは西洋人の目から見る国家とは、まったく異なっている」[1]。現在、精神の信仰の普遍性が欠け、道徳レベルが次第に低下し、社会的コモンセンスが日々引き裂かれている現代中国を前にして、すべきことは再び伝統に回帰することである。習近平総書記が指摘したように、「中華の優れた伝統文化は中華民族の際立った優位性である」。そのため、中国は「民族主義」ではなく、「文化的アイデンティティ」という形で、国民の国家に対するアイデンティティを再構築しなければならない。

中国は文化立国の開放的な国であり、「天下」の観念は中国文化の特色であり、例えば漢末、仏教が東へ伝わったこと、明末清初、洋学が東へ広がったこと、民国の初めに、マルクス主義の中国化など、すべて天下を心情とする気迫に包容吸収された。「夷狄、中国に入らば、則ち之を中国とし、中国、夷狄に入らば、則ち之を夷狄とす」。夷夏の弁を説いても、民族の差別待遇と盲目の排外コンプレッ

1　張維為『中国震撼』、上海、上海人民出版社、２０１１年、２４３頁。

クスはなく、崇徳修文の中華文明の伝統はグローバル化の今日では貴重なものとなっている。中国は一般的な意味上の国家ではない。その悠久の歴史と文明がその「文明国家」の背景を示しており、その「天下を公と為す」という価値観も未来の文化の道を決定している。今日の人々が天下を忘れ、「中国」を「民族国家」の同位語と見做すようなことがあってはならない。天下がなければ、どうして中国があるのか。ハンティントンが言ったように、冷戦の終結とイデオロギー対立の漸進的な解決により、世界の衝突はそれぞれの文明実体の間でより多く発生し、文化は未来の最も重要なソフトパワーになるだろう。そのため、「社会主義文化強国」を建設することは、現在の国家統治の重要な仕事であり、まさに時宜に適したことであると言える。

四、文化強国の実践ロジック

現代の世界では、科学技術の急速な発展、経済のグローバル化が進み、各種の社会思潮の交流が頻繁になるに従って、経済と社会生活における文化の作用はますます明らかになり、総合国力の競争において、ますます重要な役割を果たしている。このため、国家文化の安全と文化のソフト面での実力を高める任務はさらに緊迫して来た。現代中国では、全面的な改革の深化は、すでに深水の域に、かつ攻略期に入っており、文化建設はすでに改革の共通認識を凝集し、経済社会の発展を図る重要な精神支柱になってきている。習近平総書記は、「核心的価値観を育成し発揚し、社会意識を有効に統合することは、社会システムの正常な運行と社会秩序を有効に維持する重要な道となる」と指摘していた。核心的価値観は国家の最も根本的な文化的ソフトパワーであり、文化体系の生命力、凝集力と感化力を代表しており、文化的ソフトパワーの魂であり、文化の性質と方向を決定する最も深層の要素であると言える。歴史も現実も示すように、強大な感化力を有する文化的ソフトパワーを構築することは、社会の調和と安定に関わり、経済の順調な発展に関わり、国家の長治久安に関わるのである。

中国共産党第十八回全国大会の報告書は経済建設、政治建設、文化建設、社会建設、生態文明建設の「五位一体」の全体配置を明確に提出したが、それは文化建設がすでに国家戦略に昇格しており、他の四つの方面の建設のために精神的、文化的支持を提供しなければならないことを表している。中国共産党成立95周年大会を祝う演説で、習近平総書記は「初心を忘れず、前進を続けるには、中国の特色ある社会主義の道への自信や、理論への自信、制度への自信、文化への自信を堅持しなければならない」と指摘した。そして、「文化への自信はより基礎的で、より広く、より深い自信である」と強調した。周知のように、文化には自らの特徴と機能があるものである。それは、社会をリードし、人々を教育する機能的な属性を有する上層建築のイデオロギーであると見なすことができる。同時に、物質の財富の絶えざる増加、生活レベルの持続的な向上に伴い、国民の消費構造には著しい変化が発生し、消費支出は次第に精神文化面に傾きがちである。これにより、経済発展の文化の分野への転換が必至となるだろう。市場経済の条件の下で、文化的製品それ自身が社会的商品となり、直接に経済効果をもたらし、経済的価値を創造することができるようになる。文化も生産力の機能的属性を担っている。したがって、文化は社会的利益を担っているだけでなく、経済的価値をも創造し、日に日に経済社会の発展の源泉になりつつある。文化は特定の時期の経済、社会の発展の反映であり、同時に絶えず経済社会の発展を推進している。先進的文化は経済、社会の発展に持続的な精神力を提供し、共通認識を凝縮し、社会を統合し、思想を啓発し、革新を促進し、国民の文化的素質を高めることができる。

習近平総書記は、中華民族の偉大なる復興を実現する中国の夢には、強い精神力が凝縮される必要があると指摘した。今まで我々が夢見てきた中華民族の偉大なる復興のその内包は、政治が良い環境を持ち、経済が発展し、社会が調和し、生態が良くなり、文化が繁栄することなどを含んでいるが、その文化の繁栄は、経済、政治面よりも生命力と凝集力を有している。「社会主義文化強国」を建設する目標自体が、中華民族の偉大なる復興を実現する中国の夢のテーマの構成部分である。そのため、我々は絶えず文化の自覚を高め、文化への自信を強め、それによって、経済発展のために文化の共通認識を凝集させ、社会の調和のために精神力で貢献するようにしなければならない。

五、文化強国の戦略的ロジック

近代になって西洋の強大な軍艦と艦載砲に遭遇してからというもの、中国は西洋との戦いで何度も敗退した。つらい経験から教訓を汲み取った中国人は、最終的に伝統文化こそが西洋に敵わなくなった張本人であると見なし、それによって、文化への自信を失い、西洋に全面的に倣って、自覚的に、また無自覚に自らの言説ロジックを放棄した。「西洋が中国に与えたものは中国の言説を変えることであり、中国が西洋に与えたのは西洋の語彙を豊富にすることであった」。[1] 言語と語彙は明らかに同等のものではない。確かに、現在まで、言説ロジックの方面で中国は依然として守勢にあり、多くの領域は依然として西洋の言説ロジックに支配されている。鄭永年が言ったように、「知識グループ全体は、公認の知識人であろうと巷間の知識人であろうと、その思想は植民地に置かれた状態にある」[2]、西洋の言説ロジックを用いて中国を解釈すると、本質的には西洋との平等な対話にはならず、それは西洋に対する一種の「譲歩」にすぎない。同時に、現代中国の改革実践から見ると、西洋の言説ロジックでは中国を解釈することはできないのである。それだけではなく、その流行によってもたらされた更に深刻な結果は、中国人をして自己の文化的アイデンティティと文化への自信を失わしめ、中華民族の民族的身分を忘れさせたことである。そのため、中国共産党第十八回全国大会以来、党は新しい歴史の高度に立って、文化的伝統を見直し、西洋文明に対して理性的な態度を取り、国内と国際との全局を統括し、絶えず国家文化のソフトパワーを向上させ、「社会主義文化強国」を建設することを重要な戦略として来た。

国家の安定、民族の団結、その核心のきずなは、精神文化のアイデンティティである。いかなる強国も持続的な影響力を獲得するためには、科学技術の軍事力だけに頼ってはならず、それ相応の文化

1　ジョゼフ・R・レベンソン『儒教中国、及びその現代運命』、桂林、広西師範大学出版社、２００９年、１３２頁。
2　鄭永年『大国への路：中国の知識再構築と文明復興』、北京、東方出版社、２０１２年、70頁。

的ソフトパワーの支えがなければならない。もし国家の文化のソフトパワーが追いつかなければ、たとえハードパワーが強大であっても、内部に禍いが起こり、攻撃を受けなくても自ら破れることになる。ソ連の軍事力は強くない、とは言えないが、科学技術にしても、工業規模にしても、世界的にトップであり、超大国の一つであった。だが、文化やイデオロギー建設を無視して、最後には崩壊してしまったのである。そのため、二十世紀末、鄧小平は、「両手抓、両手都要硬（一度に二つのことをするが、両方とも等しく重視しなければならない）」という重要な戦略を提唱した。中国共産党の十八回全国大会以来、文化建設の仕事を非常に重視する習近平総書記は、中国の特色ある社会主義の先進文化という精神支柱がなければ、中華民族の偉大なる復興を実現することはできないと強調した。したがって、文化というものは、国を興すこともできるし、国を危険にさらすこともできるものなのだ。

冷戦後、西洋で一時、喧々囂々だった「文明衝突論」について、習近平総書記は、文明は多彩で平等で包容的であり、「交流し互いに学び合いさえすれば、文明は生命力に満ちるのである。包容の精神があれば、「文明の衝突」が存在するはずがないし、文明の調和は実現可能だ」。強大な中国の特色ある社会主義の先進文化を建設し、世界における中国の文明大国のイメージを再構築してこそ、西洋をして「文明衝突論」の冷戦後思想を放棄させ、平和的に理性的に中華文化を認識させ、中華民族の偉大なる復興に直面させることができる。そうしてこそはじめて、世界の平和と発展のために良好な文化的雰囲気を作ることができる。

社会主義文化強国を建設するその最終の目的は、国民に福をもたらすことである。習近平総書記は、

「人々のすばらしい生活へのあこがれこそ、我々の奮闘する目標である」と強調している。中華民族の五千年において、歴史がどのように変遷し、王朝がどのように交替しようとも、ずっと融合し続け、その領域は絶えず拡大し、影響は日に日に増加していく。なぜなら、中華民族の血液には一脈相通じる文化的遺伝子があるからである。しかし、血液は常に新しくならなければならないものである。さもなくば、国民の日に日に増加する精神文化の需要を満たすこともできないし、時代に淘汰されもする。そのため、社会主義文化強国を建設するには、絶えず「造血」し、中華民族に新しい精神文化の力を加えなければならない。この新しい力の最後の引き受けこそが、国民の精神文化の素質の全面的な向上となる。中華民族の優れた文化遺伝子を進んで継承し、現代文明の素質を有する新国民を積極的に育成することが、中華民族の最大の福祉である。

習近平総書記が指摘したように、「我々は、歴史上いかなる時期よりも中華民族の偉大なる復興の目標を実現することに接近していて、歴史上いかなる時期よりもさらに自信があり、さらにその目標を実現する能力があるのである」。かくも悠久の歴史文明を有する現代中国に立って、我々自身の道を歩めば、舞台はとても広い。昨日の苦難の輝きを忘れず、時代の使命に恥じず、ともに努力して、「中国を方法とし」[1]、本土の精神的価値を提供し、自身の言説ロジックを再建して、一日も早く社会主義

1　溝口雄三氏は次のように考えている。今までは世界を方法として中国を研究してきたものであるが、この代表的な普遍法則の世界は、結局のところ、ヨーロッパ自身に過ぎない。しかしながら、「中国を方法とする」世界観は、中国を構成要素の一つとしている。欧州を構成要素の一つとしてみると、それによって世界は多次元で豊富なものとなる。氏によると、二十世紀は、ヨー

的文化強国の「中国の夢」を実現させようではないか。

第二節　中国の特色ある社会主義の歩みの文化プラン

中国共産党第十八回全国大会は、道への自信、理論への自信、制度への自信という「三つの自信」を堅固にすることを初めて提起した。中国共産党の十八期三中全会では、さらに「中国の特色ある社会主義の道への自信、理論への自信、制度への自信を絶えず強化する」ことを要求した。このことから、中国共産党の中国の特色ある社会主義の道への自信、理論への自信、制度への自信についての「三つの自信」の理論的記述が明らかになった。同時に、習近平総書記を首班とする中共中央は、治国の管理実践とその思想の中で、党の文化建設を強化し、党の文化的自覚を増進し、党の文化への自信を顕現することを絶えず強調し、中国の特色ある社会主義の「三つの自信」から「四つの自信」に至る戦略的超克を実現した。2014年2月、習近平総書記は、中共中央政治局の第十三回集団学習の際に、「中華の優秀な伝統文化の歴史的な根源、発展の文脈、基本的な方向をはっきり説明し、中華文

ロッパを先進とした世紀であるのに対して、二十一世紀は、中国とヨーロッパが肩を並べて進む中で幕をあげた。「中国を方法として、原理の創造に進み、同時に世界自身の創造に足を踏み入れねばならない」。溝口雄三『方法としての中国』、北京、三聯書店、2011年、130～133頁。

化の独特な創造、価値理念、鮮明な特色を明らかにし、文化への自信を強化しなければならない」と強調し、文化への自信の時代テーゼを明確に提示した。２０１４年の「両会」の期間中、習近平総書記が貴州省代表団の審議に参加した時、「我々は、道への自信、理論への自信、制度への自信のほかに、最も根本的な文化への自信を堅持しなければならない」と述べ、ここで、文化への自信が「三つの自信」の根本的な思想であることをはじめて提示した。２０１４年12月、マカオ大学の学生と座談会を開いた際に、再び言及した。「五千年以上の文明史は、はるか昔から流れているものである。そして我々は文化の流れを断ったことがない。制度への自信、理論への自信、道への自信、そして文化への自信を確立することだ。文化への自信は基礎なのだ」と。こうして、さらに文化への自信を「三つの自信」の基礎とする高度戦略に引き上げる。２０１６年５月、哲学社会科学事業座談会で、習近平総書記は、「中国の特色ある社会主義の道への自信、理論への自信、制度への自信をしっかりと固めなければならない。すなわち、あくまでも文化への自信を固めることである。文化への自信はより基本的で、より深く、より持続的な力となる」とさらに強調した。ここで、文化への自信が「三つの自信」の力の源であるとはっきりと説明した。

習近平総書記は文化への自信を「三つの自信」の根本であり基礎だとしているが、それを「三つの自信」と平行するロジック関係にあるとは考えておらず、「三つの自信」の文化的内包の理論として解釈しているだけであった。２０１６年６月28日に、中共中央政治局で第三十三回の集団学習を行った時に、習近平総書記の発言が高く重視されたことが注目される。習近平総書記は、「中国の特色ある社会主義の道への自信、理論への自信、制度への自信、文化への自信をしっかりと固める」ことを強調し、ここで初めて「四つの自信」を並べて提出した。その後、中国共産党創立95周年大会を祝う演説の中で、「初心を忘れず、前進を続けるには、中国の特色ある社会主義の道への自信、理論への自信、制度への自信、文化への自信を堅持しなければならない。文化への自信は、より基礎的で、より広く、より深い自信である」と述べた。習近平総書記は、文化への自信を明確に「三つの自信」と平行する高度に引き上げ、四者は並列したロジック関係を形成した。かくて、習近平総書記は党の「道への自信、理論への自信、制度への自信、文化への自信」、すなわち「四つの自信」に関する重要な論述を完成させ、文化への自信をこれまでにない新たな高度に引き上げた。中国共産党第十九回全国大会は党規約を改正する際に、明確に「四つの自信」を党規約に書き込んだ。これは新しい時代における党の重大な戦略的位置と配置となるもので、中国共産党員の文化建設過程における正心誠意と理論の自覚が反映されている。

習近平総書記が提出した文化への自信の背後にある理論、ロジックはどこにあるのか。中国の道は、人類がより良い社会制度を模索するために、どのような中国文化プランで貢献できるのか。それは主として、以下の三方面の強大にして豊かな思想理論の資源に立脚していると我々は考えている。

一、中華における優秀な伝統文化

民族の歴史をどう扱うか。伝統文化をどう扱うか。これはいかなる国でも近代化を実現し、文化への自信を確立する過程で、うまく解決しなければならない問題である。
中国共産党は一貫して優れた伝統文化の学習を重視し、一貫して民族の歴史の経験を重視している。延安時代に、激しい革命闘争を指導した過程の中で、中国共産党はマルクス主義と優秀な伝統文化とをうまく結合することを非常に重視し、絶えずマルクス主義の中国化を推進した。毛沢東は「新民主主義論」の中で、「中国の長期にわたった封建社会の中で、燦然たる古代文化が創造された。古代文化の発展過程を整理し、封建的な糟粕を取り除き、民主性の精華を吸収することは、民族の新文化を発展させ、民族の自信を高める必要条件となる」と強調していた。彼は「英国人記者ギュンター・ステインとの談話」の中で、「中国の歴史が我々に残したものには良いものが多くあって、それは確かなことである。我々はこれらの遺産を自分のものにしなければならない」と指摘していた。特に指摘に値するのは、１９４３年5月26日に「コミンテルン執行委員会議長団によるコミンテルン解散の提案についての中国共産党中央委員会の決定」である。その決定の中で次のように指摘がある。

「中国共産党員は中華民族のすべての文化、思想、道徳の最も優秀な伝統の継承者であり、このすべての優秀な伝統を自らの血肉につながるものと見なし、そして発揚を新たにし続ける。マルクス・レーニン主義という革命科学をさらに中国の革命実践、中国の歴史、中国の文化と深く結びつけていかなければならない。この運動は、中国共産党員の思想上の創造的才能を表しており、彼らの革命実践上の創造才能と同じである」

この論述は、中国共産党がマルクス主義と中国の革命実践、中国の歴史、中国の文化との結合の実現に努力すべきことを明確に要求したもので、それを「革命実践上の創造才能」と初めて併せ論じたものである。それは、中国共産党員の「思想上の創造才能」と呼ぶことができ、影響が深く、意義が大きいものであるといえる。中国共産党第十九回全国大会の報告書は、「中国の特色ある社会主義文化は、中華民族の五千年以上の文明史が育んだ中華の優れた伝統文化に由来するものである」と明確に指摘した。そして、特に「中国共産党は成立の日から、中国の先進的文化の積極的な指導者と実践者であり、中華の優れた伝統文化の忠実な伝承者と発揚者でもある」と強調した。[1]

五千年余りの文明の発展過程の中で、中華民族は広く深く輝かしい文化を創造し、特色に富んだ思想体系を形成し、重厚で素朴な民族精神を蓄積した。その中にある仁愛を重視し、民本を重んじ、誠実さを守り、正義を崇め、和合を求め、大同を求めることなどに代表される文化的価値と精神的理想は、時空を超え、国境を越えるだけでなく、永遠の魅力に富み、現代的価値を備えている。習近平総書記が指摘したように、「伝統を捨て、根本を捨てることは、自分の精神的な命脈を断ち切ることになる。博大で精緻で深い中華の優秀な伝統文化は、我々が世界文化の激流の中に根付く基礎となるものである」。そのため、中国の特色ある社会主義文化の発展の道は、中華の優秀な伝統文化に立脚し、

1　習近平『小康社会を全面的に構築して、新時代の中国の特色ある社会主義の偉大なる勝利を勝ち取ろう――中国共産党第十九回全国代表大会における報告』、北京、人民出版社、２０１７年、41頁および44頁。

中華民族の最も基本的な文化的遺伝子を現代文化に適応させ、現代社会と協調させ、中華優秀文化の創造的転化、革新的発展を推進してゆかなければならない。

二、赤色の革命文化資源

「中華人民共和国憲法」の冒頭には、中国は「栄光の革命の伝統を有している」とある。中国共産党が国民をリードして革命を行った歴史は、一つの奮闘史であり、革命精神を絶えず懐胎し、革命文化を発揚する赤い歴史でもある。

中国共産党を創立した初期に、党の創造者たちは犠牲を恐れず、困難を恐れず、理想的な信念を固め、党の紅船（中国共産党の第一回代表大会が開催された木造船）精神を育んだ。習近平総書記は、浙江で仕事をした時、その深い内包について説明したことがある。すなわち、「天を開き地を辟き、敢えて人の先と為るという先駆けの創造精神であり、理想を固め、度重なる失敗にも屈しない奮闘精神であり、立党は公のため、忠誠は民のため、という奉仕精神である」。これによって、紅船精神は明確に「中国の革命精神の源」の新しい高みに昇格されることになった。土地革命の時期に、中国共産党は「信念を固め、悪戦苦闘し、実を求め、新しい道を突破し、大衆に頼り、勇敢に勝利する」という井岡山精神、および「国民の利益至上、理想信念を固め、犠牲を恐れず、独立自主の精神で、実を求め、大局をよく考慮し、規律を厳しく守り、しっかり団結し、国民を頼りにし、艱難辛苦に耐えて奮闘する」という長征精神を形成した。抗日戦争の時期に、中国共産党は延安精神を形成した。それは中国共産党の堅固な信仰であり、理性に富み、激情に満ちた革命精神を集中的に表現するものである。その内包が主として表すものは、一つは無私献上の精神である。これは集中的に、毛沢東の白求恩精神の本質に対する概括に現れている。「白求恩同志の、少しも利己的なところがなく、ひたすら人に尽くすという精神は、彼の仕事に対する極端な責任感や、同志、国民に対する極端な熱意に表れている。すべての共産党員は、彼に学ぶべきである」。二つは国民に奉仕する精神である。これは集中的に、張思徳に表れている。「張思徳は、国民の利益のために死んだ。彼の死は泰山よりも重い。中国国民は受難の最中にあるが、我々は彼らを救う責任があり、我々は全力を尽くして奮闘しなければならない」。三つは、実を求める精神である。これは党の思想路線であり、毛沢東思想の精華でもある。延安精神に導かれて、党は人心を獲得し、文化の指導権を獲得した。解放戦争の時期に、歴史的な試練に応じる西柏坡の精神が形成された。その内包は主に「二つの必ず」である。つまり「必ず同志たちに謙虚、慎重、おごらない、焦らないという気風を保持させ、必

井岡山紅旗の彫像

ず同志たちに悪戦苦闘の気風を保持させなければならない」というものである。これは、中国共産党が国全体の政権を獲得しようとした時の一つの精神的な洗礼であり、思想上の深謀遠慮を体現するものであった。

中国共産党の革命文化の発展過程は、中国共産党の優良な伝統と気風を集中的に体現し、中国共産党が奮闘過程の中で蓄積した最も貴重な精神的な富である。中国の特色ある社会主義文化の発展の道は、必ず赤色革命文化資源に立脚し、その精神的内包を脈々と継承させ、中国共産党の青春を永遠に留め、先進性を永遠に保たなければならない。

三、社会主義の先進的な文化資源

旗幟とは方向であり、方向とは道を定め、道は運命にかかわる。どのような文化の旗を掲げ、どのような文化の方向を堅持し、どのような文化の道を開くかは、政党の生命の源であり、精神のカルシウムである。

中国共産党はマルクス主義政党として、成立の日から先進文化をもって全党を武装し、マルクス主義を指導思想として堅持している。絶えずマルクス主義の中国化を推進する中で、毛沢東思想と中国の特色ある社会主義理論体系が誕生し、中国革命、建設、改革の各段階の先進文化が前進する方向を表した。マルクス主義の中国化を絶えず推進していったら、マルクス主義の本質を失ってしまうと心配する人がいる。まったく必要のない心配である。艾思奇が言ったように、「マルクス主義が中国化できるのは、マルクス主義が一般的な正確性を有しているからであり、それが『四海いずこに放つとも間違いはない』もので、『万能のもの』だからである。もしこのような正確性がなかったら、もし単に特殊なものであれば、「化」の問題については全く論じられない。（中略）中国化するからといって、マルクス主義の科学理論を失うことは決してなく、逆に真の中国化は、真にマルクス主義の理論を把握するということである」[1]。マルクス主義の政党として、中国共産党が中国の特色ある社会主義の偉大なる旗を高く掲げたが、先進的な生産力の発展要求に応じ、最も広大な国民の根本的利益に合致する社会主義先進文化の建設に努力しなければならないことを、その本質が決定した。中国の特色ある社会主義文化発展の道は、社会主義の先進文化資源に立脚しなければならない。そうすれば、中国の特色ある社会主義の偉大なる事業を前進させることができる。

もちろん、中国の特色ある社会主義文化の発展の道は、この三方面の強大で豊富な思想理論の資源に立脚しているが、決してみだりに尊大な態度で、世界の先進文化を門前払いしようとするものではない。我々は「本来」を忘れずに、「外来」を吸収しなければならない。社会主義文化強国を建設する行程においては、もちろん人類文明のすべての優秀な成果を学習し参考にしなければならないが、しかしそのまま単純に借用することもできなければ、また気ままに模倣することもできない。中国の問題から出発し、内容と形式の上で積極的に革新し、絶えず中国の特色ある社会主義の先進文化の魅

1　艾思奇『艾思奇文集』第1巻、北京、人民出版社、1981年、482～483頁。

力と感動力を高めなければならない。

習近平総書記が言うように、「今の世界で、いかなる政党、国家、民族が信ずるに足るかと言えば、それは中国共産党、中華人民共和国、中華民族に違いない。『自ら人生二百年と信ずれば、会《かなら》ず当に水を撃つこと三千里なるべし』という勇気があれば、我々はすべての困難と挑戦に直面することを恐れず、揺るぎない新天地を開いて、新しい奇跡を創造することができる」。一つの政党、一つの国家、一つの民族の隆盛は、常に文化の興隆を頼りにするものであるから、中華民族の偉大なる復興は中華文化の発展繁栄を条件とする必要がある。四十年の経済社会の高速発展を経て、現在の世界における中国の経済規模、国際的地位は、昔とはとても比較にならない。与党としての中国共産党のそのマルクス主義を豊富に発展させる高水準、優れた伝統文化を継承する態度、赤色革命文化を発揚する力、世界の優秀な文化を参考にする深さは、必ず歴史と国民から積極的な評価を受けるに違いない。これに対して、我々は強い責任感と使命意識を抱かなければならない。習近平総書記が「四つの自信」を提唱し、文化建設と文化的ソフトパワーの向上を重視したのは、まさに時にかなったことであると言える。

中国の特色ある社会主義文化の道は、時と共に進む発展の道である。我々の文化の道は、終始、「本来」を忘れず、「外来」を吸収し、未来に向けて発展する方針を堅持してきた。「本来」を忘れないとは、すなわち中国文化の道は、深い民族伝統文化、科学的マルクス主義、豊富な革命文化を継承しなければならないということである。伝統を捨て、根本を捨てたならば、文化的遺伝子を変え、文化の特質を喪失することになる。「本来」とは安心立命の文化の根っこであり、世界文化の激流の中で足を踏みしめる「羅針盤」である。「外来」を吸収するとは、すなわち中国文化の道は人類文明のすべての優秀な成果を学習し、参考にしなければならないということである。外来文化に対してどのような態度を取るかは、国の文化に対する自信をテストすることになる。ある国が文化に対して自信があればあるほど、積極的な態度で外来文化に対応し、インタラクティブな交流の中で豊かに発展することができる。未来に向かうとは、つまり中国文化の道は輝かしい悠久の歴史があるだけではなく、改革開放の偉大なる実践があり、更に未来をリードする明るい将来性があるということである。自分を見つめ、世界に目を向け、未来を展望する。中国の発展、世界の変化、人類の活力は中国文化の道にかつてない歴史的チャンスを提供し、中国文化は必ず人類の未来に、人文の理知を有する中国プランを提供する。

第三節　中国の特色ある社会主義の歩みの価値的貢献

価値の次元から中国の特色ある社会主義の歩みを観察すると、中国の特色ある社会主義の歩みの価値拡大はますます価値期待となって現れてくる。価値期待の対象には、中国自身だけでなく、中国の台頭を認識している全ての国が含まれる。したがって、中国の特色ある社会主義の歩みは、価値的には普遍性と特殊性を併せ持ち、グローバリゼーションによって形成された利益共同体において、必然的にあるべき価値と意義を開示することができる。中国の特色ある社会主義の歩みが価値期待となる時、社会主義中国の文化、価値、意義が最大限に顕現、発揮されることは明らかである。したがって、明確にしておかなければならない問題は、なぜ中国の特色ある社会主義の歩みが価値期待となったのか、つまり、中国の特色ある社会主義の歩みが価値あるものとして現れる時に、内在的に説かれるものは何であるか、ということである。

一、中国の特色ある社会主義の歩みの価値期待

中国共産党第十一期中央委員会第三回本会議後、中国は解放思想の歩みを開始させ、開かれた姿勢でグローバル化のプロセスに入った。中国の道の本質が中国の特色ある社会主義であることを承認することは、中国の道におけるマルクス主義の中国化の重要性を認識することを意味する。しかし、グローバル化開放後の時間軸において、中国の問題は世界の問題に転換され、中国は「マルクス主義」と「マルクス主義の国際化」に同時に直面しなければならない。兪吾金は「マルクス主義の国際化とは、中国の現代マルクス主義研究者が海外のマルクス主義の歴史や現状を包括的、かつ十分に理解し、中国の特色ある社会主義理論体系を世界のあらゆる国に正しく紹介することを意味する。そして、これを世界で最も活力と影響力を備えた理論的な思潮の一つにすることである」[1]としている。改革開放

1　兪吾金『遮蔽されたマルクス』、北京、人民出版社、2012年、480頁。

は、中国の道のなかの「道」と「路」を世界に提示し、中国の道に含まれる「主義」、意義と道理を、一種の価値ある「中国プラン」として提示する。それを進めることで、価値期待が可能となる。指摘しておきたいのは、改革開放が中国の道の価値期待を開く、もう一つの重要な原因となっていることである。すなわち、改革開放の新たな時代の「現在」において、我々の中国の「過去」に対する理解が深まっていることである。中国の伝統文化、革命文化、建設期の文化を創造性に転換し、価値ある潜在エネルギーを解放することができる。まさにマルクスが指摘したように、「人間の解剖学は猿の解剖学の鍵」である。改革開放によって、マルクス主義の中国化と国際化が開かれた。それは、我々が現在の基礎の上で、歴史をよりよく説明することを必然的に可能にし、伝統文化と革命文化が人類の運命共同体のなかで価値の座標を再発見することにつながるのである。

二、中国の特色ある社会主義の歩みの価値座標

明らかに、世界史の次元を抜きにして、「中国の特色ある社会主義の歩み」を説くことは不可能である。中国の特色ある社会主義の歩みに対する国際的な価値期待は、明らかにただの希望ではなく、さまざまな比較、対立、衝突によって形作られたものである。ハンティントン氏の「文明衝突論」によって、現代世界文明は、西洋文明、中国文明、イスラム文明などの「七大文明」に分けられている。さまざまな文明の力を比較することで、文明の衝突は世界平和にとって最大の脅威であるという結論に達した。しかし注意が必要であるが、ハンティントンが使用する「文明」という概念は、それぞれ

の文明体の文化的価値を高めるものではなく、西洋の中心主義に基づく一種の文化帝国主義を強調するものである。文明紛争の本質は価値紛争である。ハンティントンが「文化の重要な役割」について論じる時、実際に論じているのは、文化の背後にある価値的動機がいかに人間に影響を与えるかである。[1]したがって、中国の特色ある社会主義の歩みがグローバリゼーションの中に置かれる時、中国の特色ある社会主義の歩みが有する表現的価値と意味は、必然的に、多様な価値対立の中に置かれることになる。例えば、中国の伝統文化における仁愛の原理、礼節の精神、責任意識、共同体本位は、全て西洋の個人主義的な価値観に反するもので、革命的理想の集団主義と犠牲の精神、滅私奉公の精神は、自由主義と激しい価値の衝突を引き起こす。従って、比較して見れば、中国の特色ある社会主義の歩みは中国の政治的主体性である。グローバル化の価値衝突の下で、中国の特色ある社会主義の歩みの価値「解像度」が明らかになり、制度の先進性、優位性が発揮されることになる。したがって、以下の二点について冷静に認識しなければならない。第一に、中国の特色ある社会主義の歩みは文化（文明）という形で提示され、文化の対立は本質的に価値とイデオロギーの対立である。第二に、中国の特色ある社会主義の歩み特有の価値的内包から「鏡像的な考え方」を取り除かなければならない。すなわち、西洋におけるいわゆる「普遍的価値」を中国発展の「価値の鏡像」として捉えれば、中国の特色ある社会主義の歩みの主体性は曖昧になる。中国の道は価値的貢献を提供するどころか、西洋

1　サミュエル・フィリップス・ハンティントン、ロレンス・ハリスン『文化の重要作用――価値観がどのように人類の進歩に影響するか』、北京、新華出版社、２０１０年、７～10頁。

の発展の脚注でしかなくなる危険性がある。

第四節　中国の特色ある社会主義の歩みの文明的貢献

枢軸時代の人類文明の先駆者の中で、広大で長い時を経て、かつ連続性を保持しているのは中華文明だけである。歴史上、中国文明は他の文明と同様に、何度も浮き沈みを経験してきたが、説明、同化、学習、更新の能力は極めて高い。近代中国は、西洋の資本主義文明と出会い、ついにマルクス主義と社会主義で新しい中国を築くことを選んだ。資本主義を超えた社会主義近代化の道を模索することは、この学習―革新型文明の具体化である。中国の道は、中国化したマルクス主義の最新成果であり、継続的な学習とイノベーションの過程で恒久的な活力を維持することができる。

一、中国の特色ある社会主義の歩みの文明的淵源

㈠　中国の特色ある社会主義の歩みは学習型文明、大統一国家、先進的団体の三者が有機的に統一した中華文明の伝統に根ざしている

中華文明には大統一国家の政治的理想がある。中国の正史は大統一国家の持続再建史である。殷周の変は意義が重大である。実質は封建貴族制であるが、宗権を君権に合わせ、王を尊ぶとは、すなわ

ち一統を尊ぶことである。秦朝は中央集権の郡県君主制で、漢朝は秦制を受け継ぎ、儒術至上を確立し、二千年以上続く封建社会の制度構造を築き上げた。辛亥革命後、民国は軍閥分裂に陥り、中国革命の「反帝反封建」は独立自主の統一集中した国家主権を再建するためであった。中国の政治統合と統一問題を解決するのに役立たない、または有害なすべてのプランは、最終的には失敗する。中国の道は一元化の思想指導、政治指導、単一制の国家構造、それから、民族区域自治制度と「一国二制度」を含む多元一体制度を提供している。これらはすべて大統一政治の継承と発揚である。

中華文明は政治を「統治」、さらには「教化」と理解している。そして、政治教育の使命を担う先進的な団体を有する。そのため、学習型文明と大統一国家は有機的に連結されている。この先進的な団体は、かつては儒家士大夫の団体だったが、現在は中国共産党という先鋒隊が組織している。儒家は人間性の良知良能を信じ、賢才を選任する「賢能政治」を奉じ、徳を厚くして教を重んじた。隋唐以後、科挙制は重要な支えとなった。中国共産党は学習型、サービス型、革新的な政党であり、「覚悟」と人間自身の精神力を重視し、より道徳的な平等を尊び、党員幹部と一般大衆が相互に学習し教育しあう「教師と生徒の弁証法」を強調している。また幹部の選抜も、強大で有能な「組織部」という体制中枢に依っている。

㈡　中国の特色ある社会主義の歩みは時に合わせて中心を守りつつ変化する中華文明の道に根付く一つの文明の核心と精髄は、その歩みの体となるものである。中華文明が理解する「自然」は、原初から「日月の行」のような変化である。そのため、中華文明の歩みは一種の学びやすい弁証法である。それは中国文明に、時代に追いつき共に進み、変化を知り、中道を保持するという顕著な特徴を持たせた。それが実際の社会的、政治的生活となると、極めて賢明で穏健で、極端には行かず、調和を崇め、節制と均衡の精神に富むことになる。「一陰一陽、之を道と謂ふ」は、中国文明の歩みに対する最も生き生きとした表現である。

中国の特色ある社会主義の歩みは中国共産党の執政規律、社会主義建設の法則、人類社会発展の規則に対する絶えざる深化の中で形成されたものであり、変化する情勢やタスクに応じた自己調整と自己整備の過程で形成されたものでもある。中国共産党の長期政権下で、社会主義初期の段階で、それは、すでに比較的成熟した形態となっている。例えば国家統治システムにおいて、「中国プラン」が強調したのは、政府と市場の「両手」、国有経済と民間経済の「両脚」、及び中央と地方の「二つの積極性」の役割を同時に発揮することへの重視であり、それは偏ってはならない。そして、このプランは実質的に一つの相対的な平衡安定、持続可能な有効な運転体制と管理構造を形成したのである。また、多くの矛盾を処理する時、中国の道はすべてこのような、極端に走らず、均衡協調を追求する特質を具現している。もちろん、矛盾の闘争性は絶対的であり、統一性は相対的であるため、中国の特色ある社会主義の歩みが求めたところの均衡協調も、静止することは不可能であって、動的なものである。

㈢　中国の特色ある社会主義の歩みは「天下を公と為す」の中華文明の理想的心情に根付いている

中華文明の最高の理想は、「大道の行くや、天下を公と為す」である。誰もが、各々その所を得、各々その位を安んじ、各々その能を尽くし、各々需むる所を取ることができる。そうすることによって、一つの親睦協調、団結有情の調和社会を形成することができる。このような太平の世界の到来を期待し、このような崇高な社会的理想を実現することは、中華文明に一貫する内在的追求であった。その中で蓄積された「天下」の心情は、人類の運命と幸福を普遍的に担うものである。中国の特色ある社会主義の歩みは一つの社会主義プランであり、共産主義を究極の目標とするプランである。中国共産党の初期指導者の中には、最初から共産主義を中華文明の「大同」の理想と理解していた人が少なくなかった。たとえば、周恩来は1918年の日本滞在時に、もっとも新しい大同の理想を果たそうと志を立てた。毛沢東氏も若き頃、康有為氏の『大同書』の影響を受けていた。

社会主義の中国の歩みの、中華文明の理想の継承が最も集中的に現れるのは、よりよい社会制度を中国自身が探求創造する中においてである。共有、共富、共同建設、共有、共治、共栄の比較的高級で、比較的発達した段階の社会主義社会を創立することは、中国の特色ある社会主義の歩みの努力の中長期目標である。「人類運命共同体」の構築を提唱している中国の特色ある社会主義の歩みは、人類の平和発展と共同進歩を推進するために自らの知恵と力で貢献しようとしている。それは中華文明の特質に由来するもので、中華民族は偉大なる復興を実現する過程において、人類の共同事業により大きく貢献するに違いない。

㈣　中国の特色ある社会主義の歩みは易道文明とマルクス主義哲学の有機的結合に根ざしている

中国の特色ある社会主義の歩みは、中華文明が有する、時代と共に前進し、変化に通じ、中道を守るという特徴を保っている。実際的な問題や矛盾に対処する際に示しているのは、極端に走らず、バランスと調整を追求するという特性である。哲学的に中国の特色ある社会主義の歩みが遵守しているのは、一種の弁証法的、体系的な実践的唯物論の世界観と方法論である。それは中国の易道文明とマルクス主義哲学が組み合わさった産物である。

まず、中国の特色ある社会主義の歩みは、弁証法的唯物論の基本的立場、視点、方法に固執し、物質が第一性であり、社会的存在が社会的意識を決定し、経済的基盤が上部構造を決定するという基本原理を堅持している。また中国の特色ある社会主義の歩みは、社会主義の本質が常に社会的生産力を解放し発展させることにあると理解し、最終的に共同の繁栄を達成し、実務においては、経済建設を中心に置きつづける。かつ中国の特色ある社会主義の歩みは、国民の生産、生活水準の継続的な向上に資するかどうかを、その成果の検証の基本的基準とし、うまく発展させるのを執政興国の第一の任務とする。

第二に、中国の特色ある社会主義の歩みは実践論の基本的な立場、観点と方法を堅持し、実践は人類の正しい認識の源であるとしている。実践を真理検証の唯一の基準とし、「実践――認識――再実践――再認識」の無限反復の過程の中で、絶えず中国の特色ある社会主義事業を前進させた。中国の特色ある社会主義の歩みと中国プランは、すべて党と国民が長期の実践探求の中で形成し、発展させてきたものであり、客観的な実際から出発して中国の基本的な国情に立脚することを重んじ、堅実な実践の基礎を有している。

第三に、中国の特色ある社会主義の歩みはシステム論の基本的な立場、観点、方法を堅持し、全体的、全面的な視点から中国の特色ある社会主義の発展の問題を捉えるものである。たとえば、「中国プラン」は社会主義市場経済、民主政治、調和社会、先進文化、生態文明建設を統一的に推進する「五位一体」の全体的な配置を堅持し、また全面的な小康社会を建設し、全面的に改革を深化させ、全面的に法によって国を治め、全面的に厳しく党を治めるという「四つの全面的」戦略配置を堅持した。いずれもシステム論の最も良い表れである。

最後に、中国の特色ある社会主義の歩みは弁証法を堅持している。これは最も重要な方法論である。中国の特色ある社会主義の歩みは、矛盾論を堅持し、発展の目で問題を見ることを堅持し、中国の特色ある社会主義建設を一つの動態的な均衡過程と見なすことを堅持している。今でも中国の特色ある社会主義は一体どこが「特色」なのかについて疑問を抱いている人が少なくない。実際には、中国共産党の指導がその特色であり、矛盾しているように見える異なった事物、または事物の異なった方面を結合していることがその特色である。中国の特色ある社会主義の歩みは、改革発展の歴史過程における基本的な矛盾関係の結合と協調を重視しているから、持続可能性があり、ぶれることがない。原則性と柔軟性の統一を重視し、中国の改革発展の過程における問題を有効に解決することができ、治国理政の政治的知恵を秘めているから、硬直化しない。中国の道を開く過程において形成された、いくつかの主要な理論的革新は、社会主義初期段階理論、社会主義市場経済理論、科学発展観、社会主義調和社会理論などを含んでおり、すべてが弁証法を体現している。

二、中国の特色ある社会主義の歩みの文明的貢献

(一)　中国の特色ある社会主義の歩みは他人の身になって考えるという発展の理念で貢献した

中国の特色ある社会主義の歩みは、中国で形成されたが、同時に世界との深い交流や開放の過程で形成されたものでもある。そのため、中国の特色ある社会主義の歩みは、自身の発展を遂げただけでなく、世界にもさらなる発展の機会をもたらしてきた。中国の特色ある社会主義の歩みは、中国の経験に基づいてできたものであって、中国の指導者がわけもなく頭を叩いてひねりだしたものではない。中国自身の発展に益することが事実で証明されているのみならず、世界経済の発展にも貢献することが将来、証明されるだろう。中国は、国内外で二種類の言説を弄するのではなく、同じロジックと同じ哲学に従い、他人に対しても自身に対しても同じ善意と同じ要求を表明する。

(二)　中国の特色ある社会主義の歩みは協力しあってウィンウィンとなるというシェア理念で貢献した

当然ながら、中国の特色ある社会主義の歩みはイノベーションや改革を通じて発展のために動力と活力を与えるが、そのことは発展そのものの目的がいったい何かを説明するものではない。経済のグローバル化の時代、各国の発展はしっかり嚙み合っていて、唇歯輔車の密接な関係にある。いかなる国も、独りだけでその身を善くすることはできないから、協調と協力が避けられない。協力によってのみ、連動発展の実現が可能となり、また包括的かつ持続可能な発展を実現することができる。習近平氏が繰り返し言及した事実であるが、「関連の統計によると、現在の世界のジニ係数はすでに約０・７

に達し、公認の0・6の『危険ライン』を上回っており、我々は関心を高度に引き上げなければならない」。そのため、G20は加盟20カ国だけでなく、世界に属している、と習近平総書記は強調した。我々は、世界の発展の不平等と不均衡を減らし、成長と発展をあらゆる国、人々の利益とし、あらゆる国の人々、特に発展途上国の人々の生活を日に日に良くすべきである。習近平総書記は、中国自身の貧困削減問題について語り、それに伴い、アフリカと最も発展していない国への支援についても語った。その非常に明晰な内外一貫性のあるロジックは、中国の特色ある社会主義の歩みの本質を最もよく反映している。

㈢　中国の特色ある社会主義の歩みは協力して共に生存するという寛容理念で貢献した

中国が革新的で、オープンで、連動的で、包括的な中国プランを創出したことは偶然ではない。西側諸国の中には、時代遅れの冷戦式思惟を堅持し、覇権主義の道を貫き、他国に累を及ぼし、自国を守る政策を採っている。これでは、グローバル化時代に人類が共通して直面する発展的難題をどうやっても解決することはできない。より公正で合理的な真の国際秩序を確立することもできない。「和心共済、和合共生は中華民族の歴史的遺伝子であり、東方文明のエッセンスでもある」と習近平総書記は指摘していた。相互連携、平等待遇、同舟共済、公平共有、協力共勝、仲間精神、人類運命共同体など、これらの理念の源はまさにここにある。「古典中華文明の哲学的宇宙観は連続、動態、関連、関係、全体の観点を強調するもので、（中略）この有機的一体主義から出発すれば、宇宙のすべては相互依存、相互連携していることが分かる。いかなる物事も、すべて他者との関係の中で自分の存在と価値を顕現するのである。ゆえに人と自然、人と人、文化と文化において共生調和の関係を確立すべきである」と清華大学の陳来教授は述べていた。[1]この見解は中国の道のために、一歩進んだ、さらなる深みにある哲学的基礎を探し当てるものとなった。

中国は数十年の時間で他の国の数百年の発展の過程を完成させ、自らに属する中国の特色ある社会主義の発展の道を見出し、発展と管理の問題に対応する「中国プラン」を形成した。今後さらなる改革開放を進める中で、このプランはより整備され、成熟し、定型化されることになる。中国と世界はますます深く融合し、中国の道はますます世界各国の国民に理解され、認められることを我々は信じている。中国の国民は、人類がより良い社会システムを探求するために、中国プランを提供することができるという自信を抱いている。

1　陳来『中華文明の核心的価値』、北京、三聯書店、2015年、4頁。

第七章
中国の特色ある社会主義の歩みの平和的貢献

新中国創立六十余年を経て、特に改革開放四十年を経て、中国の特色ある社会主義建設の路程において、平和的発展の道を着実に模索し、確立し、国家の近代化と国民の共同の富裕の実現に方向を示してきた。中国共産党第十八回全国大会以来、習近平総書記を中心とする中共中央は、中華民族の偉大なる復興である中国の夢を実現する、国の総体的発展戦略を確立した。習近平総書記は、中国の夢と平和的発展の道の内在的な要求は一致しており、平和的発展の道が中国の夢という崇高な目標を実現する唯一の正しい道であるとはっきりと指摘した。[1]

数年来にわたる歴史的実践は、社会主義だけが中国を救うことができ、平和的発展の道を堅持してこそ、中国が社会主義を発展させることができると証明した。揺るぎなく平和的発展の道を歩むことは、13億余の中国国民の民族の偉大なる復興を実現するという中国の夢への憧れを背負っているだけでなく、グローバル化の時代において、各国が栄辱と運命を共にする地球村の中で、世界平和の実現

1　王毅「断固として揺るぎなく平和的発展の道を歩み、民族復興と中国の夢の実現に良好な国際環境を作る」『国際問題研究』2014年（1）。

に対する中国国民の素晴らしい期待が託されている。中国共産党第十九回全国大会は、中国国民が各国の国民と共に、人類運命共同体の建設を推し進め、人類のすばらしい未来を共に創造することを願っていると、厳かに宣言した。

第一節　中国の平和的発展の歩みの開拓

中共中央政治局の第三回集団学習の際に、習近平総書記は、「我々の平和的発展の道は得難いもので、新中国成立以来、特に改革開放以来、中国共産党は辛い探求と絶え間ない実践を経て、形成されたものである」と指摘した。この言葉は中国が平和的発展の道を歩むことを堅持する歴史的起源を示したものである。

毛沢東主席は、建国初期から何度も次のように述べてきた。「我々は今、数十年の平和が必要である。国内の生産を開発し、国民の生活を改善するために、少なくとも数十年の平和が必要だ。我々は戦争を好まない。このような環境が創造できれば何よりだ。この目標に賛成する者は、誰でも協力できる」。「戦争を防ぎ、恒久的な平和を勝ち取るために、我々はともに努力すべきだ」。これは、中国共産党がすでに平和と発展の弁証法的統一の問題について検討し始めたことを示している。

1954年4月29日、中国とインドは「中国のチベット地方とインド間の通商・交通に関する協定」

を締結した。インドは中国が提案した主権と領土的一体性の相互尊重、相互不可侵、相互の内政不干渉、平等互恵、平和共存という五原則を、両国関係を指導するための準則とすることに同意し、同協定の序文で五原則を正式に確認した。同年6月、周恩来首相はインドとミャンマーを訪問した。中国とインド両国首相と、中国とミャンマー両国首相がそれぞれ発表した「共同声明」の中で、五原則が再確認された。平和共存五原則は社会制度の異なる国家間の相互関係の処理に準則を提供し、アジア・アフリカ諸国が帝国主義的干渉に反対し、民族の独立と主権を守り、平等に国際的業務に参加したいという願いを体現している。平和共存五原則に関して、毛沢東は1954年7月7日の中国共産党中央政治局拡大会議で、「国際情勢の緊張を緩和し、制度の異なる国家が平和共存できるようにする、とは、ソ連が掲げたスローガンであり、我々のスローガンでもある」[1]とさらに明確に指摘した。「要するに、国際的にはこの方針を実行することだ。平和という問題で団結できる限り、彼らと関係を結び、中国を守り、社会主義を守り、そして偉大なる社会主義国家を建設するために奮闘する」[2]

1955年4月18日から24日までバンドン会議が開催された。4月18日午前、アジア・アフリカ両大陸の初の歴史的な会合がバンドン独立庁で盛大に開幕し、両大陸からの304人の代表が会議に出席した。会議で採択された著名な「バンドン会議十原則」は、バンドン会議が達成した最も重要な合

1 毛沢東『毛沢東文集』第6巻、北京、人民出版社、1999年、334頁。
2 同前、335頁。

意となり、平和共存五原則の延長と発展となり、平和共存を望む国家のために再び努力の方向を示した。それと同時に、バンドン会議は、アジア・アフリカ諸国が自由に意見を交換できるように、参加国に得難い相互接触の機会を与えた。このような対面式の接触は各国の相互理解と尊重を促進し、アジア・アフリカ諸国の団結を強化し、平和共存の生き生きとした体現になっている。歴史は「バンドン会議十原則」が「国連憲章」の精神を体現し、国際関係基本準則として国際社会に普遍的に認められ、同じ社会制度、または異なる社会制度の国家間の関係の構築と発展に、正しい指導原則を提供し、平和的に国家間の歴史の残した問題と国際紛争の解決に有効な方法を示したことは歴史が証明した。[1] バンドン会議の円満な開催は、平和共存五原則の強大な生命力を体現し、新中国の平和外交政策の一つの成功の試みとなったと言える。平和共存五原則は世界に進出した。世界の平和を追求する中国も世人

1　盧秋田「バンドン会議精神を発揚し、平和的発展の道を堅持する」『求是』2005年（8）

バンドン会議の主要会場の一つである平和の女神ビル

の注目を集めることになった。

鄧小平は平和共存五原則を継承して発展させた。鄧小平は「国と国との関係を考える際に、主に国自身の戦略的利益から出発すべきだ。自身の長期的な戦略的利益に着目すると同時に、相手の利益も尊重し、歴史の恩讐を問わず、社会制度やイデオロギーの区別を問わず、国の大小と強弱を問わず、互いに尊重し合い、平等に扱う。そうすれば、どんな問題でも妥当に解決できる」と指摘していた。1984年、鄧小平は「国と国の関係を扱うには、平和共存五原則が最良の方式だ。その他の「大家族」式、「集団政治」式、「勢力範囲」式はいずれも矛盾をもたらし、国際情勢を激化させる。国際関係の実践から見て、最も強大な生命力を有するのは平和共存五原則である」とはっきりと指摘した。1988年、鄧小平はインド総理ラジーヴ・ラトナ・ガンディーと会見したとき、国際政治経済新秩序は平和共存五原則に基づいて構築されるべきだとさらに提案した。鄧小平は「この五原則は非常に明確で無駄がなく、はっきりとしたものだ」としていた。

同時に、鄧小平は現在の世界のテーマとは何かという、もう一つの全局に関わる重大な問題を考えていた。1983年3月2日、鄧小平は中央の何人かの関係者と談話を行った時、「今の課題は、時間を稼ぐことだ。必要となれば行う。大戦は起きない、恐れるな。リスクある問題は存在しない。以前は常に戦争が起こることを心配し、毎年一回はそれを言わねばならなかった。今から見れば、心配しすぎだった。私に言わせると、少なくとも十年は戦争は起こらない」。1985年、鄧小平は新しい国際情勢に基づき、平和と発展が現在の世界の二大テーマであるという新たな論を提示した。このような考えに基づき、鄧小平は早くも中国共産党の「十二大」の開幕式で、「社会主義の近代化建設を加速すること、台湾を含む祖国の統一を実現すること、覇権主義に反対し、世界平和を守ることは、中国国民の１９８０年代における三大任務である。この三大任務の核心は経済建設であり、これは国際問題、国内問題を解決するための基礎である」と指摘した。この三大任務の中で、平和と発展が並んで、中国共産党と国家の戦略、追求目標となった。発展の問題において、中国は改革開放の新たな道を切り拓いた。対外戦略において、中国は三回目の外交の転換を開始し、独立自主の平和的外交が中国外交の基本原則となった。中国共産党第十一期中央委員会第三回全体会議（三中全会）以来、鄧小平が考えていたすべてのことは、中国の平和的発展という新しい道を模索するためであったと言える。鄧小平は「我々は力を集中して四つの近代化を行い、中華民族の振興に着目すべきである」と述べ、そうしなければ、「中国は世界にあるべき地位を失う」と指摘した。

冷戦が終わった後､グローバル化が進むにつれ､世界は世界大戦の脅威から遠ざかったが､覇権主義､強権政治、新干渉主義が世界と地域の平和の主な脅威となり始めた。同時に、中国の発展はより堅実な物質的基礎を備えてきたが、発展の任務は軽くなったのではなく、更に重くなったのであり、特に世界経済システムに溶け込むことは中国の発展の時代的テーマになってきた。２００１年に中国が世界貿易機関（ＷＴＯ）に加盟することによって、中国は既存の国際システムの中で平和を求め、発展を促進する新たな道をたどり始めた。

グローバル化のプロセスと既存の国際システム内での発展は、中国に得難い発展のチャンスを提供した。同時に、中国が日に日に発展拡大していくにつれて、「中国脅威論」が盛んになり、西洋人から見て、中国は不確実性の代名詞になり始めた。中国の改革開放のために国際世論の良い雰囲気を作り、国内の発展のために良い国際環境を作るのは中国の近代化建設の一大任務となった。

中国は終始変わらず平和的発展の道を歩む。習近平総書記は国内外の多くの重要なイベントで、中国が揺るぎなく平和的発展の道を歩むことについて重要な論述を行い、平和的発展の道の思想をさらに豊富にし、かつ発展させた。習近平総書記は２０１３年１月28日の中共中央政治局の第三回集団学習を主宰した際に、「中国は平和的発展の道を歩んでいるが、他の国も平和的発展の道を歩むべきだ」と強調した。習近平総書記の平和的発展の道への大きな貢献は、限界の思惟と限界の原則を持ち出したことにある。今回の中共中央政治局の集団学習において、習近平総書記は次のように強調した。

「我々は平和的発展路線を堅持するが、我々の正当な権益を放棄することは決してできず、国家の核心的利益を犠牲にすることは決してできない。いかなる外国も我々の核心的利益を取引材料にすることを期待してはならず、我々が中国の主権、安全、発展上の利益を損なう苦々しい結果を受け入れることを期待してはならない。中国は平和的発展の道を歩むので、他の国も平和的発展の道を歩むべきである。各国が平和的発展の道を歩む限り、各国が共に発展できるし、国と国が平和的に共存できる。我々は、中国が平和的発展の道を歩むという戦略思想を広く深く宣伝し、国際社会の中国の発展に対する正確な認識と扱いを導く。中国が自らの発展のために他国の利益を犠牲にすることは決してなく、自らの利のために人を損なうこと、隣国を自らのために盾とするようなことは決してない。我々は断固として揺るぎなく平和的発展の実践者、共同発展の推進者、多角的貿易体制の維持者、グローバル経済管理の参加者でありつづける」

限界の思惟と限界の原則の提出は重要な意義があり、一方面においては、平和を追求する努力を、国家の核心的利益を犠牲にする単純な平和のための平和という宥和主義にはしないということだ。もう一方面では、限界のある平和こそ説得力があり、国際社会の理解と信頼を獲得することができるということだ。

近代以後、中華民族の最大の夢は、中華民族の偉大なる復興を実現することである。平和的発展の道と中華民族の偉大なる復興の実現との間には、どのようなロジック関係があるか。２０１３年１月28日、中共中央政治局は断固として揺るぎなく平和的発展の道を歩むことについて、第三回集団学習を行った。習近平総書記は学習を主宰した際に、「中国共産党第十八回全国大会は「二つの百年」という奮闘目標を明確に打ち出し、中華民族の偉大なる復興を実現する『中国の夢』の奮闘目標を明確に打ち出した。中国の奮闘目標を実現するには、平和的な国際環境が必要である。平和がなければ、中国も世界も順調に発展することができない。発展がなければ、中国も世界も恒久的な平和はありえない。我々は必ずチャンスをつかみ、精力を集中して自らの事をしっかりやりとげて、国を更に富強にし、国民を更に豊かにし、絶えず発展する力によって平和的発展の道をよりよく歩む」ことを強調した。

２０１４年３月27日、中国とフランスの国交樹立50周年記念大会で、習近平総書記は再び指摘した。

「中国の夢は平和を求める夢である。中国の夢には平和が必要であり、平和こそ夢を実現できる。天下太平で、大同を共有することは、中華民族の延々数千年にわたる理想である。苦難を経験した中国国民は平和を大切にし、世界各国と共に平和を求め、平和を守り、平和を共有することを望んでいる。ナポレオンが言ったように、中国は眠れる獅子で、この眠れる獅子が目覚めた時、世界は震えるだろう。中国という獅子はすでに目が覚めたが、この獅子は平和で親しみやすく文明的な獅子である」

「中国の歴史文化、歴史的運命、歴史的条件は、中国の国民が自ら選んだ道で自分の夢を実現しなければならないと決定した」

現代中国が平和的発展の道を選んだということは、平和を追求する中国復興の夢と中国が選んだ平和的発展の道は、形式の面でも内包、実践、ロジックの面でも内在的な同一性と統一性を有することを意味している。

中国は国際社会に向けて終始変わらず平和的発展の道を歩むことを何度も宣言したが、国際社会、特に西洋世界には、中国の現在の平和的発展は確実に誠意があるが、それが中国がまだ強くなっていないからであり、もし中国が強くなって十分な力と手段を蓄積すれば、平和的発展を放棄し、対外拡張の古い道に進む可能性は極めて大きいという声が常にある。このような論調に対して、習近平総書記はさまざまな場で反論した。２０１４年3月28日、習近平総書記はドイツのベルリンでの講演で、「中国が平和的発展の道を歩むことは、便宜的な計略ではなく、外交辞令でもなく、歴史、現実、未来に対する客観的判断から導き出された結論であり、思想的自信と実践の自覚との有機的統一である。平和的発展の道が中国には有利であり、世界にも有利であるため、我々はこの実践によって証明された道を歩むことを堅持しない理由は何も考えられない」と強調した。２０１５年9月3日、抗日戦争・世界反ファシズム戦争勝利70周年記念式典において、習近平総書記は全世界に、「平和のため、中国は平和的発展路線を終始堅持する。中華民族はかねてより平和を愛してきた。どの段階まで発展しようとも、中国は永遠に覇権を唱えず、永遠に拡張せず、自らがかつて経験した悲惨な境遇を他の民族に押しつけることも永遠にない」と再び宣言した。その後、習近平総書記はロンドンの金融市政庁での演説で、さらにはっきりと指摘した。

「中国国民が望んでいるのは平和と発展の世界である。和を貴しとし、和して同ぜず、協和万邦などの理念は中国で代々伝えられ、平和の遺伝子は中華民族の血脈の中に深く根付いている。

近代以降、中国国民は苦難を経験したが故に、更に平和を大切にする。中国は発展に力を入れているが故に、平和がより一層必要である。中国は素晴らしい未来を望んでいるが故に、より平和を愛するのである。中国は平和的発展の道を堅持し、〝強くなれば必ず覇権を唱える〟といったロジックを受け入れない。いかなる人であれ、いかなる事であれ、いかなる理由であれ、中国が平和的発展の道を歩む決意と意思を揺るがすことはできない」

習近平総書記の発言は、中国が断固として揺るぎなく平和的発展の道を歩むことに期限がないこと、国が発展して強くなれば拡張に進むということはないこと、戦争ではなく平和が常に中国国民の永久の憧れであることをはっきりと表明した。

「初心を忘れず、使命を胸に刻む」とは習近平総書記を首班とする中共中央が全党、全国各民族の国民に向けて発した偉大なる呼びかけである。将来、中国はどのような道を堅持するのか。「終始変わらず平和的発展の道を歩み、終始変わらず互恵、ウィンウィン関係の開放戦略を遂行し、各国との友好の往来を強化し、各国の国民と共に、人類の平和と発展という崇高な事業を絶えず推し進めていかねばならない」。同時に、習近平総書記は実践の中で中国の平和的発展の道を考えている。中国共産党第十九回全国大会の報告書は特に一章を設けて、「平和的発展の道を堅持し、人類運命共同体の構築を推し進める」ことを詳しく語っている。これは中国と世界各国のために、共に平和的発展の道の歩む方向を明確に示し、平和的発展の道の最終的な帰着点を明らかにした。これも習近平総書記の平和的発展の道に対する最新の発展と貢献になった。

新中国の歴史を振り返り、中国が平和的発展の道を選んだのは、平和が中国の発展の前提であり、発展している中国が世界の平和の保障となり、中国の発展には平和的な環境が必要であり、世界の平和には中国の発展と強大化が必要だからである。中国共産党の第十一期三中全会で中国が改革開放政策を遂行して以来、中国が歩んできた道は平和的発展の道だと言える。

第二節　中国が平和的発展の歩みを堅持することは歴史の必然的な選択である

1978年に改革開放が中国の基本的国策となって以来、中国は自国の国情と時代の特徴にふさわしい平和的発展の新しい道を歩みはじめた。国家の存在形態から言うと、中国の平和的発展の道は、政治大国から経済大国への発展を平和的に実現することであり、社会主義近代化の発展の道を平和的に実現することである。より広い世界史の視野から見て、平和的発展の道を歩むことは、中国国民の利益を各国国民の共同利益と結びつけ、各国国民が自主的に発展の道を選ぶ権利を尊重し、国際紛争の平和的解決に力を入れ、防御的な国防政策を遂行し、永遠に覇を唱えず、永遠に拡張しないことである。また、自国の発展によって地方と世界の共同発展を促進し、各国の利益との合流点を拡大し、自らのために人を損なったり、隣国の利益を犠牲にしたりするようなことは決してしないことである。

すなわち、平和共存五原則に基づいて、あらゆる国との友好協力を発展させ、国際秩序をより公正かつ合理的な方向に発展させることを堅持することである。中国は平和的発展の道の指導の下で、平和、発展、協力の旗を掲げ、独立自主の平和外交政策を遂行し、国家の主権、安全と発展の利益を断固として守り、終始変わらず平和的発展を堅持し、終始変わらず互恵、ウィンウィン関係を堅持し、各国が手を携えて持続的な平和、共同繁栄の調和世界の建設を推進すべきであると主張した。これらの重要な考えは中国の対外政策の完全な体系を構成し、平和、協力、ウィンウィン関係を集中的に表現し[1]、世界の平和、国の富強を追求するという中国国民のすばらしい願望を示し、中国共産党の「真実を求めて実践に励む、人間を本位とする」というマルクス主義的態度を示している。これは歴史の発展の必然的な選択である。

一、平和的発展の道を堅持することは社会主義の本質的な要求である

平和は社会主義の内在規定である。人類が戦争の破壊という轍を繰り返して踏んできたのは、つまりは私有制が存在するためである。私有制のロジックの下では、人間性の利己主義と強欲、資本の恣意的な拡張は抑えられるどころか、拡大され、黙認されるのである。利益に駆られて利己主義に満ちた資本の拡張が、現代の民族国家の国境の阻害、他の国との競争に遭遇した時、利己的な資本が自ら

1　王毅「終始変わらず平和的発展の道を歩む」『求是』２００７年（23）。

では解決できない大きな災いを招いた時、資本の代弁者である暴力的手段を有する私有制国家が登場し、戦争によって私欲を満足させ、資本を黙認する最後で最も有力な手段となる。資本主義、特に独占資本主義は最高で最後の私有制であるため、人類史上最大の戦争の根源となってきた。二十世紀に人類が経験した二回の最大規模で、災難が最も悲惨であった世界大戦は、まさにこの根源が醸し出した産物である。それに対して、共産主義は私有制の消滅と全人類の完全な解放を意味している。これによって、平和を追求することは、共産主義を最終目標とする社会主義制度の内在規定であることが示された。共産主義は侵略や拡張を必要としないだけでなく、侵略や拡張を排斥し、これに反対し、人類の平和を守ることを自らの重要な歴史的任務とし、政治軍事的戦略思惟の重要な内容としている。[1]

中国が平和的発展の道を選ぶのは、中国の特色ある社会主義の本質によって決定されたのである。国際的な力比べは長期的には社会主義国に不利であるという背景の下で、平和的な国際環境を獲得できるかどうかは、社会生産力を発展させ、国民の生活レベルを高めることの前提となる。中国の特色ある社会主義とは何か。中国の特色ある社会主義とは「社会生産力を絶えず発展させる社会主義であり、平和を主張する社会主義である。社会生産力を絶えず発展させてこそ、国は徐々に富強となり、国民の生活を徐々に改善することができる。平和的環境を獲得してこそ、比較的順調に発展すること

1　畢文波「現代中国の軍事戦略思惟と平和的発展の道」『軍事歴史研究』２００８年（４）。

ができる」[1]。この二つの本質的な特徴が、中国の平和的発展の方向と道を決めた。中国の特色ある社会主義の道を堅持することと、平和的発展の道を堅持することには内在的な一致があり、平和と発展という時代のテーマとも一致している。平和と発展の統一を堅持し、中国の発展と世界の平和、人類の共同発展との統一を堅持することは、中国の特色ある社会主義の基本的な規律と原則であり、中国の国家的意志でもある。

鄧小平は、二つの面から中国の平和的発展にとって社会主義を堅持することの重要性を証明した。第一に、鄧小平は「社会主義を堅持しなければ、発展しても最終的に従属国になるにすぎず、そして発展も容易ではなくなる」[2]と考えた。第二に、鄧小平は「もし十億人を擁している中国が資本主義の道を歩めば、世界にとって災難であり、歴史を後退させ、何年も後退させねばならないだろう。もし十億人を擁している中国が平和政策を堅持せず、覇権主義に反対しないならば、あるいは経済発展に従って自ら覇権主義をするならば、それは世界にとっても災難であり、歴史の後退でもある」と指摘した。これは、鄧小平が設計した中国の平和的発展の道が、西洋の「従属国」になるか、覇権の道に進むかという二つの将来の道を避けなければならないとしたことを、はっきりと示すものである。そのいずれかの結果が出ても、中国の平和的発展の道を諦め、中国の特色ある社会主義を諦めることに

1　鄧小平『鄧小平文選』第3巻、北京、人民出版社、1993年、328頁。
2　同前、311頁。

なる。「十億人を擁する中国が社会主義と平和政策を堅持することができれば、中国の道は正しいものとなり、人類に比較的大きな貢献ができるかもしれない」[1]。

新中国が成立して六十余年が過ぎ、国際情勢がいくら変化しようと、独立自主で、平和を愛することは、中国の外交の二つの変わらぬ本質的な特徴であり、それは中国の対外政策の礎石を構成しただけではなく、中国を国際的公理と道義の高みに立たせることができるようにした。[2] 中国の平和への追求は国民の期待に由来し、さらに中国の特色ある社会主義の本質的な属性に根ざしている。

二、平和的発展の道を堅持することは中国の歴史文化の伝承である

中華民族は平和を愛する民族であり、平和の遺伝子は中国民族の血に深く植え付けられている。2014年3月28日、習近平総書記はベルリンでの演説で、「中華民族は平和を愛する民族である。（中略）平和、和睦、調和への追求は中華民族の精神世界に深く根付いており、中国国民の血の中に深く溶け込んでいる。（中略）中国が平和的発展の道を堅持するのは、数千年来の中華民族の平和を愛する文化的伝統の継承と発揚である」と述べた。中国の歴史を見渡すと、調和という価値観が中国文化に深く根付いており、多くの思想家、哲学者は中国文化を「和合」文化とまとめている。早くも西周

1　鄧小平『鄧小平文選』第3巻、北京、人民出版社、1993年、158頁。
2　王毅「断固として揺るぎなく平和的発展の道を歩み、民族復興と中国の夢の実現に良好な国際環境を作る」『国際問題研究』2014年（1）。

末年には「和実生物、同則不継」（調和がとれていれば、万物が生長する。完全に一致すれば、継続できない）という思想が提唱された。「礼の用、和を貴と為す」「君子は和して同せず、小人は同して和せず」も平和への憧れを示した。古代哲学における天人合一、天地人和などの思想は人々の心に深く浸透している。中華民族が数千年にわたり伝承してきた仁者愛人という人間本位精神、親仁善隣という平和志向、和を貴しとする平和理念、天下大同の調和的ビジョンなどは、現在の中国が平和的発展の道を歩むことに対して文化的支持を提供した。中国明代の著名な航海者、鄭和は当時世界で最も強力な船団を率いて、「七回の南海遠征」を行い、アジア・アフリカの30余りの国と地方に遠征し、茶葉、磁器、シルク、工芸を携えて、他国の領土を一寸たりとて占領することもなく、平和と友情を残した。ここに古代中国の他国と他国の国民との平和交流を強化しようとする誠意が十分に反映されている。二千年余り続いてきた古代シルクロードは、そもそも文明を伝承し、平和を築き、共に発展する絆であった。今日、中国が提唱している「一帯一路」建設は依然として古代シルクロードの文明精神を継承し、平和的ビジョン、発展のチャンスを沿線の国家と地区に伝えつづけている。平和を渇望し、調和を追求することは、一貫して中国国民の精神的な特徴である。

近代中国が遭遇した深刻で重大な災難の経験に基づいて、今日の中華民族は更に平和を大切にする。1840年以後、中国はしばしば西洋列強に侵略され、山河が荒廃し、生きとし生けるものの命が脅かされ、国と民族が存亡に関わる瀬戸際にさらされていた。国を救い、生存を図ること、民族の復興は、無数の中華の青年が命を投げ出して奮闘する目標となった。百十年にわたる苦難に満ちた壮絶な奮戦を経て、数千万の民衆が生命を失い、やっと新中国の成立が実現し、国家の平和的局面が創り出された。中華民族ほど平和の大切さを知り、現在の平和な時期を大切にする民族は世界にはいないといっても過言ではない。この歴史的経験は中華民族固有の平和的遺伝子を強化し、中華の青年の平和に対する心からの渇望を伝承した。このような歴史的経験があり、中国は自らの悲劇を他人に押し付けたり、自らの発展のチャンスを他の民族と国家の苦難の上に築いたりはしない。平和的な国際環境を獲得し、かつ守り、平和的手段で自らを発展させ、そして自らの発展で現在の平和を維持することが、自然と平和的発展の道の内在的なロジックとなる。このロジックは他のところから来たのではなく、中華民族の数千年にわたって衰えを見せない平和的文化に由来するのである。

三、平和的発展の道の堅持は中国の基本的な国情からの要求である

鄧小平は中国が進むべき道について、「中国の状況に合わせて、中国式の近代化の道を歩まなければならない」[1]と精緻に語ったことがある。中国式の近代化の目標と道は中国の国情に合わせなければならず、中国の特徴から出発しなければならない。「中国式の近代化」という国情、あるいは「中国の平和的発展」という国情の起点は何だろうか。鄧小平は中国の国情には少なくとも二つの重要な特徴があると考えた。第一に、底が浅いことである。中国は世界でも非常に貧しい国の一つであり、科

1　鄧小平『鄧小平文選』第2巻、北京、人民出版社、1994年、163頁。

学技術の水準は世界の先進国より二、三十年遅れており、十年の動乱の結果は極めて深刻である。第二に、人口が多く、特に農民が多く、耕地が少なく、食事、教育、就職が深刻な問題となっていることである。[1]鄧小平の言葉をデータで示すと、中国は人口が多く、底が浅く、世界の7・9％を占める耕地と6・5％の淡水資源で世界人口の20％近くを養っている。13億人以上が経済社会の発展の成果を共有するため、多くの人口の生存と発展の需要を絶えず満たすことが大きな難題である。この二つの特徴は、中国の「大国であり、小国でもある」という基本的な特徴が長い間続くこと、中国が拡張と覇権を図る道ではなく、平和的発展の道を歩むしかないことを決定した。

四十年間の改革開放と平和的発展を経て、中国はすでに世界第二の経済体となり、世界の強国に成長しつつある。しかし同時に、中国は今なお発展途上国であり、発展の不均衡、不調和、持続不可能な現象が非常に際立っていることを、はっきりと認識しなければならない。億万の中国国民が幸せな生活を送るためには、中国はまだ長い道のりがあり、平和的な国際環境は依然として中国の持続的な発展の必要条件である。もちろん、四十年にわたる開放発展を経て、中国が日に日に世界経済に溶け込むにつれて、中国の国情も新たな変化を見せた。最も顕著なことは、中国の経済構造にはすでに根本的な転換が発生し、内向き型経済から外向き型経済に転換し、「三頭在外」（エネルギー在外、資源在外、市場在外）の構造を形成したことである。このような市場、原材料、投資が海外にある「三頭

1　鄧小平『鄧小平文選』第2巻、北京、人民出版社、1994年、163〜164頁。

在外」の経済構造は、中国が世界各地に大量の海外権益を有していることを意味している。一方では、このような経済構造の形成は、我々が世界経済に深く溶け込み、グローバル分業に参加することを要求しており、こうして中国の経済は持続可能な発展の動力を得ることができる。もう一方では、拡大しつつある海外権益を維持するには、まず中国の総合的国力の絶え間ない増強が必要であり、同時に、各国と平和友好の関係を保つ必要があり、地域と世界の平和と安定を守る必要があり、平和的発展を通じて中国と各国の利益をより緊密にし、経済貿易投資のルートをもっとスムーズに開拓し、国際協力のメカニズムをより適切に整える必要がある。このことは、中国が発展するにつれて、中国の平和的発展に対する要求は減ってはおらず、むしろ増えていることを示している。そして、終始変わらず平和的発展の道を歩み続けてこそ、民族復興という中国の夢を実現することができる。

四、平和的発展の道を堅持することは世界の流れに順応する選択である

平和、発展、協力、ウィンウィン関係は現在すでに世界の主流になっている。世界経済のグローバル化と社会情報化は急速に地球の様相を変え、人々の日常生活と国家間のインターアクションのモデルを変えている。経済交流が日増しに緊密になるにつれて、国家間ではすでに損得を共にする利益共同体が形成されている。２００８年の世界金融危機のとき、いかなる国も局外に立ったり、世界経済の低迷の影響から脱却することができない。このような相互依存が緊密になる利益ネットワークの中では、戦争の形で利益や収益を獲得するのは、そのコストはすでに一国では耐えられない高いものと

なる。冷戦期にはアメリカとソ連が核抑止力で「恐怖のバランス」を作ったが、グローバル化が進んでいる今日では、各国、特に大国の間ではますます利益融合によって「利益の抑制均衡」が形成されるようになった。[1]戦争はもはや国家利益の理性的手段ではなくなっている。

冷戦終結後、新しい型の安全に対する脅威が上昇し、テロ、金融危機、サイバーセキュリティ、資源の安全、気候変動、環境問題、食糧不足、大規模伝染性疾患などが世界各国の安全を脅かしている。新しい型の安全に対する脅威の下で、人類はすでに運命を共にするグローバル運命共同体を形成している。一方で、戦争、特に大規模な戦争、連盟、排他的な地域配置などの方式は、これらの新しい型の安全に対する脅威に有効に対処することが難しく、グローバル・ガバナンスの緊急性は急激に上昇している。このような状況で、国家間の協力と平和による共存はいつよりも大切なものとなっている。そのため、習近平総書記は、「世界の潮流、浩浩蕩蕩たり、之に順へば昌なり、之に逆らへば亡ぶなり」「時代の進むペースについていくには、この身がすでに二十一世紀に入っている以上、頭がまだ冷戦期の考え方、ゼロサムゲームの古い時代にとどまっているのは許されないと知るべきだ」と何度も指摘した。中国は平和的発展の道を堅持しながら、さらに協力、ウィンウィン関係の新型の国際関係の構築を提案する。あなたの負けが私の勝ち、勝者が何でも得られるといった冷戦期の考え方を捨て、国家

1　王毅「断固として揺るぎなく平和的発展の道を歩み、民族復興と中国の夢の実現に良好な国際環境を形成する」『国際問題研究』２０１４年（１）。

間のウィンウィン関係、協力を通じて、日に日に際立ってきているグローバルな問題に対応し、より積極的な姿勢、より責任ある態度、より開放的な心をもって脅威に対処し、世界平和を守り、人類運命共同体を構築し、世界各国国民の共同福祉を絶えず増進させるべきである。

このように、中国が終始変わらず平和的発展の道を歩むことは、世界の流れに順応することである。中国共産党第十九回全国大会は、中国がどこまで発展しても、永遠に覇を唱えず、永遠に拡張しないと厳かに宣告した。この道は中国を世界平和を守るための確固たる力にした。

第三節　中国は平和的発展の歩みを堅持し、世界の平和を維持する

習近平総書記は中国共産党中央政治局の第三回集団学習を主宰した際に、「平和的発展の道が可能かどうかは、世界のチャンスを中国のチャンスに変え、中国のチャンスを世界のチャンスに変え、中国と世界各国の良好な相互作用、互恵ウィンウィン関係の中で開拓して前進することができるかどうかに大きくかかっている」と指摘した。中国が平和的発展の道を堅持する最大のチャンスは何だろうか。それは第二次世界大戦以降、世界が基本的な平和を維持していることである。現在、中国は自らの平和的な発展で世界の平和を守る力を拡大し、自らの発展によって世界の発展にチャンスを提供している。

一、中国が平和的な発展を堅持することは「強国になれば必ず覇権を唱える」という従来型のモデルを打ち破った

世界、特に西洋世界が中国の台頭に懸念を抱く重要な原因の一つは、彼らは、中国の台頭は、台頭国が戦争の形で守旧国に挑戦するという歴史のわなに落ち、そして大国政治の悲劇に陥ると思っているところにある。このような懸念のロジックは、古代ギリシャの学者トゥキディデスが著した歴史的名作『ペロポネソス戦争史』に由来する。紀元前五世紀、古代ギリシャ世界における新興の都市国家アテナイの急速な台頭は、スパルタという既成の大国の恐怖を引き起こし、その後、両国は二十八年にわたる戦争に巻き込まれた。これが政治学で有名な「トゥキディデスの罠」である。実際見たところ、人類の近代史上において十六回の新興大国の台頭があり、そのうちの十二回は最終的に戦争を引き起こした。従来の世界の力の対比変化の規律から見ると、世界の構造を変えるほど重大な力の変化は、往々にして激烈で、戦争にさえ

至るまでの方法を通じて実現されたのである。十七世紀の三十年戦争後に、近代ヨーロッパではヴェストファーレン体制が構築され、十九世紀のナポレオン戦争後にウィーン体制が構築され、二十世紀の第一次世界大戦後にヴェルサイユ体制が構築され、第二次世界大戦後にヤルタ体制が構築された。１９９０年代のソ連崩壊は、世界の力の構造の新たな変化をもたらした。結果的に、ソ連の解体がもたらした自身への破壊と世界への広範な影響は、大規模な戦争に劣るものではなかった。理論ロジックの推測と歴史実践過程からの学習を重ねて、西洋は中国の台頭に対する深い憂慮に陥った。発展して強大になった中国が世界大国に挑戦し、現行の国際秩序に挑戦することによって、衝突、ひいては戦争の勃発を招くことを懸念している。中国は「トゥキディデスの罠」を乗り越え、「強国になれば必ず覇権を唱える」という法則を打ち破ることができるだろうか。中国は自ら答えを出す必要がある。

中国は平和的発展の道を堅持しているが、その重要な方向の一つは西洋大国の台頭の道と異なる新しい道を歩むことである。２０１４年6月28日、習近平総書記は平和共存五原則発表60周年記念大会での演説で、中国国民は「己の欲せざる所は人に施す勿れ」を尊ぶと述べた。中国は「強国になれば必ず覇権を唱える」という考えを認めておらず、中国人の血脈には、王を称し覇権を求め、やたらに武力を振り回すという遺伝子がない。中国は断固として揺るぎなく平和的発展の道を歩み続ける。それは中国にも有利なことであり、アジアにとっても有利であり、世界にとっても有利である。いかなる力も中国の平和的発展の信念を動揺させることはできない。

平和的発展の道は新しい道であり、その新しさとしては、その道が人類史上初めて後発大国の従来型の台頭の道を超えて、軍事的な拡張、資源の略奪、争覇や制覇ではなく、平和的な方法、漸進的な方法を通じて、主に自らの力と改革革新によって発展を実現するところにある。同時に、中国は改革開放を堅持し、他国の長所を学び、参考にし、経済グローバル化の歴史的潮流に順応し、各国との協力、ウィンウィン関係、および共同発展を追求する。国際社会と共に努力して、平和を永続させ、共に繁栄し、調和ある世界の建設、また人類運命共同体の建設を推進する。

平和的発展の道のロジックの起点から見ると、中国が堅持してきた平和的発展の道は中国自らの独特な基本的国情に基づくもので、「切り拓かれた中国式の近代化の道」である。したがって、それは一般的な意味での道、特に西洋式の近代化の道ではない。その意味では、「中国の平和的発展」は西洋の大国の古い道を繰り返すものではなく、中国式の大国強国の道を切り拓くものなのである。この道が解決すべき根本的な問題とは何か。第十八期中共中央政治局常務委員会が、２０１２年11月15日に国内外の記者と会見した際に、習近平総書記ははっきりと述べた。

「我々の国民は生活を愛し、より良い教育、より安定した仕事、より満足できる収入、より信頼できる社会保障、よりレベルの高い医療衛生サービス、より快適な居住条件、より美しい環境を望んでいる。子供たちがよりよく成長し、よりよく働き、よりよく生活できることを願っている。国民の素晴らしい生活への憧れが我々の奮闘目標である。世の中のすべての幸福は勤勉な労働によって創造されるべきだ。我々の責任は、全党全国の各民族の国民を団結させ、率いて、引き続き思想を解放し、改革開放を堅持し、絶えず社会生産力を解放して発展させ、大衆の生産、生活面での困難を解決し、共同富裕の道をゆるぎなく歩み続けることにある」

習近平総書記の演説から分かるように、中国共産党が中国国民全体をリードして追求する目標とは、国民の幸福な生活を図ることである。中国の目標は、外向きの世界の制覇ではなく、内向きで、国民の幸福な生活を基礎にしたものである。上に見てきたように、内向きの目標が拡張の道に向かうはずがないではないか。幸福を追求するのに、幸福を破壊する武力手段に訴えるはずがないではないか。中国が平和的発展の道を堅持する積極的な意義は明らかである。まず、平和的発展の道を通じて、中国国民が幸せな生活を追求するという目標は実現可能である。それから、平和的発展の道は、西洋固有の大国政治の悲劇を越え、「トゥキディデスの罠」を避ける。最後に、平和的発展の道は世界各国に参考になりうる道とモデルを提供した。つまり、平和の中で発展を図り、発展を通じて平和を守るということだ。

二、中国の平和的発展の道の堅持は世界平和を守る公共財を提供した

発展は世界の平和を守る基礎であり、世界各国が均衡的発展を実現し、世界的範囲で貧困を解消し、発展の不均衡問題を解消し、世界の平和を守ることで初めて、基本的な物質的基礎が備えられる。新中国の成立以来、特に改革開放以来、中国は急速な発展を遂げ、国力が急速に向上した。それと同時

に、中国は発展のチャンスを独占せず、ずっと自国の発展によって世界と世界各国の発展を促進している。

２０１３年３月23日、習近平総書記は中華人民共和国国家主席に着任してから初めての訪問で、モスクワ国際関係学院で講演を行ったが、国際情勢の深刻な変化と、世界各国の同舟共済という客観的な要求に対して、各国は共に協力、ウィンウィン関係を核心とする新型国際関係の構築を推進すべきであり、各国国民は共に世界の平和を維持し、共同発展を促進すべきであると指摘した。「協力、ウィンウィン関係の新型国際関係の構築」という提案は、中国が世界各国と自らの発展成果を共有し、世界各国との協力の中で世界の平和と発展のチャンスを守ろうとすることを意味する。２０１４年８月22日、習近平総書記はモンゴル国家大会議で講演した際に、「中国はモンゴルを含む周辺国に共同発展のチャンスと空間を提供することを望んでおり、皆さんが中国の発展という名の列車に乗ることを歓迎する。急行列車に乗るのもよし、相乗りもよし。我々は歓迎する。まさに〝一人で行けば速い。みんなで行けば遠くへ行ける〟というとおりだ」と強調した。これは中国の国家元首が初めて、他国が中国の発展という列車に乗るのを歓迎するとはっきりと宣言したもので、中国の発展は世界に向かって胸襟を開いている。今後五年間で、中国は10兆ドルを超える商品を輸入する予定で、対外投資規模は５０００億ドルを超えると予想されている。世界各国にとって、これはまぎれもなく大きな発展のチャンスである。中国が提唱した「一帯一路」の建設は、沿線国に生産能力協力、インフラ建設などの必要な発展の機会を提供した。

国際通貨基金（ＩＭＦ）のデータによると、２０１６年の中国のＧＤＰ成長率は６・７％で、インドの６・５％を上回り、世界一に返り咲いた。２０１６年度、中国は世界経済の成長に１・２ポイントを貢献した。アメリカは０・３ポイントしか貢献せず、しかも高額の外債がある。ヨーロッパの貢献は０・２ポイントしかなかった。実際、近年、アメリカ、ヨーロッパ、日本などの主要経済体の世界経済成長への先導作用は明らかに弱まっている。インドなどは急速に成長しているが、経済規模が大きくないため、世界経済の成長を牽引する主力にはなれない。ブラジル、ロシアなどはまだ衰退の陰から抜け出していない。中国が世界経済成長の第一エンジンになったことは公認となっている。ドイツのメディアが述べたように、「いずれにしても、中国がこれ以上成長しなくなると、世界が厳しい不況に陥ることは明らかなことである」。ＩＭＦのデータが次のように示している。十二五（第十二次五カ年計画２０１１～２０１５年）期間中、２０１０年のドルの価値を不変価格表示として計算すると、中国の経済成長の世界経済成長への年平均寄与度は３０・５％に達し、世界一に躍進した。２０１６年、中国の経済成長の世界経済成長への寄与度は依然としてトップで、３３・２％に達した。これは中国の発展が世界の発展にチャンスを提供しただけでなく、世界の平和の維持に「発展のチャンス」という最大の平和的な「公共財」を提供したことを意味する。

中国の平和的発展の道は、経済のグローバル化と新しい型の安全脅威の上昇という時代背景の下で提出されたもので、このような国際環境は中国の発展に得難いチャンスを提供し、また中国の平和的発展が西方の大国の擡頭と異なる意味を有することを決定した。二十一世紀初め、グローバル化と新しい型の安全脅威が、中国の平和的発展に与える影響は明らかに大きくなり、エネルギーの安全、環境悪化、伝染病の流行、「東トルキスタン・イスラム独立運動」組織のテロ活動などは、国家の安全と発展を脅かす戦略的問題になっている。新しい型の安全問題の処理が適切でなければ、従来型の戦争と武力衝突を招き、国家の安全と社会の安定を脅かす可能性がかなり高い。しかし、我々が新しい型の安全をきっかけに、アメリカなどの主要大国との共同利益を拡大し、地域協力における中国の影響力を増大させ、責任ある大国としての国際的なイメージを十分に示せば、中国の発展は世界の平和の促進力になるだろう。[1] 世界の平和を守り、世界の平和を守るための公共財を提供する分野において、中国は確かな貢献をした。

平和を守るメカニズムの建設において、中国とロシアが提携して作り上げた上海協力機構は、中央アジア地域の安全を守り、三つの悪い勢力（極端な宗教勢力、民族分裂勢力、テロ勢力）を取り締まる中堅のパワーとなっている。中国が主導する六国会談は様々な理由で停止状態に陥っているが、六国会談が進んでいる時期こそ半島が最も安定している時期であった。具体的な行動において、中国は国連安全保障理事会常任理事国の一つとして、１９９０年に初めて平和維持活動に軍事観察員を派遣して以来、２０１５年10月までに延べ三万人余りの平和維持活動要員を派遣し、計29項の平和維持活動に参加した。２０１６年1月、中国の軍人と警察の３０４３人が十個の平和維持任務区域で平和

1　傅勇「非伝統的安全と中国の平和的発展の道」『毛沢東鄧小平理論研究』２００６年（7）。

のために警備に当たっている。中国はテロ対策、拡散防止分野の国際協力に積極的に参加し、深刻な自然災害に見舞われた国に人道主義的援助を提供し、救助隊を派遣し、海賊行為を取り締まるためにアデン湾、ソマリア海域に中国海軍護衛艦隊を派遣した。中国は百余りの政府間国際組織に参加し、三百余りの国際条約に署名しており、国際システムの参加者、建設者、貢献者となっている。中国は気候変化に対応する国家プランを最も早く制定し、実施した発展途上国であり、ここ数年来、世界各国の中で省エネルギーと排出の削減が最も大きく、新エネルギーと再生可能エネルギーの研究開発が最も速い国の一つでもある。

中国は自らの実際の行動をもって世界に発展の機会を提供し、世界の平和を維持し、そして自らの行動で世界の平和の維持に公共財によって貢献している。中国のこうした実際の具体的な行動は、「中国の発展は世界平和のパワーの発展である」という宣言が外交辞令ではなく、確かな客観的事実であることを証明した。

三、中国が平和的発展の道を堅持すること自体が、世界の平和に対する重大な貢献である

国際政治の基本的な常識の一つは、世界の大国は自らの天賦の資源と権力基礎に基づいて、国際業務の中で重要な役割を果たしており、大国の政策傾向は往々にして地域、世界構造、国際情勢の行方すら決定する。中国は現在、世界の重要な大国の一つとして、９６０万平方キロメートルの領土、３００万平方キロメートルの海域、13億人以上の人口を有している。中国は国連の五大常任理事国の

一つであり、世界第二位の経済体、第一位の貨物貿易国、第一位の工業製品生産国、第一位の外貨保有国でもある。このように資源の基礎を多く有していることは、中国が世界最高の軍事動員資源と軍事行動力を有していることを意味する。その意味で、中国が平和的発展の道を堅持すること自体が、世界の平和に対する重大な貢献となっている。考えてみてもらいたい。もしこのような大国が西洋の拡張の古い道を歩めば、世界の平和はとても語ることはできなくなり、ましてや世界の平和の維持など無理である。中国が平和的発展の道を堅持することは、国際秩序を守ること、新型大国関係を構築すること、イデオロギーを輸出しないこと、紛争、特に領土紛争を平和的に解決すること、という四つの面に体現されている。

国際システムと国際秩序が安定しているかどうかは、世界の平和の構築と維持に影響を与える。国際システムが依然として主権国家を主体とし、大国のパワーを基礎の枠組みとしている歴史的条件の下で、その転換の時間、方向、性質は大国のバランスの維持と崩壊につながっている。「平和的」モデル転換の鍵は、大国のパワー転換が平和的に行われるかどうかにかかっている。[1]中国擡頭のプロセスの推進につれて、西洋諸国は中国が現行の国際秩序を変更することを懸念しており、特に中国が既存の国際秩序を激しい方法で覆すことを懸念しており、中国を国際秩序を変える「修正主義」国家と見なしている。

1　黄仁偉「国際システムのモデル転換と中国の平和的発展の道」『毛沢東鄧小平理論研究』2006年(5)。

２０１５年９月、習近平総書記は訪米期間中に次のように指摘した。

「中国は現行の国際システムの参加者、建設者、貢献者であり、同時に受益者でもある。現行の国際システムを改革、整備することは、別の新たなシステムを構築することを意味するのではなく、それをより公正で合理的な方向に進めようとするものである」

９月28日、習近平総書記は国連本部で第七十回国連総会の一般弁論会に出席し、「手を携えて協力、ウィンウィン関係の新たなパートナーを作り、心を一つにして人類運命共同体を築く」と題する演説を発表した。また習近平総書記は、「中国は一貫して国際秩序の擁護者であり、協力発展の道を歩んでいく。中国は国連憲章に署名した最初の国であり、国連憲章の趣旨と原則を核心とする国際秩序と国際システムを維持し続ける」とした。これは、中国が現行の国際秩序を変えることを自らの追求する戦略目標にはしないことを意味する。それだけでなく、中国は自らの実践、努力により現行の国際ルールを遵守する。２０１５年９月22日、習近平総書記の訪米の成果リストの中で、特筆されるべきは、ルールに基づいた国際経済システムが過去三十五年間に中国に未曽有の経済成長を実現させ、億万人の国民を貧困から脱却させたことであった。これは中国が現行の国際ルールの受益者であり、中国が自らを受益者にしたルールを覆すつもりがないことを示している。では、中国が国際秩序の枠組みの中で追求する目標は何だろうか。それは現行の国際システムを改革、改善し、既存の秩序とルールの基礎の上で改善し、更に合理化し、更に現在の世界の発展の現状と発展傾向を投影させることである。

先に述べたように、大国関係の状態が国際秩序の行方を決定しており、地域と世界の平和の構築と維持を決定している。２０１３年６月８日、習近平総書記はアネンバーグ・コミュニティ・ビーチハウスでオバマ大統領と会談した際、「衝突せず、対立せず、互いに尊重し合う、協力、ウィンウィン関係」の新型の大国間関係を構築することを提案した。米国側はそれを「擡頭国と守旧国は必然的に衝突する」という歴史的呪縛を破り、「新しい答え」で「古い問題」を解決するものと定義している。中米間だけでなく、中国と世界の他の大国との間にも新型の大国関係を構築しなければならない。それが解決しようとする根本的な問題は、大国の対抗関係とゼロサム・ゲームの轍を踏むことであり、それを避けるためには、大国が提携してウィンウィン関係を結ぶ新しい道を着実に歩むことである。大国間の平和共存を実現し、協力、ウィンウィン関係を実現してこそ、世界平和の最も基本的な枠組みを構築することができる。

中国が平和的発展の道を堅持するための一つの基本的な原則は、イデオロギーと革命の輸出をしないことである。二十世紀に半世紀以上続いたアメリカとソ連の対峙が冷戦と呼ばれるのは、正面の武力衝突は直接に起きなかったが、イデオロギーの領域では常に鋭い対峙と対抗を保ち続けたからである。最も顕著なやり方だったのは、米ソ双方がイデオロギー分野で対外輸出を大いに行ったと同時に、イデオロギーが煽り立てた革命を輸出したことである。中国は社会主義の道を堅持するが、政治上において社会主義のイデオロギーを輸出することなく、イデオロギーが主導する暴力革命も決して輸出していない。それに対して、対外交流において、中国はイデオロギーと文化文明を区別した。一方面では、実践によって証明された優れた人類文明の成果である限り、「資本主義に属する」ものでも「社会主義に属する」ものでも、中国は積極的に汲み取って参考にする。そしてもう一方面では、「和して同ぜず、様々なものを受け入れる文明交流を促進する」と主張し、人類文明の発展と進歩を共に促進させる。習近平総書記は第七十回国連総会の一般弁論に出席した際にこのように指摘した。

「文明の共存には、和して同ぜずの精神が必要である。多様さの中で相互に尊重し合い、互いに参考にし合い、調和的に共存することで初めて、この世界は多種多様なものになり、勢いよく発展することができる。文明ごとにその文明が凝縮している民族の知恵と貢献も異なり、そこには上下の区別も、ましてや優劣の区別もない。文明間は対話すべきであり、排斥してはいけない。交流すべきであり、取って代わってはいけない。人類の歴史は異なる文明が相互に交流し合い、参考にし合い、融合してきた壮大な絵巻物なのである。私たちはさまざまな文明を尊重し、平等に接し、互いに学んで参考にし合い、異なるものを受け入れ、人類文明の創造的発展の実現を促進すべきである」

このような開放的で、開明的な姿勢こそ、中国を世界に溶け込ませ、同時に世界から平和的で積極的な力だと見なされるゆえんである。

紛争、特に領土、領海紛争の平和的解決は、中国が一貫して堅持する原則と基本的立場である。領土は民族国家の最も基本的な物理的特性であり、領土紛争は国家の衝突ないし戦争を招く。領土紛争は一貫して民族国家体系の下で戦争が勃発する大きな誘因の一つであり、地域の安定と世界平和の深刻な脅威となっている。新中国が成立して以来、中国は陸上における十二の隣国と歴史が残した境界問題を解決し、交渉と話し合いによって隣国との領土と海洋権益の争いを解決しつづけ、建設的な姿勢で「紛争を棚上げし、共同開発をする」という主張を提起し、周辺海域の平和と安定を守ってきた。中国の周辺海域の情勢は楽観できないと言うべきである。周辺の広い海域が周辺国に占拠されており、中国の利益が甚大な損失を被ったにもかかわらず、中国は「平和的方式、交渉の方式で紛争を解決し、平和と安定の維持に努める」という原則と立場を諦めなかった。領土、領海紛争において、周辺地域の基本的安定の大局を守っているのは、中国の紛争を平和的に解決する原則と立場、中国の自制、中国の地域の平和を守る積極的な姿勢と切り離すことはできない。

中国共産党は中国国民の幸福を図る政党であり、人類進歩の事業のために奮闘する政党でもある。中国共産党は一貫して人類のために、新たなより大きな貢献をするのを自らの使命としている。断固として揺るぎなく平和的発展の道を歩むことは、中国共産党員が国情と世情に合わせて下した重大な決定であるだけでなく、中国政府が世界に向けて交わした厳かな約束でもある。この道の出発点は、平和的な国際環境を積極的に獲得しながら、自らの発展によって世界の平和を促進することにある。この道の立脚点は、平和的な方法をもって民族の振興を実現し、同時に他の国との共同繁栄を先導していることにある。平和的発展の道は、平和と発展が互いに依存し合い、内政と外交が有機的に統一され、自国の利益と人類の共同利益が密接に結びついている新たな発展の道であり、国際関係史上の大きな革新であり、人類社会の発展の大きな進歩でもある。[1] 我々には、中国の平和的発展の道は歩めば歩むほど広くなり、歩めば歩むほど順調なものとなるという自信があるし、その能力もある。平和的発展の道とは、中国の夢、各国の夢、世界の夢の間に、しっかりとした橋をかけることで、平和的な世界、繁栄した世界はまさにこの広大な橋の上に浮かんでいるのである。

1　王毅「断固として揺るぎなく平和的発展の道を歩み、民族復興と中国の夢の実現に良好な国際環境を作る」『国際問題研究』２０１４年（１）。

後書き

人類のより良き社会制度への模索に対して中国プランを提示する

1956年、毛沢東は次のように指摘した。二十一世紀に入れば、中国の様相は大きく変わり、中国は人類に対して、より大きな貢献をしなければならない。六十年後、毛沢東の予言と期待への返答として、習近平総書記は中国共産党創立95周年を祝う大会で初めて「中国共産党と中国国民は、人類のより良き社会制度への模索に対して中国プランを提示する自信がある」と指摘した。2017年に開かれた中国共産党第十九回全国大会の報告書では、習近平総書記は中国の特色ある社会主義が新時代に入ったと指摘し、それは中国が「日増しに世界の舞台の中央に近づき、絶えず人類のためにより大きな貢献をしている時代だ」と述べた。これらの重大な論断を深く理解することは、全世界と人類が中国の発展の現在と未来について高レベルに理解し、中国の改革開放と近代化事業をより良く推進し、工程的自信、理論的自信、制度的自信と文化的自信を更に強固にするために、非常に重要な意義がある。

一、「中国プラン」という命題を提出する世界的背景

2008年に起きた国際金融危機以来、米国や欧州をはじめとする一部の西側諸国では、「経済難、民主の混沌、人権の混乱、民生の困難、安全の窮境」などの局面が現れ、それは「中国プラン」が登

場する世界的な背景となった。

資本が主導することが、西側に苦境をもたらすすべての根源である。資本主義の性質と遺伝子は西側諸国が各分野において、必然的に資本主導の論理に従うことを決定した。資本主義が西欧で出現して以来、世界の近現代史は、資本が主導する論理によって駆動された資本主義の世界的拡張史である。歴史的に資本を見ると、それは人類文明を革新し、世界の発展を推進した。しかし、その本質について言えば、資本の本性は動きを通じて価値の増殖を実現するのである。資本の動きは無限であり、価値の増殖が実現できるところには、どこでも資本が出てくるのである。資本がすべてを主導する論理は、世界中いたるところで、剰余価値の追求と奪取を目的としている。そして西側がその主導する世界システムにより、過度に「超過利潤」を奪取し乱用することによって、グローバル市場における「社会的需要」のはなはだしい不足を引き起こす時、或いはある段階で市場空間や技術革新の配当が奪取されつくした時、資本主義は必ずと困局に陥る。２００８年の国際金融危機以降、米国をはじめとする西側諸国の苦境がこのような状況で発生したのである。このようなジレンマは、経済分野では実体経済の低迷、政治分野では調整の無力、社会分野では貧富格差の拡大、イデオロギー分野では虚偽性があらわとなり、国際分野では保守主義の台頭という形で現れてくる。

西側の苦境は、あくまで資本主導の論理による制度的欠陥がもたらしたものであり、これはまさに「中国プラン」の登場に壮大な世界的な場面を提供したのである。中国は比較的早い時期に冷戦から抜け出し、思い切った改革開放を起動させ、西側主導の世界システムに溶け込み、推進し、参加する方式で、世界の人々を驚かせた四十年にわたる発展の得がたい奇跡を獲得した。「こちらの風景だけ美しい！」（毛沢東）と、その原因は少なくない。そのなかでもっとも根本的な原因は、中国共産党の強いリーダーシップのもとで、中国が、マルクス主義の指導により、国民を中心に、社会主義の道を堅持し、マルクス主義の中国化、時代化、大衆化を推進し、中国の特色ある社会主義の道、理論、制度と文化を切り開き、発展させ、完全化してきたことにある。中国は資本を利用しても資本の虜にならず、資本の力を運用して資本を馴化させ、資本が支配的にならないようにしている。中国共産党がより良き社会制度に対する人類の探求のために中国プランを提供したからこそ、中国を前代未聞の規模が最も大きく、歴史が最も古く、非西欧化の方式で最も成功した社会主義近代化を実現している国家につくりあげたのである。

二、「社会制度の中国プラン」とは何か

中国共産党の指導の下で中国が巨大な発展成果を得たのは、中国の特色ある社会主義制度と必然的な関係がある。同時に、中国共産党の指導の下で中国が獲得した巨大な発展成果の中には、必然的に大きな制度的成果が含まれ、しかも制度的成果は更に根本性、長期性、安定性を有する。そのため、中国共産党は社会主義制度の補完と発展を推進する中で、経済、政治、文化、社会など、各分野ででき
た相互的に融合し、緊密な連携のある制度システムにおいて、現代中国の発展と進歩を構成する根本的な制度保障を形成し、中国の特色ある社会主義の特徴と優勢を集中的に体現したのである。この制度システムは次のいくつもの制度を含んでいる。人民代表大会制度、中国共産党がリーダーとなる

諸党派との連携と政治的協議制度、民族区域での自治制度と末端群衆の自治制度などでできた基礎的政治制度、公有制を主体とする多様な所有制経済が共同的に発展する基本経済制度、中国の特色ある社会主義法体系、基本的な政治経済制度のもとにできた、それ以外の政治制度や経済制度、文化制度、社会制度と生態文明制度などからできた中国の特色ある社会主義制度である。

習近平総書記は、「我々は、中国の特色ある社会主義制度は現代中国の発展と進歩の根本的な制度保障であり、鮮明に中国の特色を有し、明らかに制度の優位性、強力な自己補完能力を有する先進的な制度であることを確信しなければならない」と指摘した。中国の特色ある社会主義制度を世界と人類の高みにたって観察すると、どのような「中国プラン」が見出されるだろうか。世界的意義から見ると、中国の特色ある社会主義制度は少なくとも、先進国を含む、すべての国、特に発展途上国に次のような知恵と啓発を提示した。いかなる国も良好な秩序の元で発展を成し遂げるためには、強力な指導力による統合力を発揮しなければならない。完備した制度システムの支持力を存分に発揮しなければならない。正しい方向で制度に対する統率効果を十分に発揮しなければならない。中国共産党による指導は、現代中国において重要な思想的整合性、利益的整合性の役割を果たしている。一部の国家と地域が混乱と動揺に陥って抜け出せないのは、主に思想的整合性と利益的整合性が欠けているためであり、思想的整合性と利益整合性が欠けている主な原因は、強力な政党による指導力の不在である。このため、習近平総書記は「中国の特色ある社会主義の最も本質的な特徴は中国共産党による指導であり、中国の特色ある社会主義制度の最大の優位は中国共産党による指導である」と指摘した。

基本的な政治制度、経済制度、及びその上に構築されたその他の各種制度によって形成された制度システムは、中国の社会ガバナンスの水準と国家主権の安全を有効に保障し、現代中国の安定した発展に対して非常に重要な支持作用を果たしている。社会主義を質的な規範性とし、最大多数の民衆が満足する根本的な利益を実際のものとすることを目標とし、中国の特色ある社会主義は正しい方向にリードしてゆく。これらの「社会制度の中国プラン」の重要な特徴は、中国の成功の秘訣の一部であり、まさしく他の多くの国々に欠けているものである。２００８年の国際金融危機以来、この点についてはより明らかになってきた。

「中国プラン」は中国人自身がマルクス主義の知恵、及び東方の知恵を用いて近代化の難題を解決するプランである。それは世界の近現代史の流れの中で誕生し、中国が近代化を実現する過程で形成されたプランである。二十世紀初めに、西側列強にいじめられた身を切られる痛みから、西側諸国の近代化の過程における様々な問題の省察から、封建的で遅れた制度文化から脱出する切実な需要から、時代の流れを導く中国共産党が中国人民を率いてマルクス主義を導きとし、武装による政権奪還を基本形式とし、西側国家の近代化への道と異なる道を歩んできた。すなわち最初から中国の近代化は必然的に中国式の近代化であったことが定められていたのであり、つまり独特の「中国プラン」の近代化であった。中国革命が勝利してから、西側国家の抑圧と囲い込みによって、また社会主義陣営の支持と助けのおかげで、革命時代に形成された萌芽性を帯びた制度システムの基礎の上で、中国は社会主義制度を創設し、社会主義を改造した基礎の上で、後進国が急速に近代化を実現させようとする切なる気持ちから、ソ連モデルを参照して、巨大な計画経済体制を構築した。この体制は中国の近代化に大きな役割を果たしたけれども、克服できない欠点もあり、特に時間の経過とともにその欠点がしだいに明らかになってきた。その結果、改革開放が中国の近代化の日程に上がってきた。

改革開放は社会主義中国の自己補完と発展であり、二十世紀後半の中国が世界の流れに順応し、近代化の実現を加速させるための戦略的決断である。それはすでに硬直化したソ連モデルの困惑から中国を脱却させ、中国の国情に適した、より速く近代化を実現する中国の道を見出した。この径路は中国を冷戦の局面から比較的早く脱却させ、発展レベルの高い世界システムの中に溶け込ませた。この世界システムから自身の発展に有益な資金、技術と管理経験などを取り入れ、中国の比較的優位と後発的優位を発揮させるために十分な国際市場空間を作り出した。その意味で、この流れはある程度「西側に学ぶ」という色彩を帯びている。しかし、この径路は西側の単純な模倣ではあり得ない。中国の改革開放は社会主義革命の遺伝子によって決定され、社会主義建設によって定められた制度的基礎、物質的基礎と精神的財産の上で行われた。同時に、西側は中国の改革開放に対して、ずっと警戒し、敵対する態度を抱いており、特に冷戦の終結後、このような態度は日に日に明らかになっている。この二つの要素は中国の近代化が中国の現実に立脚し、中国の立場を堅持しなければならず、他国プランをそのままコピーすることはできないことを決定した。二十世紀末から二十一世紀初めにかけて、冷戦の勝利による空前の覇権の地位を頼りに、西側諸国はかつてない力で全世界にいわゆる「自由市場システム」を推進し、その中から超過剰余価値を獲得した。しかし、いかなる制約も受けていない西側諸国は、軍事力や資本力などを恣意的に活用したため、２００８年の国際金融危機の爆発を契機に、困難な状態に陥った。中国は改革開放を堅持し、経済発展に専念し、建設に集中する一方、西側主導の国際システムに対して十分な慎重さと警戒を保持していたため、若干の打撃を受けながらも、全体的には「こちらの風景だけ美しい」という良好な発展態勢を維持した。

中国プランは、「中国智造」の産物だ。中国はこれまでで一番規模が大きく、歴史も古く、比較的もっとも成功した非西側化で初歩的な近代化を実現した国だ。歴史的な脈絡から見ると、「中国プラン」は中国共産党が各民族を団結してリードし、革命、建設と改革の各歴史時期において、中国の現状から出発し、独自の道を歩むことを堅持して導きだした近代化プランである。時代背景から見ると、「中国プラン」は西側諸国の発展モデルが困難に陥り、多くの発展途上国が困惑する一方で、中国が改革開放の巨大な成果を示した背景のなかから浮かんできた中国の知恵を含んだ近代化プランである。このプランは「歴史の終結論」を終結させ、西側の従来の知識体系とエピステーメーを超え、ずっと西側が認めてきたものを変えた。「蹶起して必ず戦う」「国強ければ必ずや覇となる」といった西側が遵守する論理も変えた。世界の絶対多数の国々に、自身の制度と文化の特性を犠牲にして代償を得るものではない、非欧米式の近代化への道を示した。

三、中国はどうして人類のより良き社会制度の探求に対して中国プランを提供できるのか

㈠　根深い文化的素養

中国の伝統文化は中国に滋養を与え、世界に「和を貴び、中を尚ぶ」（和を尊び、中庸を推奨する）、

「和にして同じくせず」（和であるが差異を尊ぶ）、「天人合一」などの「仁義」「和合」の文化を示した。このような文化は、より世界道義的で世界的な魅力を有している。中国の台頭は、実際には一種の中国文化精神の勃興を代表している。中華民族の偉大な復興は、実際には中国文明の復興を意味する。中国の成功は、実際には一連の価値観念の成功を代表している。このような文化の核心は、世界大同、協和万邦、和而不同を提唱することにある。これは中国の道を解析し、中国の奇跡を解読することができる文化的暗号であり、プロテスタントの倫理と資本主義の精神とは全く異なる価値体系であり、西側の自由民主制度よりも優位な精神的財産である。

㈡　深い歴史的つながり

最初に近代化の道を歩み始めたのは西側である。「西側モデル」は往々にして近代化の比較的良い選択と見なされ、唯一の選択とさえ見なされてきた。「西側の道を行く」ということは、多くの国が逆らうことのできない致命的な誘惑になる。近代化への方向は迂回できないが、道は選択できる。中国式の近代化はある意味、西側式の近代化と共通点がある。しかし、近代化の実現形態は西側の近代化とは異なる。悠久の中国の歴史、紆余曲折の革命の歴程、多様な現実比較によって、中国共産党はどのような近代化を実現するかに対して、最初から独自の判断と選択があり、単純に西側近代化のモデルを複製することはない。現代中国式社会主義近代化の道は現代中国の歴史的実践の中で論理的に生成され、完全に自主的な知的財産権を持つ「中国智造」であり、「世界近代史の偉大な革新」である。

㈢　深い現実的基礎

「中国プラン」は、現在の中国共産党が中国国民を率いて探索し、見つけた中国の成功を促進する中国の道、中国の理論、中国の制度と中国文化を核心的な内容とするプランである。中国共産党は社会主義制度の補完と発展を推進するなかで、中国の道と中国理論を切り開き、また、経済、政治、文化、社会などの各分野をつなぎ合わせ、関連性のある中国の特色ある社会主義制度のシステムを作り上げたのである。それは集中的に中国の特色ある社会主義の特性と優位を表し、有効に国家能力と主権国家の安全を保障するのである。すなわち現代中国の発展と進歩の根本的保障制度である。これらの「社会制度の中国プラン」は、中国が成功した根本的な秘訣である。

㈣　深い理論的基礎

「中国プラン」は、マルクス主義を導きとし、優秀な伝統文化を魂とし、社会主義の性質を有し、中国の問題を解決でき、中国の実践を指導する一種の理論的プランである。マルクス主義、特に現代中国マルクス主義は「中国プラン」に堅実な理論的基礎を提供した。マルクス主義とマルクス主義の中国化の最新の成果は、今日の中国に強大な理論創造力、思想主動性と理論への自負自信を獲得させた。マルクス主義を導きとして、我々が選んだのは社会主義の性質を有する「中国プラン」であり、資本主義と比べ、社会主義そのものに人類のより良き社会制度に対する探求という趣旨が含まれているとするものである。

㈤　深い理想による支え

「中国プラン」は、未来の理想的な社会に対する崇高な追求を有し、しかも人々の理想的な信念を樹立することができる一種の精神プランである。革命の理想は天より高い。中国共産党は精神、信仰の力が、国を治める上で極めて重要であることを熟知している。そして理想と信念は万難を下し、成功を収める精神的宝であるとする。中国の特色ある社会主義は科学的社会主義から生長してきたものであることを強調しながらも、また中国の特色ある社会主義共同理想を堅持することをも強調するが、それは共産主義の夢を堅実なものとするための現実的基礎である。中国の特色ある社会主義の発展の方向を強調するのは、共産主義の夢を実現するためである。そこには現在人類の発展過程中に出現したある種の精神喪失を解決するに重要な啓発的意義がある。

四、中国は人類のより良き社会制度の探索に対してどのような「中国プラン」を提供したか

習近平総書記は、「人類のために新たでより大きな貢献を絶えず作り出すことは、中国共産党と中国国民が早くに下した荘厳なる約束だ」と指摘した。この貢献には、必然的に「中国プラン」の貢献が含まれている。

第一に、「中国プラン」の貢献は、閉鎖して硬化することのない、またあっさりと元の方向を葬り去ることのない状況の下で、実事を是とすることを重視し、客観的な現実から出発し、自国の国情に立脚し、自民族の実情に符合する発展の道を歩むことにある。「中国プラン」は積極的かつ穏当な国政運営プランである。その積極的なところは、「中国プラン」の指導の下で、中国が一貫して近代化と民族復興の実現を積極的に追求し、一貫して近代化を拒否せず、しかも近代化に対して強烈な開放と情熱を保持していることにある。その穏当なところは、中国が近代化を追求する過程において、自

国固有の制度と文化特性を犠牲にすることなく、自国固有の制度体系と文化土壌という基礎の上で、中国の具体的な国情と実情から出発し、自身の実情に符合する道を歩むことに成功したことにある。中国共産党第十九回全国大会の報告書が指摘したように、中国の特色ある社会主義は新時代に入り、発展途上国の近代化への径路を開拓し、世界の、発展の加速化と同時に自身の独立性を希望する国と民族に新しい選択肢を提供した。人類の問題の解決に中国の知恵とプランで貢献したのである。

第二に、「中国プラン」の貢献は、それが政治発展の根本原則を堅持し、正しい政治方向を把握できることにある。「中国プラン」は「一元主導」という社会主義の根本的政治原則を堅持する。政党制度において、それはより鮮明で、断固として中国共産党の指導を堅持することを強調する。これは「中国プラン」の最も根本的な特徴と本質的な属性である。「中国プラン」の根本がここにある。基本的な経済制度と配分制度においては、それは公有制を堅持し、按労配分を主体とする。イデオロギーにおいては、それはマルクス主義、現代中国マルクス主義を導きとする。価値傾向においては、それは国民中心を堅持する。このような「一元主導」という「中国プラン」は、社会主義の根本的な政治方向を堅持し、改革開放と近代化建設の問題において元の方向を容易に撤回したり、方向を見失うことを避けることができるという利点がある。習近平総書記は中国共産党第十九回全国大会の報告書で「我々は、中国の社会主義民主政治の優位と特徴を十分に発揮することで、人類の政治文明の進歩のために中国の知恵に満ちた貢献をする能力と自信が十分ある」と指摘した。

第三に、「中国プラン」の貢献は、それが「結合」を重視し、近代化のプロセスにおける基本的な矛盾関係との結合、調和を強調し、左右の揺れを避けることができることにある。中国の特色ある社会主義建設の実践に基づき、中国はマルクス主義の基本原理を堅持することとマルクス主義の中国化を推進することを結合させ、四つの基本原則を守ることと、改革開放を堅持することを結合させ、国民の創造精神を尊重することと、中国共産党のリーダーシップを増強し改善することを結合させるといった、十分野での結合という重要な経験を経てきた。これらの結合は、中国の特色ある社会主義建設のプロセスにおいて必然的に遭遇する基本の矛盾関係双方の結合である。これらの結合は中国の特色ある社会主義建設の基本的特徴と基本方式である。「中国プラン」の利点は、これらの結合をうまく実現するために努力し、左右の揺れを避けることにある。

第四に、「中国プラン」の貢献はそれが「自主革新」を重視し、革新実行を実施し、動力作用を有することにある。中国で社会主義を建設し、中国の特色ある社会主義を建設すること自体が、自主革新を意味する。自主革新は理論的には、指導思想が絶えず時代と共に進むことに現れている。実践的には、重大決定部署が絶えず展開していることなどに現れている。自主革新は中国共産党が蓄積した基本的な経験であり、絶えず探索して得た基本的な結論であり、「中国プラン」のあるべき意義である。他の「主義」に比べ、「中国プラン」の長所は、成長の内在駆動力があるということにある。

第五に、「中国プラン」の貢献は、それが尺度化、方向指定、安定化、集中化を重視し、正しい道に沿って前進し、人々の心を凝集する作用と戦略の定力があることにある。中国の道は尺度化を、中国の理論は方向指定を、中国の制度は安定化を、中国の文化は集中化を目標とする。中国の道、中国の理論、中国の制度、中国の文化を核心的内容とする「中国プラン」によって、中国共産党は集中的に建設を行い、一心に発展を図ることができる。

第六に、「中国プラン」の貢献は、政府と市場を重視し、社会関係という枠組みの中で、国民の日増しに成長する美しい生活への需要と、不均衡、不十分な発展との間にある矛盾、この社会の主要な矛盾を力を入れて解決しようとするところにある。さらに、その貢献は共産党と政府の主導力、市場による配置力、国民による主体力などを十分に調整し、発揮させて統合力とする。また、無意義な討論や行動を避けて、すべての富を創造する源泉を湧かせ、すべての革新の活力を引き出し、中国に更なる巨大な成果をもたらす。

第七に、「中国プラン」の貢献は、建設性に富んだ国政運営プランであり、人類の発展に多くの国政運営の参考となるものを提供できることにある。つまりプラスのエネルギーがある。世界の近代史において、中国は植民、侵略と戦争の手段を使わずに台頭する唯一の国である。その歴史的流れは、世界での発言権が絶えず増大するにつれて、中国はますます建設的な役割を発揮するに違いないということを証明する。そのため、近年、中国は国際社会により多くの「中国プラン」を提出した。協力と共生発展、平和発展と人間の運命共同体理念に基づき、ウィンウィンを核心とする新型の国際関係の構築を推進し、「一帯一路」という協力構想を企て実施し、アジア投資銀行などの地域金融機関を創設し、さらに中国とアフリカとの関係を推進し、周辺の国々と友好的外交を維持するなど、それはまさに中国が素晴らしい世界の統治のために提供する「中国プラン」である。中国共産党第十九回全国大会の報告書で、習近平総書記は全世界に「中国はいかに発展しても、永遠に覇は称えない。永遠に拡張はしない」と宣言した。

中国共産党第十九回全国大会の報告書は、「中国共産党は、人類のために新たな、より大きな貢献をすることを常に自らの使命としている」と指摘した。約百年前、西側列強は先を争って中国に様々なプランを提示した。百年余りが経った今、中国が世界に自らの名前を冠したプランを出すとは誰も予想だにしないことであった。「中国プラン」は新しい近代化プランとして、近代化への道の解釈権に対する西側の独占を破り、世界の近代化への道を単一選択肢から多重選択肢に変え、世界の多くの国々の「自分の道を行く」という自信と決心を固めた。制度の選択と発展の道については、「西側中心論」者は自らが一番よいという見方を固持したが、「中国プラン」は「世の中に一番はなくて、より良いものがあるだけだ」という理論を提示した。「中国プラン」は絶えず改善し、日に日に成功している。それは「西側中心論」の擁護者の知能指数（ＩＱ）と心の知能指数（ＥＱ）に対して深刻な試練を与えている。このことは歴史と時代の大ロジックから、冷戦の終結以来、特に２００８年以来、世界の人々のより良き社会制度への熱い期待に応えるものであった。逆に、中国国民も、人類のより良き社会制度の探索に対して貢献できることと、知恵を出せることを誇りに思っている。

著者紹介

韓　慶祥（ハン・チンシアン）中共中央党校（国家行政学院）校務委員会委員、副教育長兼科学研究部主任。一級教授。国務院マルクス主義理論学科評議組メンバー。中国ホミノロジー学会副会長。中国マルクス・エンゲルス研究会副会長。中国マルクス哲学史学会副会長。

黄　相懐（ホワン・シアンホワイ）中共中央党校（国家行政学院）国家ハイレベル・シンクタンク学術委員会秘書長、科学研究部協力所所長。主な著書・訳書に『不忘初心：中国共産党為什麼能永葆朝気』『互聯網治理的中国経験』『公共協商：多元主義、復雑性与民主』など。

訳者紹介

魏　鈾原（ウエイ・ヨウユエン）上海同済大学日本語学部教授、岡山大学海外特別教授。専門は日本語学と日本近代文学。長年日本語教育に従事し、著書に『安岡章太郎の文学と思想』、訳書に『学力経済学』など。

金　璽罡（ジン・シイガン）上海同済大学日本語学部教師。Ph.D. 専門は応用言語学。著書に『当代大学日本語 1』『新日本語能力試験特別指導、N1 読解』など。

余　弦（ユイ・シエン）上海大学教授。主として語用論と中日言語対照の研究に従事し、訳書に『現代化における社会コントロールの発展戦略と理論』など。

宮山昌治（ミヤヤマ・マサハル）上海同済大学日本語学部外籍講師などを歴任。専門は日本近代文学、日仏比較思想。著書に共著『大正宗教小説の流行』『最新日本語能力考試全真模擬巻』など。

中国の特色ある社会主義の歩み　**定価 2980 円+税**

発　行　日　2020 年 10 月 25 日　初版第 1 刷発行
著　　　者　韓慶祥　黄相懐　［ほか］
訳　　　者　魏鈾原　金壐罡　余弦
監　　　訳　宮山昌治
発　行　者　劉偉
発　行　所　グローバル科学文化出版株式会社
〒 140-0001　東京都品川区北品川 1-9-7 トップルーム品川 1015 号
印刷・製本　モリモト印刷株式会社

© 2020 China Renmin University Press
落丁・乱丁は送料当社負担にてお取替えいたします。
ISBN 978-4-86516-064-2　　C0014

本書は中華社会科学基金（Chinese Fund for the Humanities and Social Sciences）の助成を受けて出版されたものです。併せて「同済大学中華外国語訳・国際伝播研究センター」の協力を受けております。